Tara Duncan
Le Dragon renégat

Du même auteur

Tara Duncan. Les Sortceliers, Seuil, 2003
Tara Duncan. Le Livre interdit, Seuil, 2004
Tara Duncan. Le Sceptre maudit, Flammarion, 2005

Sophie Audouin-Mamikonian

Tara Duncan
Le Dragon renégat

Flammarion

© Flammarion, 2006
ISBN : 978-2-08069051-7

À ma merveilleuse famille, Philippe, l'amour de ma vie, Diane et Marine qui encore et toujours font de mon quotidien une fête renouvelée et joyeuse.

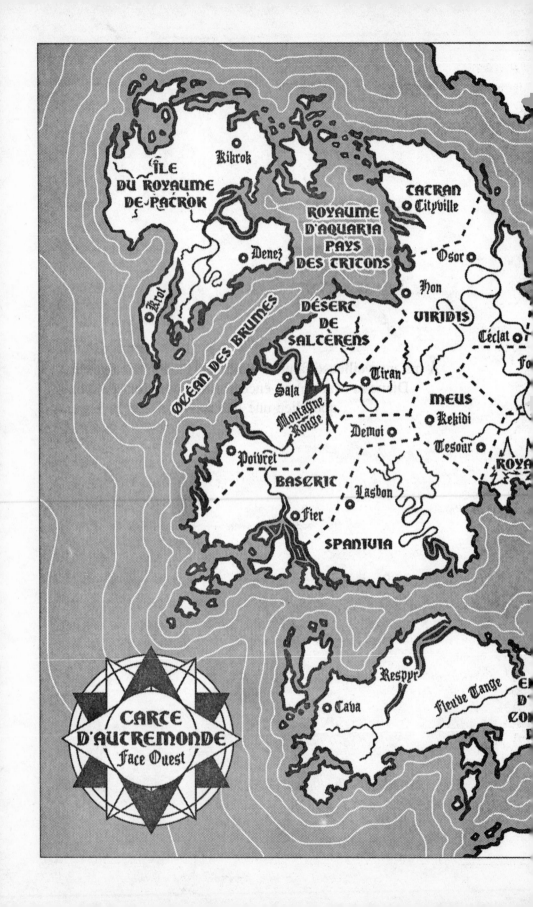

ÎLE
DU ROYAUME
DE PACROK

Kikrok

CATRAN
Cityville

ROYAUME
D'AQUARIA
PAYS
DES TRITONS

Denez

Osor

Hon

VIRIDIS

OCÉAN DES BRUMES

DÉSERT
DE
SALTERENS

Krol

Céclat

Fo

Tiran

Sala

MEUS

Montagne
Rouge

Kekidi

Demoi

Tesour

ROYA

Poivret

BASERIT

Lasbon

Fier

SPANIVIA

Respyr

Fleuve Tange

E
D
CO
D

Cava

CARTE
D'AUTREMONDE
Face Ouest

DYNASTIE DUNCAN AU LANCOVIT
ÉTABLI LE 25 FAICHO 5015 (DATE D'AUTREMONDE)

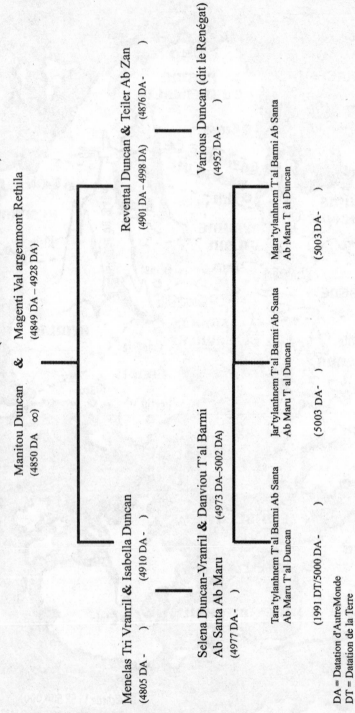

Manitou Duncan & Magenti Val argenmont Rethila
(4850 DA ∞)   (4849 DA – 4928 DA)

Menelas Tri Vranril & Isabella Duncan
(4805 DA -   )   (4910 DA -   )

Reventai Duncan & Teiler Ab Zan
(4901 DA – 4998 DA)   (4876 DA-   )

Various Duncan (dit le Renégat)
(4952 DA -   )

Selena Duncan-Vranril & Danviou T'al Barmi
Ab Santa Ab Maru   (4973 DA–5002 DA)
(4977 DA -   )

Tara'tylanhnem T'al Barmi Ab Santa
Ab Maru T'al Duncan
(1991 DT/5000 DA -   )

Jar'tylanhnem T'al Barmi Ab Santa
Ab Maru T'al Duncan
(5003 DA -   )

Mara'tylanhnem T'al Barmi Ab Santa
Ab Maru T'al Duncan
(5003 DA-   )

DA = Datation d'AutreMonde
DT = Datation de la Terre

DYNASTIE T'AL BARMI AB SANTA AB MARU, EMPIRE D'OMOIS
ÉTABLI LE 25 FAICHO 5015 (DATE D'AUTREMONDE)

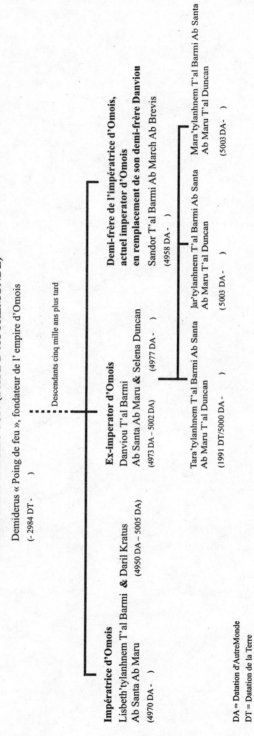

Demiderus « Poing de feu », fondateur de l'empire d'Omois

(- 2984 DT -)

Descendants cinq mille ans plus tard

Impératrice d'Omois
Lisbeth'tylanhnem T'al Barmi & Daril Kratus
Ab Santa Ab Maru (4950 DA – 5005 DA)

(4970 DA -)

Ex-imperator d'Omois
Danviou T'al Barmi
Ab Santa Ab Maru & Selena Duncan

(4973 DA – 5002 DA)   (4977 DA -)

Demi-frère de l'impératrice d'Omois, actuel imperator d'Omois en remplacement de son demi-frère Danviou
Sandor T'al Barmi Ab March Ab Brevis

(4958 DA -)

Tara'tylanhnem T'al Barmi Ab Santa Ab Maru T'al Duncan

(1991 DT/5000 DA -)

Jar'tylanhnem T'al Barmi Ab Santa Ab Maru T'al Duncan

(5003 DA -)

Mara'tylanhnem T'al Barmi Ab Santa Ab Maru T'al Duncan

(5003 DA -)

DA = Datation d'AutreMonde
DT = Datation de la Terre

Note de l'auteur à ses lecteurs

Les pégases, glurps, vrrirs, traducs, spatchounes, taormis, t'sils et autres bestioles bizarres sont décrites dans le lexique d'AutreMonde à la fin de ce livre.

Avertissement : l'Auteur n'a consommé aucune substance illicite et ne fait que décrire ce qu'il – enfin, elle – voit...

Retrouvez Tara sur : www.taraduncan.com

Écrivez-lui à : tara@taraduncan.com

Précédemment dans *Tara Duncan* :

À la demande de nombreux fans, voici un résumé des épisodes précédents. Et pour ceux qui n'ont pas encore lu les trois premiers livres : et alors ? Qu'est-ce que vous attendez ?

Les Sortceliers

Tara Duncan est une sortcelière, celle-qui-sait-lier les sorts. Elle découvre ce détail lorsque Magister, l'homme au masque, tente de l'enlever, blessant gravement Isabella Duncan, sa grand-mère, une sortcelière elle aussi.

Elle apprend alors que sa mère, Selena, qu'elle croyait morte dans un accident biologique en Amazonie, est encore en vie, et part avec son meilleur ami terrien, Fabrice, sur AutreMonde, la planète magique, en vue de délivrer Selena, prisonnière de Magister, le maître des sangraves.

Sur AutreMonde, elle se lie avec un Familier, un pégase de deux mètres au garrot, doté d'ailes de quatre mètres (pas facile à caser dans un appartement), et se fait un ennemi, maître Dragosh, un terrifiant vampyr aux canines pointues.

Heureusement, elle rencontre aussi Caliban Dal Salan, un jeune Voleur qui s'entraîne au métier d'espion, Gloria Daavil dite « Moineau », Robin, un mystérieux sortcelier, qui tombe amoureux de Tara, maître Chem, un vieux dragon distrait et enfin la naine Fafnir, sortcelière malgré elle, farouche ennemie de la magie et qui veut s'en défaire.

Enlevée par Magister, elle parvient grâce à leur aide à délivrer sa mère, affronte son ennemi et détruit le Trône de Silur, l'objet démoniaque confisqué par le légendaire Demiderus aux démons des limbes et que seuls ses descendants directs, Tara et Lisbeth, l'impératrice d'Omois, peuvent approcher et utiliser.

Avant de se volatiliser, Magister lui révèle que son père n'est autre que feu Danviou T'al Barmi Ab Santa Ab Maru, l'imperator d'Omois disparu depuis plus de dix ans. Elle est par conséquent l'héritière de l'empire d'Omois, le plus important empire humain sur AutreMonde.

Le Livre interdit

Cal est rendu responsable d'un meurtre qu'il n'a pas commis. Bien à contrecœur, Tara vient sur AutreMonde. Elle doit découvrir qui accuse son ami, et pour quelle raison.

Les gnomes bleus libérèrent Cal afin qu'il les aide à les libérer d'un monstrueux sortcelier qui les tient en esclavage, le transformant ainsi en fugitif aux yeux de l'empire d'Omois, ce qui est une très mauvaise idée.

Tara et ses amis n'ont d'autre solution que de défier le sortcelier, car les gnomes bleus ont infecté Cal avec une T'sil, un ver mortel du désert. Ils disposent de peu de temps pour le sauver. Une fois le sortcelier vaincu, grâce à Fafnir, ils partent pour les limbes grâce au Livre interdit, afin d'innocenter Cal.

Ce faisant, ils invoquent involontairement le fantôme du père de Tara, mais celui-ci ne peut rester avec sa fille, sous peine de déclencher la guerre contre les puissants démons. De retour sur AutreMonde, Tara et ses amis doivent affronter une terrifiante menace.

En effet, en essayant de se débarrasser de la « maudite magie » (les nains ont la magie en horreur), Fafnir devient toute rouge. Pas de colère, non ; sa peau prend une couleur pourpre car elle a délivré par mégarde le Ravageur d'Âme qui conquiert toute la planète en quelques jours, en infectant les sortceliers et les nonsos des différents peuples.

Tara se transforme en dragon et, en s'alliant avec Magister, parvient à vaincre le Ravageur d'Âme. Une fois ce dernier éliminé, elle abat Magister qui disparaît dans les limbes démoniaques. Elle pense (elle espère très fort !) qu'il est mort. Entre-temps, l'impératrice d'Omois, qui ne peut avoir d'enfant, a découvert que Tara est son héritière et exige qu'elle vienne définitivement vivre sur AutreMonde.

Si Tara refuse, elle détruira la Terre.

Le Sceptre maudit

Tara est amnésique. Après avoir virtuellement affronté les armées d'Omois afin de garder sa liberté de choix, elle s'est rendu compte qu'elle ne pourrait faire tuer d'innocents soldats simplement pour demeurer sur Terre : elle se résigne à vivre sur AutreMonde. Mais elle fait une overdose de magie, tant son pouvoir devient puissant et incontrôlable. Une fois guérie de son amnésie, elle endosse son rôle d'héritière d'Omois et est la victime des farces dangereuses de deux jeunes enfants, Jar et Mara. Sa mère est victime d'un attentat et un zombie est assassiné (ce qui n'est pas facile, n'est-ce pas ? Essayez donc de tuer un type mort depuis des années !).

Tara est chargée de l'enquête tandis que Magister attaque le palais avec ses démons pour enlever la jeune fille. Heureusement ils sont prévenus à temps par le snuffy rôdeur, qui s'est échappé des geôles du maître des sangraves.

Folle de rage, l'Impératrice décide de traquer Magister dans son repaire et confie le gouvernement de l'empire à son Premier ministre et à Tara. Hélas, elle tombe aux mains de Magister et Tara se retrouve, bien contre son gré, impératrice par intérim (ce que, à quatorze ans, elle trouve absolument terrifiant).

Magister envoie Selenba la vampyr, ennemie de Tara, et ancienne fiancée de maître Dragosh, surnommée le Chasseur, espionner la jeune fille. Elle prend l'apparence d'un proche de Tara et blesse gravement l'homme qui fait la cour à la mère de Tara, Bradford Medelus. Puis ils se rendent compte que Magister a eu, grâce à l'Impératrice, accès aux treize objets démoniaques, dont le Sceptre maudit, ce qui empêche les sorceliers d'utiliser leur pouvoir magique.

Coup de chance, la magie des adolescents est épargnée et Demiderus est miraculeusement dégagé du Temps gris où il s'est encapsulé cinq mille ans auparavant. Sur ses indications et grâce aux Salterens, ils trouvent le collier de Sopor, objet qui permet d'anéantir le Sceptre. Capturés par Magister en combattant le Chasseur, Tara et Cal délivrent l'Impératrice et détruisent le Sceptre. Magister ne s'avoue pas vaincu et attaque l'empire d'Omois avec des millions de démons, mais Moineau comprend à temps pourquoi le zombie a été assassiné et explique comment vaincre l'armée des démons. Magister seul s'échappe et on découvre que les jumeaux, Jar et Mara, sont les frère et sœur de Tara.

Plusieurs faits laissent soupçonner que Tara a été victime d'une manipulation génétique et l'Impératrice ordonne des analyses. Robin va chercher Tara pour lui déclarer, enfin, ses sentiments, mais à sa grande horreur, la chambre de la jeune fille est vide.

L'Héritière a disparu.

Le Dragon renégat

Pour cet épisode-là, il va falloir lire le livre ci-après ! Alors, chère Lectrice, cher Lecteur, amuse-toi bien. Et hop... c'est parti !

CHAPITRE I

LE DRAGON
ou de l'intérêt de jouer franc jeu avec un type qui a des dents plus longues que vos avant-bras

L'être sentit ses griffes traverser la couche fragile de ses doigts humains. Il contrôla son agacement. Et fixa un regard sévère sur les lames cornées. Comme à regret, elles se rétractèrent, laissant place à des ongles nettement plus civilisés. Hmmm... mieux.

Il ne devait pas se transformer. Mais son impatience était telle qu'il avait du mal à se maîtriser.

Satisfait, il releva la tête. Le savant hominien, Vlour Mabri, lui tournait le dos et n'avait rien remarqué. Il s'agitait en marmonnant dans le laboratoire encombré. Sur leurs fragiles pattes de verre, les flacons cliquetaient, animés par les sorts d'activation. Les cornues échangeaient de mystérieux fluides, formant d'étincelantes arabesques dans les airs. Il valait mieux éviter de se retrouver sur la trajectoire d'un des corrosifs liquides sous peine de perdre un bout de quelque chose d'important. Un bras ou une tête, par exemple.

Les scoops, petites caméras volantes, avaient été neutralisées. Elles surveillaient tous les endroits sensibles du palais impérial omoisien d'AutreMonde, comme ce laboratoire, l'un des dix centres de recherche enfouis en son cœur. Bernées par un sort d'Illusius, elles montraient une succession de pièces vides.

Les brillantes, dans les globes, dormaient. Leurs ailes lumineuses tressaillaient dans leur sommeil, diffusant peu de lumière.

Le généticien lui fit face. Il semblait harassé. Il se frotta les yeux, puis chaussa à nouveau les grosses bésicles rondes qui, avec ses cheveux rouges, le faisaient ressembler à un hibou punk.

— Alors ? interrogea l'homme qui n'en était pas un.

— C'est... stupéfiant, s'enthousiasma le savant. Ces échantillons de tissu. Ils ne sont pas normaux... non, pas du tout ! Comment ? Comment avez-vous réussi cela ?

L'être fronça les sourcils.

— Cela ne vous regarde pas. Ont-ils atteint leur plein potentiel ?

— Oui, assura le savant, ses yeux de strigiforme clignotant. Grâce à mon invention, le globinomagicogrammeur, j'ai mesuré la charge de magie dans leur sang.

— Et ?

— Vous connaissez les bombes atomiques des humains, sur Terre ?

— Oui ?

— Ce sont des pétards mouillés à côté de la puissance magique de vos deux sujets.

L'être avança d'un pas, exultant.

— Magnifique ! Enfin, je touche au but !

Le savant déglutit. Sa proéminente pomme d'Adam s'agita nerveusement. Dans son esprit enfiévré, la convoitise le disputait à l'honnêteté. Le prix de sa collaboration, l'Étoile de Zendra, était à portée de main. Grâce à cet objet tant désiré, mi-quartz magique d'AutreMonde, mi-circuits imprimés terriens, il élucierait les origines de la magie et l'étudierait scientifiquement. Plus rien ne serait impossible. Les Mages deviendraient... semblables aux anciens dieux. Mais pouvait-il sacrifier deux êtres humains sur l'autel de son ambition ? Après une brève bagarre, à son grand regret, l'honnêteté l'emporta.

D'une courte tête. Il soupira. Ses épaules étroites s'affaissèrent.

— Je dois vous avertir. Il y a un problème. Le potentiel a été multiplié par cent. Si vous n'intervenez pas, les conséquences...

L'être l'interrompit d'un geste brusque, indifférent à la fin de la phrase du généticien.

— La suite ne m'intéresse pas. Je désirais juste m'assurer que leur pouvoir est parvenu à sa pleine puissance.

— C'est... bien au-delà, capitula Vlour Mabri en désignant le dossier qu'il tenait.

Puis, dans un effort, il insista.

— Mais leur magie menace de les détruire ! Leur pouvoir est en train de les consumer.

L'homme, vêtu d'une robe de sortcelier parsemée de glyphes [1] argentés et dont le visage restait dans l'ombre, haussa les épaules dans un geste très humain.

— C'est sans importance. S'ils périssent en accomplissant leur destinée, cela ne me dérange pas outre mesure.

— Lui, peut-être, insista le savant. Mais Tara'tylanhnem Duncan ? Elle, c'est une autre histoire, elle est l'héritière de notre empire. Vous ne pouvez pas...

— Je ne peux pas quoi ? fit l'homme d'une voix douce et froide. Ils ne sont que des *pions*. J'ai *cultivé* leur génome depuis des siècles. Pensez-vous que je vais laisser ce genre de considération freiner ma détermination ?

Mmmh, pas mal, il faisait des rimes en plus ! La pensée l'amusa un instant. Puis il reporta son attention vers Vlour Mabri qui se ratatinait, accablé.

— Combien de temps vont-ils encore vivre ?

— S'ils ne sont pas soignés ? Quelques jours, deux semaines au plus. Je dois aussi vous parler du cas de Léandra, la planète qui a explosé autrefois...

Mais l'être n'avait entendu qu'une chose.

— S'il leur reste peu de temps, ils doivent se rendre sur le

---

1. Glyphes (selon le *Robert*) : ciselure, trait gravé en creux. Euh non, le trait n'est pas en creux dans la peau hein (beurk !) disons que c'est un glyphe à ma manière, juste posé sur la peau !

site S ! s'exclama-t-il. Il faut qu'ils se trouvent là-bas ensemble sans éveiller les soupçons. Alors, enfin ! leur sacrifice entraînera l'anéantissement de la race maudite qui a assassiné ma famille ! Après ces milliers d'années d'efforts, je touche au but et mon amour, ma terrible beauté, sera vengée !

Un rugissement sauvage venu d'une cage dans l'autre pièce se confondit avec son cri haineux, détournant un court instant l'attention de l'être. Le savant en profita pour glisser vivement un double de l'étude qu'il venait de réaliser entre deux meubles, dans la cache magique créée quelques heures auparavant.

L'homme qui n'en était pas un se retourna vers lui et tendit la main.

— J'ai besoin de toutes les données. Veuillez me les remettre, je vous prie.

Résigné, le généticien lui donna les dossiers. Sauf celui qu'il avait dissimulé.

L'être lut les indications. Soudain, il fronça les sourcils.

— Ah, il y a le problème de Robin M'angil, le jeune demi-elfe. Il est très proche du sujet féminin.

Un peu étonné par l'affirmation, le savant haussa les épaules.

— Ce sont des adolescents, qui peut savoir ceux qu'ils aiment ou ceux qu'ils détestent ? Mais ils sont souvent ensemble, c'est exact, pourquoi ?

— Cela me déplaît. Je vais devoir prendre des... mesures.

Au ton de sa voix, on sentait que les mesures allaient être *définitives*. Vlour Mabri frissonna, il n'avait pas envie d'être à la place du demi-elfe. L'espérance de vie de ce dernier venait de raccourcir drastiquement.

— Il est hors de question qu'un flirt pathétique contrarie mes plans, gronda l'être. Je vais lancer un sort sur mes deux sujets afin qu'ils ne puissent tomber amoureux que l'un de l'autre. Ainsi, je m'assurerai qu'ils seront réunis sur le site S. Si je connais bien les adolescents humains, ils ne voudront plus se quitter après avoir fait connaissance.

Il incanta :

— Par l'Adorus, que mes pouvoirs traversent l'espace !

Que Tara'tylanhnem et Jeremy'lenvire s'enlacent et que les autres liens se défassent !

Il fut environné d'une violente lumière violette. Celle-ci se divisa en deux rayons qui franchirent les murs du laboratoire et disparurent dans la nuit. Le sort était jeté. La magie chercherait et trouverait ses cibles. Bientôt.

— Voilà, conclut l'homme, satisfait. Dès que le sort entrera en action, les deux sujets repousseront tous ceux qui voudraient les aimer, et ne pourront s'éprendre que l'un de l'autre. Bien, les échantillons sanguins et tissulaires à présent, s'il vous plaît ?

Le savant fit léviter plusieurs fioles de verre qui se figèrent prudemment lorsqu'elles se posèrent dans la main de l'être.

— Les voici.

Désespérément, Vlour Mabri tenta un ultime essai, les yeux humides de frayeur.

— Vous ne voulez pas m'écouter. La déflagration sera terrifiante. La Terre peut explos...

Impatient, l'être l'interrompit d'un geste vif. Il sentait les prémices du changement dans son corps. Son échine ondulait. Sa respiration s'accélérait. Il lui devenait difficile de se contrôler.

— Je connais toutes les conséquences ! rauqua-t-il.

Vlour Mabri ouvrit la bouche... puis la referma. Les yeux qui le fixaient jaunissaient. Comme celle d'un reptile, leur pupille s'étirait en forme de lame. Terrifié, le savant inspira péniblement.

— Et... et mon paiement ? balbutia-t-il.

— L'Étoile de Zendra ? Elle est à vous.

Dans la paume de l'être apparut un joyau étincelant qui fit briller les prunelles de Vlour Mabri, chassant sa peur. Enfin il allait recevoir sa juste récompense. Celle qui justifiait sa trahison. L'instrument grâce auquel il ferait rentrer dans leur gorge les ricanements des Hauts Mages de l'Académie des sciences magiques d'AutreMonde.

Fasciné par l'objet magique, il s'avança, puis se figea. La paume où reposait l'artefact était en train de se transformer. Elle se couvrait d'écailles, des griffes monstrueuses crevaient la chair. Les vêtements s'évanouirent, le dos s'ouvrit, laissant passer des pointes dorsales acérées et une haleine chaude comme l'enfer lui souffla au visage.

L'Étoile, soudain minuscule, reposait à présent dans la patte avant d'un terrifiant dragon, dont la gueule emplie de crocs démesurés plafonnait au ras des six mètres de la voûte.

Le savant pâlit. Il comprit que sa survie ne tenait qu'à un fil. Un très petit fil.

— Je... je ne dirai rien, murmura-t-il. Je vous le jure !

Le dragon hésita un instant, puis fixa la sueur malsaine qui dégoulinait du front du savant. L'homme mentait. Il le sentait jusqu'au bout de ses épines dorsales.

— Les humains ne sont pas dignes de confiance, soupira-t-il. Si près du but, je ne vais pas courir le moindre risque. Désolé.

Vlour Mabri ne se vit pas mourir. Il perçut juste une fulgurante douleur et un courant d'air frais au milieu de son corps, puis il tomba.

À deux endroits différents.

Le dragon observa son crime avec indifférence, fronçant le museau sous l'effet de l'âcre odeur du sang.

Il ne s'aperçut pas qu'une minuscule plume blanche, avide d'indépendance, avait quitté son corps cuirassé pour voleter sous l'un des meubles.

Il récupéra l'Étoile de Zendra qui avait chu, évitant de laisser les empreintes de ses griffes dans la flaque d'hémoglobine, puis se dirigea vers la cage qu'il avait repérée depuis plusieurs jours. Car, dès le début, il savait qu'il ne pourrait éviter de prendre la vie du savant.

Il s'approcha de la prison d'acier dans laquelle un magnifique vrrir, farouche félin blanc et or à six pattes, marchait de long en large, alerté par l'odeur du sang.

Lorsqu'il vit le dragon, il feula et recula rapidement au fond de sa cage. Jusqu'à présent, dans le laboratoire, il n'y avait qu'un humain, qui le rendait à moitié fou en lui enfonçant des tas de trucs dans la fourrure.

Qui lui faisaient mal.

Celui-là, il se le réservait, guettant inlassablement l'erreur qui amènerait la gorge fragile à portée de ses crocs.

Mais un dragon, c'était une autre histoire. Là, c'était lui qui risquait de servir de repas au repas.

L'énorme reptile se contenta d'ouvrir la cage.

Méfiant, le vrrir sortit, effectuant un large détour pour contourner la masse écailleuse.

Lorsqu'il pénétra dans le laboratoire central, un grondement sourd emplit sa gueule.

Visiblement le dragon avait fait le travail à sa place. Parfait.

Satisfait, le dragon s'éloigna. Ses marques de griffes seraient masquées par la voracité du vrrir. D'ici l'aube, l'animal avait largement le temps de dévorer le corps, ne laissant que des os. Il serait tenu pour responsable et le meurtre passerait pour un accident.

Maintenant il n'avait plus qu'à attirer ses deux cobayes dans le piège, puis à déclencher la réaction en chaîne. Un large sourire s'épanouit sur sa gueule.

La déflagration allait probablement détruire la Terre. Dommage, il allait regretter les vaches...

CHAPITRE II

LE PARCHEMIN
ou comment retrouver un objet tellement bien caché que tout le monde l'a oublié

Le rayon de lumière trancha l'obscurité comme un couteau chauffé à blanc. Mais ce n'était pas suffisant.

Tara jura tout bas lorsqu'elle se cogna le tibia contre un obstacle que le pinceau de sa lampe torche n'avait pas éclairé. Après avoir sautillé pendant quelques secondes en se tenant la jambe, elle décida que sa torche n'était définitivement pas assez efficace.

Et zut pour la discrétion.

— Par l'Illuminus, incanta-t-elle, que la lumière soit, afin que je voie !

Instantanément, l'étincelante lueur bleue de la magie qui avait jailli de ses mains se propagea sur les murs. La salle fut illuminée comme en plein jour.

Ahhh. Mieux. Le cœur battant, Tara tendit l'oreille. Bon, personne ne l'avait entendue et comme elle se trouvait dans les sous-sols du musée, on ne pouvait apercevoir la lumière de l'extérieur.

Aux aguets, elle reprit sa progression. Un miroir antique lui renvoya l'image d'une jolie jeune fille brune. Elle avait utilisé sa magie de sortcelière pour se transformer. Ses longs cheveux blonds étaient devenus noirs, sa peau avait foncé et ses magnifiques yeux bleu marine aussi. Ainsi métamorphosée, elle ressemblait à une jeune Égyptienne. Vêtue d'une jupe, de sandales et d'une chemisette blanche, elle avait l'apparence d'une écolière modèle, non d'une cambrioleuse, ce qu'elle était pourtant...

La chaleur était infernale. La sueur dégoulinait le long de son échine.

Tara se mit à fureter, de plus en plus angoissée au fur et à mesure que ses recherches s'éternisaient. Les gardes n'allaient pas tarder à descendre faire leur ronde dans le sous-sol. Et là, ce serait fichu.

S'emparer du manuscrit, dont elle avait appris l'existence dans un livre de la bibliothèque impériale d'Omois, sur Autre-Monde, était pourtant vital. Enfin, pour elle. Prudents, les AutreMondiens n'avaient pas conservé le parchemin sur leur planète magique où un sortcelier malintentionné aurait pu mettre la main, la patte ou le tentacule dessus.

Ils l'avaient donc caché sur Terre, en Égypte précisément. Les sorts de dissimulation avaient bien fonctionné. Car même en disposant de toutes les ressources de l'Empire, Tara avait passé presque un an à découvrir, en alternance avec son entraînement guerrier et ses cours sur les coutumes d'AutreMonde, l'endroit précis où il était localisé.

Ensuite, l'impératrice, sa tante Lisbeth, avait été enlevée par Magister. Tara avait dû se battre contre une armée de démons, démanteler des complots et élucider des assassinats. Et accessoirement rester en vie. De fait, elle avait été assez occupée.

Mais, enfin, elle était là, dans ce sous-sol d'un musée terrien, loin des visiteurs, devant la précieuse relique, étiquetée « parchemin d'origine et de langue inconnues, peut-être anté-sumérienne ».

Tara n'avait pu s'ouvrir à personne de son projet. S'ils avaient appris ce qu'elle fomentait, les AutreMondiens auraient immédiatement transféré le parchemin ailleurs. Elle n'avait même pas averti ses amis, afin de ne pas éprouver leur loyauté. Et elle le regrettait, car avec l'aide du « magicgang », ses camarades sortceliers, Cal, Fabrice, Robin, Moineau et la naine guerrière Fafnir, s'emparer du précieux document aurait été un jeu d'enfant. Le cœur serré, elle avait discrètement quitté AutreMonde. Cela faisait une journée qu'elle s'était éclipsée, elle n'avait pas de temps à perdre avant que toute la planète ne se lance à sa recherche.

Elle et Galant, son pégase familier, s'étaient rendus invisibles grâce à un Camouflus. Passagers clandestins, ils avaient accompagné deux sortceliers qui se rendaient sur Terre, par la Porte de Transfert de New York. Une série d'épuisants Transmitus l'avaient amenée au manoir de sa grand-mère en France, où elle avait laissé Galant après s'être reposée, et de là en Égypte.

Son attention se reporta sur le parchemin. Il était protégé par une vitre épaisse et si la panne de courant qu'elle avait provoquée avait éteint les lumières, le système d'alarme du sous-sol, lui, dépendait d'un générateur autonome. Elle eut une petite moue. Dommage qu'elle ne soit pas un Voleur Patenté comme Cal !

Elle sursauta. Des voix venaient de retentir derrière elle ! Krotdebik, plus le temps de tergiverser. Bien, il devait y avoir sur la vitrine des relais de contacts qui se déclencheraient si elle l'effleurait. Donc, elle n'allait pas y toucher. Elle incanta, la magie illuminant à nouveau ses doigts :

— Par le Deplaçus, que le parchemin vienne à présent dans ma main !

Docilement, le précieux document se dématérialisa et se posa dans sa paume. Très prudente, elle poursuivit : « Par le Clonus, que le manuscrit soit doublé et dans la vitrine replacé ! » Un second parchemin apparut puis se rematérialisa derrière le vitrage. La jeune fille roula soigneusement l'original.

Elle activa un Transmitus et disparut quelques secondes avant que les gardes, alertés par la lumière, ne fassent irruption dans la salle. La magie s'éteignit et personne n'apprit jamais ce qui s'était passé.

Comme elle ne pouvait pas franchir les Portes de Transfert sans se faire repérer par les AutreMondiens, Tara dut employer plusieurs Transmitus avant de regagner Tagon, dans le sud de la France. C'était à la fois dangereux et très éprouvant mais elle n'avait pas le choix.

Enfin, épuisée, elle réapparut dans le confortable salon aux teintes vertes et vieux rose du manoir de sa grand-mère, jubilante. Elle avait réussi ! L'espace prenait forme de seconde en seconde autour d'elle. Elle se figea, terrorisée. Au centre du salon, une machine luisante et menaçante dardait ses rayons lumineux sur elle. Elle n'eut pas le temps de réfléchir. Elle invoqua un Repulsus. Dans un grondement furieux, la machine fut frappée par la magie et, derrière elle, deux chaises précieuses, un fauteuil et une armoire.

L'ensemble s'envola, passa à travers le mur et monta vers le zénith.

Et la dernière image que vit Tara, horrifiée, fut celle d'un labrador noir qui s'accrochait de toutes ses forces, les crocs désespérément enfoncés dans le bras du fauteuil, en criant :

— Tara, au checours !

Chapitre III

Sur Terre
ou comment garder les pieds dessus

Le pan de mur, les deux chaises, le fauteuil avec le labrador noir, l'armoire volante (cette dernière très joliment sculptée, époque Louis XVI) et la machine clignotante doublèrent l'hélicoptère de la gendarmerie avec une grande aisance. Stupéfaits, les deux gendarmes écarquillèrent les yeux, incapables de croire à ce qu'ils venaient de voir.

Alors, évidemment, le dragon qui voltigeait derrière, ça leur fit comme un choc.

Bleu, le bout des écailles argenté, il attrapa les objets récalcitrants d'une patte nonchalante, serra le chien terrorisé sous son coude, puis fit face à l'hélicoptère. Ses ailes battaient paisiblement avec un flop-flop-flop qui créait suffisamment de remous pour secouer l'engin.

— Qu'est-ce que c'est que ce truc-là ? balbutia le pilote.

— Ah ! Tu le vois aussi ! répondit le second d'un ton soulagé, parce que, pendant quelques secondes, j'ai bien cru que j'étais devenu fou. Il me semble que c'est... une sorte de dragon. Et... bon sang ! *ça... il...* il nous fait signe d'atterrir !

Le dragon accompagna sa requête d'un jet de flammes des plus convaincants, répondant implicitement à la question absurde que se posaient les deux hommes : les dragons peuvent-ils cracher du feu ?

La manœuvre plongeante vers le sol fut le résultat d'un spasme nerveux du pilote plutôt que d'une réelle intention d'écraser la machine. En fait, il s'efforçait seulement d'échapper à l'abominable hallucination, tout en se jurant de ne plus jamais toucher au vin à la cantine du mess.

Le dragon hurla quelque chose et l'hélicoptère s'arrêta net, le nez à quelques centimètres d'un pylône électrique, comme englué dans les airs.

Terrifié, le gendarme sentit son cœur s'arrêter lorsque les pales firent de même. Il cria, anticipant la chute, les yeux fermés pour ne pas se voir mourir, mais l'hélicoptère resta suspendu. L'homme ouvrit une paupière, puis la seconde. Comme portée par des anges, la machine flottait ! Il activa fébrilement le palonnier, mais l'appareil n'obéit pas et s'ébranla brusquement dans la direction opposée, précédé par le dragon. Les deux filèrent à toute vitesse avant de se poser sur la pelouse bien tondue d'un majestueux manoir.

De nombreuses personnes, dont un groupe d'adolescents vêtus de curieuses robes bleu et argent, les regardèrent atterrir. Des tas de *choses* aussi. Un énorme monstre vert, verruqueux à souhait, avec des épieux jaunes en guise de crocs, leur adressa un sourire acéré. Un pégase hennit, agitant ses ailes argentées, tandis qu'un... mammouth bleu velu barrissait, brandissant amicalement sa trompe.

Les deux gendarmes quittèrent l'habitacle en vacillant, avec l'absurde impression d'avoir atterri dans une ménagerie tant mythologique que préhistorique, et comme un seul homme, dégainèrent leur revolver.

Sans se préoccuper d'eux, le dragon apostropha une jeune fille aux magnifiques yeux bleu marine, d'une quinzaine d'années, qui mordillait nerveusement la mèche blanche qui striait sa chevelure blonde. Derrière elle, un pan du mur de la maison était détruit, comme... soufflé par une explosion, laissant entrevoir un ravissant salon vert et rose, décoré de meubles de la même époque que l'armoire qui les avait doublés dans les airs.

— Bon sang, Tara, tu sais que tu dois contrôler ta magie !

— Vous m'avez effrayée ! protesta la dénommée Tara, furieuse. Qu'est-ce que c'était que cette machine ?

— L'engin qui leur a permis de te retrouver, grogna le

labrador encore tout tremblotant. Et je te rappelle que ce stupide sort d'immortalité non seulement m'a transformé en chien mais m'a également ôté tout pouvoir. M'envoyer dans les airs sur un fauteuil n'est pas bon pour mon cœur, je te signale !

— J'ai cru que cela m'attaquait, répliqua la jeune fille sans l'ombre d'un remords, même si elle avait eu très peur pour son arrière-grand-père. J'ai réagi sans réfléchir.

— Oui, on a vu ! commenta en riant Cal, un adolescent mince, petit, aux cheveux noirs ébouriffés et aux grands yeux d'un gris innocent, flanqué de son Familier, un renard. Nous aussi nous sommes contents de te revoir, mais on ne te balance pas des chaises et des armoires à la figure pour autant !

Tara abandonna son air courroucé et se jeta au cou du garçon, ce qui le fit rougir.

— Salut Cal, crois-moi, tu m'as manqué aujourd'hui !

Fafnir, la naine guerrière aux cheveux rouges, se haussa sur la pointe de ses bottes ferrées pour saluer Tara.

— Que ton marteau sonne clair ! grogna-t-elle.

Ah. La formule rituelle. Elle n'était pas contente. Pourquoi ? Tara soupira intérieurement et s'inclina :

— Que ton enclume résonne, répondit-elle docilement.

Fabrice, son meilleur ami terrien, grand garçon blond aux yeux noirs, ne s'embarrassa pas de simagrées autreMondiennes. Il colla deux baisers sonores sur les joues de la jeune fille. Vite imité par sa petite amie, la princesse Gloria, dite Moineau.

Le dernier garçon, Robin, un demi-elfe aux oreilles pointues et aux cheveux d'argent méchés de noir, l'accueillit froidement.

Les gendarmes profitèrent des effusions pour tenter de contrôler la situation.

— Les... les mains en l'air ! bredouilla l'un des deux, qui regretta aussitôt de s'être fait remarquer lorsque l'attention du dragon se braqua sur lui.

— Oui, sourit l'énorme reptile en dévoilant une dentition

fort bien entretenue. Lâchez vos armes ridicules et levez les mains en l'air, ce serait parfait.

— Non, non, précisa le gendarme, c'est vous qui devez lever les mains... les pattes ! Et plus vite que ça !

Sa voix vacilla sur le dernier mot et en gomma l'intention martiale.

À sa grande surprise, le dragon obéit. Il leva les pattes, incanta, ses membres s'illuminèrent et un rayon de magie frappa les deux gendarmes. Ils lâchèrent leurs revolvers et lièrent brusquement connaissance avec le sol. Ils s'écroulèrent.

La troll verte, ancienne garde du corps de Tara, Grr'ul, grommela :

— Très grrmmmlll[1] ces humains. Pas résistants.

Tara, qui l'avait confondue avec l'arbre contre lequel la troll s'appuyait, sursauta.

— Mais vous êtes venus à combien ? se récria-t-elle après avoir vérifié avec inquiétude que les deux gendarmes ne s'étaient pas blessés en tombant.

— Nous sommes tous là. Et tu as de la chance. L'Impératrice, elle, voulait envoyer une armée ! Cela fait plus de huit heures que nous te cherchons ! gronda Robin, qui se tenait juste devant elle.

— Pourquoi ? Il y a un problème ? demanda Tara, sur ses gardes.

Allons bon, quelle catastrophe avait encore frappé l'Empire pendant sa courte absence ?

Le demi-elfe était hors de lui. Et le feu qui brillait dans ses yeux fit monter le rouge aux joues de la jeune fille.

— Comment ça, pourquoi ? cria-t-il, son sang bouillonnant dans ses veines. Tu t'es volatilisée sans la moindre explication ! Je... nous étions fous d'inquiétude !

— Sans explications ? Mais pas du tout ! protesta Tara en croisant les bras. J'avais laissé un mot.

---

1. Grrmmmlll signifie faible. La faiblesse étant synonyme de mort subite chez les Trolls, être grrmmmlll n'est pas bon signe.

— Quel mot ? l'interrompit le demi-elfe, rengainant sa tirade indignée. Nous n'avons rien trouvé !

Tara ouvrit la bouche... et se ravisa. Le visage fermé, elle tourna trois fois sa chevalière, invoquant le démon qui y était lié.

Un nuage rouge se matérialisa devant elle, torse humain, quoique bosselé de muscles, cornes jaunes, mains aux ongles vernis d'abricot, yeux d'ambre fendus de noir, barbichette verte assortie aux cheveux tressés en conque, le tout posé sur un tourbillon. Salenvitréduricselva, princesse des démons du cinquième cercle, esclave volontaire de la chevalière à la place du déchu Meludenrifachiralivandir, était en train de discuter :

— Et alors, disait-elle au vide, je lui ai dit que je lui arracherais ses dix yeux globuleux et les lui ferais avaler... !

Elle tourna la tête, surprise.

— Oh, ne quitte pas, j'ai une urgence, là. Oui, Princesse, tu m'as appelée ?

Le pied de Tara eut un tapotement impatient.

— Effectivement. Tu as bien remis à l'Impératrice le mot que je t'ai confié cette nuit, n'est-ce pas ?

Les yeux d'ambre eurent une lueur affolée et la démone s'exclama :

— Juste un instant. Euuh, Vrémir ? Il faut que je te laisse, j'ai un truc à régler. On s'appelle et on se fait un carnage quand tu veux. Morsures !

Puis elle rabaissa son visage rouge vers Tara :

— Le message. Oui. Tu m'as commandé de ne pas le délivrer tout de suite.

Le tapotement s'accentua.

— Nous étions au milieu de la nuit ! Je t'ai ordonné de le lui apporter dès neuf heures.

— Ah, fit la démone, satisfaite en consultant ostensiblement un gros chrono rouge qui apparut à son poignet, mais il n'est pas neuf heures ! Il est bien plus tôt dans votre univers, non ? Genre cinq ou six heures de votre après-midi ?

— Neuf heures du matin d'AutreMonde, bien sûr ! cria

Tara, furieuse. Toute la planète a dû croire que j'avais été enlevée ! Bon sang, c'est pas vrai !

La démone haussa les épaules, indifférente.

— Tu n'as donc plus besoin de moi ? Tant mieux, j'ai un million de trucs à régler et quelques ennemis à démembrer. Que les cadavres pourrissent sous vos pas...

Et elle disparut sur cette dernière et poétique salutation démoniaque. Tara se retourna vers ses amis, l'air navré.

— Désolée, vous avez dû vous faire un sang d'encre !

— Le mot est faible, grogna le dragon. Nous avons cru que tu avais *encore* été enlevée !

Le « encore » fut dit sur un ton résigné.

— Maintenant que ce malentendu est dissipé, fit Tara, curieuse, comment vous y êtes-vous pris pour me retrouver ? Je pensais être indétectable !

— Toi, peut-être, expliqua Robin, mais ta magie, elle, est aisément repérable. Nous nous en sommes servis, puisque tu avais abandonné ta Click sur AutreMonde.

Tara porta une main à son oreille. Effectivement, elle n'avait pas emporté la boucle d'oreille gadget qui permettait au demi-elfe de communiquer avec elle où qu'elle soit.

— Demiderus était si inquiet de la disparition de sa descendante, continua Robin, qu'il a reporté son retour dans le Temps Gris. Sans compter ta tante, l'Impératrice, qui piquait environ une crise de nerfs toutes les heures. C'est un peu après qu'elle eut détruit une inestimable collection de porcelaines de Meus que l'Imperator est intervenu. En collaboration avec les services « gadgets et accessoires magiques » de l'empire d'Omois, Demiderus et lui ont créé la machine que tu as démolie. Un « Repéreur » capable de localiser les masses magiques les plus importantes.

Le regard de la jeune fille blonde brilla d'indignation, chassant son émotion.

— « Masse magique » ? Comment ça « *masse* magique » ?

— Il ne voulait pas dire que tu es grosse, rectifia Cal, mort de rire, juste que ton pouvoir est si puissant qu'il est difficile à dissimuler.

— Oui, confirma Robin. Une fois éliminées un certain nombre d'options, nous avons déduit que tu étais repartie sur Terre. Le Repéreur cherchait ta piste lorsque tu as fait irruption dans le salon. Et que tu as expédié Manitou et la moitié du mobilier dans l'espace.

Le chien lui jeta un regard furieux. Il aurait mieux fait de rester sur AutreMonde !

La jeune fille tripota le médaillon brillant, frappé aux armes de Vilains, les épées entrecroisées sur crédit-mut d'or, qui pendait sur sa poitrine.

— Moi qui pensais que le Drac [1] que j'avais emporté parviendrait à escamoter mon pouvoir !

— Tu es bien trop puissante pour que le Drac te permette d'échapper aux recherches... heureusement ! assura le demi-elfe. Alors, que disait le mot ? Pourquoi as-tu quitté Omois ?

— J'ai eu besoin de décompresser, mentit Tara, s'en voulant à mort de le tromper. La guerre contre les démons, la découverte de mon frère et de ma sœur ont été lourdes à digérer. J'ai voulu revenir sur Terre pour faire le point sans être constamment influencée par les uns ou par les autres. Ah, et puis je suis fatiguée, hein, sur AutreMonde des monstres n'arrêtent pas d'essayer de me tuer, alors je me suis dit que quelques jours sans aucune menace, ce serait idéal.

Cal sourit, amusé.

— Tu as bien fait, Tara, même les super-héros ont droit au repos !

La jeune fille rougit.

— Euh, Cal, je ne suis pas un super-héros !

— Exact, rectifia gravement Cal. Indéniablement, tu n'es pas un garçon, alors disons que tu es une super-héroïne !

Moineau, jolie brune aux longs cheveux bouclés et aux yeux noisette dorée, accompagnée par Sheeba, une panthère argentée, intervint :

---

1. Dissimulateur Radical Ciblé : rend son porteur invisible à toute recherche, visuelle ou magique. Invention des barons mercenaires de Vilains.

— J'ai vraiment eu peur, tu sais ! Je suis heureuse d'apprendre que ce n'était qu'une fausse alerte. N'est-ce pas, mon chér... hrrmm, Fabrice !

Fabrice, flanqué de son mammouth à poils bleus, lui dédia un sourire débile. Toute raison déserta les yeux de Moineau, faisant frissonner Fafnir. L'amour qu'ils venaient de découvrir avait un effet très négatif sur leur cerveau. À croire qu'il ne leur en restait plus qu'un pour deux !

— Pfff ! souffla la naine, plissant ses somptueux yeux verts, agacée par les échanges énamourés de ses deux amis, Tara est majeure sur AutreMonde puisqu'elle possède son pouvoir de sortcelière depuis plus de deux ans. Elle fait ce qu'elle veut. Je la comprends. Ce n'est pas une vie de se faire taper dessus tout le temps ! Moi j'adore ça, mais les autres races ne sont pas aussi solides que les Nains ! Bon, tu t'es bien reposée maintenant, on peut repartir sur AutreMonde ?

Fabrice ne dit rien, mais il observa Tara d'un air dubitatif. Quelque chose ne cadrait pas avec sa tenue. Elle était vêtue comme une écolière, avec un uniforme. Or, il n'y avait pas de collège dont les étudiants portaient l'uniforme à Tagon. CQFD. Tara manigançait quelque chose. Il eut un sourire froid. Il allait lui tirer les vers du nez.

Tara sentit son regard sur elle et retint un troisième soupir. Elle n'avait pas eu le temps de changer d'apparence. Pourvu que ses amis ne remarquent pas son déguisement !

Maître Chem apostropha Tara. Il ne comptait pas la laisser s'en tirer à si bon compte, après les palpitations qu'elle lui avait causées.

— Venir sur Terre avec Galant est imprudent. J'espère que personne ne l'a vu ! Vraiment, Tara, tu n'es pas sérieuse !

Tara faillit répliquer que le dragon sous sa forme naturelle n'était pas discret non plus mais elle se contint. Si elle s'en sortait avec une simple remontrance, elle pourrait s'estimer chanceuse.

Le compagnon lié de Tara, son frère d'âme et Familier, hennit en entendant son nom. Le magnifique pégase aux ailes d'argent s'approcha, ses serres acérées plongeant profondément dans la pelouse moelleuse, signe de son trouble. Il posa ses naseaux sur l'épaule de Tara et celle-ci caressa tendrement le doux chanfrein.

— Galant déteste être transformé en chien. Aboyer au lieu de hennir le perturbe. Et puis nous faisons de la magie tous les jours au manoir ! Personne ne s'en est jamais rendu compte au village.

Le dragon insista. Il ne voulait pas que Tara prenne l'habitude de venir sur Terre sans surveillance.

— Ta grand-mère a été désignée pour ce poste sur Terre, à sa demande, mais également parce que son tigre familier a été assassiné. Tachil et Mangus, ses deux assistants, n'ont pas de Familier et Deria, ton ex-garde du corps et traîtresse à la solde de Magister, possédait une pie, facile à dissimuler ! Rappelle-toi que notre seule obligation est de cacher l'existence des sortceliers aux habitants de la Terre !

L'adolescente lui tourna le dos, agacée. Des tas de sortceliers, humains ou non, se baladaient constamment sur Terre. Son pégase n'était pas plus bizarre qu'un vampyr ou un cahmboum à tentacules ! Le dragon racontait n'importe quoi pour passer sa colère.

Manitou, désireux de lui donner un peu de répit, désigna d'un mouvement de museau les gendarmes évanouis :

— En attendant, que fait-on des deux zozos qui sont là ?

La Troll avait son idée sur la question.

— Dévorer les grrmmmlll ?

— Non, Grr'ul, je ne consomme pas d'humains ! grogna le dragon. Je préfère nettement les vaches. Plus consistantes, moins filandreuses.

Tara déglutit. Ah oui ? Et comment savait-il cela, le dragon ? Il avait goûté les deux pour comparer ?

— Je vais effacer leurs souvenirs avec un Mintus, décida-t-il. Et les renvoyer à leur base.

Quelques secondes plus tard, les deux gendarmes avaient réintégré leur hélicoptère et faisaient route en direction de l'aérodrome militaire, avec l'étrange sensation d'avoir oublié quelque chose.

À leur arrivée, ils constatèrent que l'appareil avait parcouru un nombre de kilomètres bien supérieur à celui dont ils se souvenaient. De même, il y avait une absence d'un quart d'heure dans leur vie.

Après cet incident, l'un d'eux fut persuadé d'avoir été enlevé par des extraterrestres et décida de mener une enquête centrée sur la région qu'ils avaient survolée. Cela n'alla pas sans poser d'innombrables problèmes aux sortceliers, du fait de la présence de la Porte de Transfert à Tagon, le petit village où vivait Isabella.

L'autre ne toucha plus une goutte de vin de sa vie, car étrangement la vue d'une bouteille appelait dans son esprit la vision d'un lézard géant cracheur de feu.

Tara regarda l'hélicoptère s'éloigner. Les rayons du soleil couchant illuminaient les pierres rosies par le temps du manoir de sa grand-mère ainsi que le trou dans le mur. Elle soupira.

Elle avait eu tout juste le temps de dissimuler le parchemin qu'elle venait de dérober dans les poches insondables de la Changeline. L'entité magique, fixée sur sa nuque, pouvait se transformer en n'importe quel vêtement, de la robe de grand couturier avec accessoires, bijoux, chaussures, maquillage, sac, etc., au short de camping, bref le rêve de la fashion-victim. La Changeline avait aussi la vertu de tout absorber dans ses poches, de l'épingle à la salle de bain avec baignoire, jacuzzi et hammam incorporés.

Elle fronça soudain les sourcils. Les autres avaient baissé la tête et ils ne virent pas les taches noires dans le ciel, fonçant vers le manoir.

Tara hésita, indécise. Les oiseaux avaient une allure... bizarre. Elle allait ouvrir la bouche, lorsque Robin, qui la dévisageait avec inquiétude, leva à son tour ses yeux perçants de demi-elfe. Il identifia immédiatement les arrivants. Son hurlement les fit sursauter.

— Par mes ancêtres, c'est impossible ! Des harpies ! Ici, sur Terre !

L'arc de Llilandril, arme vivante, quitta son dos pour se matérialiser à son bras et son carquois s'ouvrit, prêt à fournir les munitions. Il venait d'encocher une flèche lorsque les harpies plongèrent sur le groupe. Corps d'oiseau, bustes de femme, plumes graisseuses, sales et grises, elles possédaient des griffes enduites d'un poison létal auquel n'existait aucun antidote connu ou accessible.

— Attention à leurs serres, rugit le dragon. Ne vous laissez pas toucher !

La grande troll verte, Grr'ul, brandit sa massue, le mouvement faisant saillir son imposante musculature. Cal avait déjà dégainé ses couteaux de jet et pliait les coudes, prêt à lancer. Moineau s'était transformée en Bête, trois mètres de poils, de crocs et de fureur, tandis que Fabrice incantait, ses mains illuminées par le feu de la magie, son mammouth bleu, Barune, prêt à piétiner la première ennemie qui s'approcherait.

Très calmement, Sheeba, la panthère familière de Moineau, sortit ses griffes. Cool, pour une fois qu'elle pouvait attraper un oiseau sans que sa maîtresse la réprimande !

Fafnir empoigna ses haches avec un soupir ravi. Elle adorait Tara. À chaque fois que la jeune humaine était là, on pouvait être sûr qu'elle déclencherait une belle bagarre. Quant au dragon, il se racla la gorge et des petites flammes sortirent de ses naseaux, prêtes à carboniser.

Ce n'était pas la première fois qu'ils combattaient ensemble et ils formèrent un cercle défensif quasiment infranchissable.

Mais Tara ne voulait plus que ses amis risquent leur vie pour elle et décida d'affronter ses ennemies dans les airs. Instantanément, la Changeline forma une armure de combat et tressa ses cheveux sous le casque de commandement en keltril argenté tandis qu'une magnifique épée, inutile mais indubitablement martiale, apparaissait à sa ceinture. La jeune fille enfourcha Galant. D'un foudroyant coup d'aile, le pégase s'envola et les mains de Tara brillèrent d'une magie si puissante qu'elle en éclipsa momentanément l'éclat du soleil, à la mesure de la rage qui l'habitait. Sa mèche blanche crépita et ses yeux devinrent totalement bleus.

Déjà les harpies étaient sur eux. Poussant d'horribles jurons, la bave aux lèvres, elles piquaient, leurs griffes suintantes de poison prêtes à attraper leurs proies.

— J'y vais, Galant, cria Tara. On va les transformer en poulet rôti !

Elle gardait un épouvantable souvenir de la harpie qui l'avait attaquée deux ans plus tôt. Mandatée par Magister, le terrifiant maître des sangraves, la femme-oiseau avait manqué de peu la tuer. Elle eut une pensée cynique et ses lèvres se retroussèrent. Si elle se montrait aussi impitoyable que le sangrave, peut-être que celui-ci ne trouverait plus d'alliés pour l'affronter ? La première harpie qui s'élançait sur elle fit les frais de cette réflexion.

— Par le Gravitus, incanta Tara, que la harpie s'écrase et jamais ne rejoigne sa base !

Sa magie jaillit et frappa son assaillante, qui glapit d'être nettement plus lourde, et tomba sur la pelouse verte dans un tourbillon de plumes tachées de sang. Tara éprouva un bref remords mais se reprit. Les monstres d'AutreMonde passaient leur temps à tenter de la détruire. Elle devait s'endurcir pour survivre.

Prises au dépourvu, les harpies s'égaillèrent en croassant des jurons. L'une d'elles s'écarta et parla rapidement dans une boule de cristal, le visage crispé. Tara ne lui laissa pas le temps de transmettre un long message. Elle l'abattit sans hésitation.

Sa magie frappa de nouveau, mais les harpies l'esquivèrent avec une incroyable agilité et c'est alors que Tara eut la surprise de sa vie. Les femmes-oiseaux l'ignorèrent et plongèrent sur Robin ! Cerné, le jeune demi-elfe réussit à survivre au premier assaut et tous se regroupèrent pour le protéger.

— La vache ! hurla Cal en évitant une serre qui manqua lui déchiqueter le visage. Elles ont l'air de t'en vouloir à mort ! Que leur as-tu fait, Robin ? Ne me dis pas que tu leur as posé un lapin... à toutes ?

Évitant les attaques avec une célérité surhumaine, le demi-elfe luttait avec grâce et puissance. Il semblait au centre d'une chorégraphie. Rapide. Magnifique. Mortelle. Il répliqua enfin :

— Cal, tu n'es pas drôle ! Les harpies sont des mercenaires ! Elles ont été engagées par quelqu'un, il faut essayer d'en capturer une vivante !

— Tu en as de bonnes, grogna le jeune Voleur en se baissant vivement, elles n'ont pas l'air d'accord, hein !

Voyant que Tara les harcelait depuis les airs, les harpies se scindèrent en deux formations. L'une se concentra sur Tara et l'autre sur le groupe des sortceliers, avec en son centre leur cible, Robin.

S'il ne pouvait en remontrer aux harpies question agilité, Galant compensait par une plus grande puissance. En clair, il volait plus vite. Les harpies en firent la douloureuse expérience, et si la magie de Tara ratait parfois sa cible, les griffes du pégase, elles, ne faisaient pas de quartier.

En dessous du combat aérien, plusieurs des arbres centenaires du parc subirent des dommages collatéraux et l'un d'eux fut très surpris de se retrouver tout aussi vert mais nettement plus petit, sous forme de grenouille. Il s'enfuit, coassant d'indignation.

À ce rythme-là, les harpies ne résisteraient pas longtemps.

Bientôt, le ciel au-dessus de Tara fut vide d'ennemies. Les autres harpies se battaient contre ses amis, plongeant vers Robin comme des corbeaux maléfiques. Persuadées que leurs consœurs s'occupaient de distraire Tara, elles ne s'attendaient pas à ce que celle-ci leur tombe dessus comme une tonne de briques. Pendant qu'elle en foudroyait une, le dragon en assommait une deuxième d'un puissant revers de queue, la Bête plongeait ses griffes dans les cuisses de la troisième, Grr'ul écrasait toutes les têtes qui dépassaient avec des hurlements enthousiastes et assourdissants, tandis que Robin et son arc transformaient les autres en pelotes d'épingles. Sheeba n'était pas en reste, ses longs crocs plantés dans la nuque d'une femme-oiseau agonisante.

— Laisse-m'en une, Robin ! hurla Fafnir, qui sautillait sur

place, frustrée, trop petite pour atteindre les attaquantes. Laisse-m'en une !

Mais la magie sur Terre était amoindrie et Robin commit l'erreur de surestimer l'efficacité de son arc. L'une des harpies parvint à éviter sa flèche. Le demi-elfe n'avait plus le temps d'encocher un autre trait. Il eut un soupir de soulagement lorsque, sifflant au ras de son oreille, la hache de Fafnir s'envola pour se planter dans la maigre poitrine de la femme-oiseau.

Il levait un pouce reconnaissant vers la naine rousse pour la remercier quand la harpie se redressa, arracha la hache et s'abîma dans un plongeon mortel.

Robin n'avait aucune chance de l'éviter. Elle le percuta avec une force incroyable. En une seconde, il fut enseveli sous un amas de plumes pestilentielles.

— Robin ! cria Tara, épouvantée.

À toute vitesse, Galant se posa et la jeune sortcelière se glissa auprès de son ami, le cœur battant à tout rompre. Avec l'aide de Moineau, elle souleva le cadavre de la harpie. Inconscient, le jeune demi-elfe gisait au sol.

Et, emprisonné dans les profondes griffures de sa poitrine déchiquetée, le poison létal luisait d'un éclat sombre et gris.

Chapitre IV

Les harpies
ou comment posséder des ailes
et ne pas du tout ressembler à un ange

Sa mèche crépita et, aussi vive que l'éclair, la magie de Tara enveloppa le demi-elfe. Le poison se détacha du corps et forma une petite boule compacte qui s'immobilisa devant elle. Une fiole l'emprisonna, puis se glissa dans la Changeline tandis que Tara lançait un Reparus.

Les plaies béantes se refermèrent.

Mais Robin ne réagit pas et ne reprit pas conscience. Il gisait sur l'herbe, le teint décoloré, les traits creusés luisant d'une mauvaise sueur, les membres agités de soubresauts. Déjà, le terrible poison ravageait son système nerveux.

Tara s'affola. Le venin des harpies était comme un feu furieux qui envahissait les veines et faisait hurler. Au bout de quelques heures de souffrances, on était torturé par la soif et on mourait dans d'affreuses convulsions. Sauf si on possédait le contrepoison.

Un seul être au monde détenait cette potion miraculeuse.

Pâle, mais résolue, Tara se tourna vers maître Chem.

— Pour guérir Robin, il faut l'antidote. Il faut aller trouver Magister.

En prononçant son nom, elle avait le cœur au bord des lèvres. Son pire ennemi, Magister, le maître des sangraves, fou d'ambition, assoiffé de haine, de rage et de puissance. Décidé à s'emparer par tous les moyens des treize objets de pouvoir, ces réservoirs de puissance démoniaque dissimulés voilà des siècles par celui qui avait sauvé l'univers de l'attaque des démons. Celui que les livres d'histoire surnommaient Demiderus le Grand. Le Très Haut Mage. L'ancêtre de Tara.

Les objets démoniaques permettraient à Magister de régner sur AutreMonde. Pour se les approprier, il avait besoin de tromper leurs gardiens, Ceux-qui-gardent et Ceux-qui-jugent, en se servant d'un descendant de Demiderus. Depuis la découverte de la filiation de Tara, il la pourchassait, espérant approcher les invincibles gardiens grâce à elle.

Le sangrave savait que Tara ne marchanderait pas avec la vie de son ami. Il venait de trouver un moyen imparable de la forcer à se rendre.

Près du mur, Fabrice aussi avait incanté et deux paires de solides menottes, rattachées au sol, immobilisaient une harpie survivante qui reprenait lentement conscience.

— Très bien, gronda Tara en se penchant, les yeux étincelants de rage, sur la femme-oiseau. Où est l'antidote et que veut Magister ?

La captive éclata d'un rire caquetant et le regretta très vite. Sa tête résonnait comme un tambour de guerre.

— Krrrr, kravl drivouolu Kirr drku ! grinça-t-elle.

Ah, évidemment. Sur Terre, il n'y avait pas de sort traducteur activé en permanence, comme c'était le cas dans les grandes villes d'AutreMonde.

— Par l'Interpretus nous nous comprenons, et dans l'harmonie nous en discutons ! incanta rapidement Tara.

Le sort toucha l'ensemble du groupe et tous comprirent ce que disait la prisonnière.

— B... l ! jurait-elle, le s... d de dragon ne m'a pas ratée !

Tara se maîtrisa. Elle avait oublié que les harpies ne répondaient qu'aux injures.

— Espèce de bouse de traduc malade ! Explique-toi avant que je ne te fasse manger ton foie !

La harpie répondit par une salve de jurons qui fit vaciller Moineau. Puis elle fournit une réponse qui stupéfia Tara et ses amis.

— Nous ne connaissons pas le t... du c... qui nous a engagées. Il a donné des instructions par panneau de cristal noir,
sans image, juste le son, et le lendemain nous avions la moitié
du paiement, reçu par courrier spécial, le solde à réception de
l'accomplissement des deux missions. Nous devions tuer la
f... ue tête blanche, yeux de cristal. S... perie, si nous avions
su que vous étiez si nombreux et si forts, nous aurions attendu
qu'il soit seul ! Et *il* n'avait pas dit que tu étais là, sale petite
garce sortcelière, sinon nous aurions exigé le triple !

Originaires de Krrrrevurrrr, planète située près de celle des
dragons, peu nombreuses sur AutreMonde, redoutables pil-
lardes, les harpies ne possédaient pas de pays et nichaient dans
les montagnes désolées d'Hymlia et de Kraslavie, là où ni
les nains ni les vampyrs n'allaient jamais. Elles acceptaient
moyennant paiement les travaux les plus divers, incluant
meurtres, enlèvements, pillages, dommages et autres
ravages...

— Qui, *il* ?

— La crevure qui nous a envoyées vous massacrer ! Sans
préciser que c'était nous qui allions nous faire anéantir !

Fafnir, traumatisée d'avoir échoué à protéger Robin, s'approcha de la captive. Après les jurons d'usage, elle posa sa
question d'un ton coupant, souligné par le tranchant de sa
hache posée sur la gorge squelettique de la femme-oiseau.

— Tête blanche, yeux de cristal, c'est ainsi que vous dési-
gnez Robin, n'est-ce pas ?

— Oui, le petit elfe, succulent, délicieux, à la moelle jaune
et dorée ! ricana la harpie. Nous devions lui crever la peau.

Cal l'observa et, rapide comme l'éclair, lui arracha la poche
de cuir qui pendait entre deux seins flétris recouverts de
plumes. La harpie croassa, mais elle était solidement immobi-
lisée par les menottes.

Il en retira des tas de choses non identifiées et pour la plupart poisseuses et collantes, puis un morceau de parchemin
qu'il déplia avec précaution.

— Elle a parlé de « deux missions ». Ce qui signifie que

Robin n'est pas le seul en danger. Regardez, dit-il en brandissant un papier sale. Voilà ce qui est écrit : *Tuer le demi-elfe, Robin M'angil, et trouver et enlever le sortcelier Jeremy'lenvire...* quelque chose. Le sang a effacé le reste du nom, *habitant près de...* hmmm, difficile à déchiffrer... *Stonehenge.* Probablement une ville d'AutreMonde. Fabrice, peux-tu vérifier sur les autres harpies si elles ont les mêmes instructions ?

Ce fut vite fait. À leur grande surprise, chaque harpie possédait un parchemin identique.

— Cela ne ressemble pas à Magister, observa Fabrice, même s'il affectionne le kidnapping. De plus, en attaquant Robin, j'ai remarqué qu'elles n'avaient pas tenté d'épargner Tara, envers qui elles ont été aussi violentes que contre nous, manquant la blesser à plusieurs reprises. Or Magister a besoin d'elle vivante et en bonne santé.

Ils se regardèrent. Le dragon parla pour eux tous.

— Nous avons un problème. La harpie n'a pas menti. Ce n'est pas Magister qui les a envoyées !

— Et Stonehenge n'est pas une ville d'AutreMonde, précisa Manitou. C'est un site terrien dans un pays appelé Angleterre !

Cal eut un rictus sans joie.

— Résumons. Un mystérieux X veut tuer Robin et enlever ce Jeremy, qui se trouve sur Terre. Quel est le plan ? Parce que nous avons un plan, non ?

Fabrice plissa ses grands yeux noirs, qui faisaient si bien craquer Moineau et la moitié des filles de la cour du Lancovit :

— Nous avons tué toutes les harpies sauf une, qui est prisonnière, donc l'autre cible, Jeremy, n'est pas en danger pour le moment. Nous nous occuperons de le mettre en sécurité après avoir soigné Robin.

Tara s'effondra. Des larmes d'impuissance ruisselèrent sur son visage.

— Combien de temps ? demanda-t-elle d'une voix tremblante. Avant qu'il ne...

Elle s'interrompit, incapable d'aller au bout de sa pensée, tandis que Robin frissonnait et gémissait, toujours inconscient.

— Les elfes sont plus résistants que les humains, indiqua maître Chem. Je dirai qu'il nous reste six heures, au maximum huit.

Ils se regardèrent, atterrés. Cela semblait horriblement court !

— Transportons-le à l'intérieur, proposa Moineau, pragmatique en dépit de son angoisse.

Ils soulevèrent délicatement le demi-elfe à l'aide d'un Levitus. Son corps se mit à flotter et se dirigea vers le manoir.

— Tara ? Tu vas bien ? interrogea Manitou, alarmé par la pâleur du visage de Tara, couvert autant de sueur que de larmes.

— Je ne sais ce que j'ai, répondit Tara en vacillant. Utiliser ma magie à pleine puissance me fatigue de plus en plus.

Le labrador fronça les sourcils. Il connaissait des exemples de sortceliers qui avaient été brûlés par leur propre pouvoir surdimensionné. Et il n'aimait guère les symptômes que présentait Tara. Ils n'avaient rien à voir avec une simple grinchette [1]. L'atteinte était bien plus profonde.

Déjà la jeune fille se redressait, trop inquiète du sort de Robin pour s'appesantir sur son malaise passager. Le dragon reprit sa forme humaine de vieux mage et la suivit. Fabrice miniaturisa les Familiers pour leur permettre de pénétrer dans le manoir. Le labrador marcha sur leurs pas. Il allait surveiller son arrière-petite-fille très attentivement.

Isabella Duncan, la grand-mère de Tara, grande et impressionnante sortcelière aux cheveux blancs, les accueillit dans la vaste entrée carrelée de marbre noir et blanc.

— Tara, s'exclama-t-elle d'un ton acide, peux-tu m'expliquer pourquoi il y a un trou dans ma maison et une partie de

---

1. La grinchette est une maladie qui touche les sortceliers, particulièrement ceux qui utilisent trop leur pouvoir. Elle grippe les articulations et si le sortcelier n'est pas soigné, il peut se retrouver totalement paralysé. Et ne me demandez pas plus de détails techniques, je vous rappelle que je n'y connais rien en magie !

mes arbres carbonisés ? La dernière fois que tu as partielle-
ment détruit le manoir, tu avais perdu l'esprit. Donc deux
questions. Te souviens-tu de mon nom ? Et : combien de
doigts vois-tu ?

Elle brandit trois de ses doigts, visiblement prête à dégainer
sa magie si Tara faisait quoi que ce soit de... bizarre.

— Pardon pour ton manoir, Grand-Mère, répondit Tara
avec un faible sourire. Ce fut, euh, le résultat d'un malentendu. Tu viens de rentrer ?

Isabella se détendit.

— Oui, j'étais au village lorsque j'ai senti une forte
décharge de magie. J'ai invoqué un Transmitus et suis tombée
dans une sorte de remake de la Seconde Guerre mondiale.
Que s'est-il passé ?

Tara lui résuma l'attaque des femmes-oiseaux et leur mission contre Robin et un autre sortcelier, en se dirigeant vers
le salon. Isabella incanta et le trou dans le mur se referma
tandis que les meubles fugitifs regagnaient leur emplacement
habituel.

Sa grand-mère avait accumulé un mobilier ancien et rare et
le salon vert et rose s'ornait de canapés Louis XV aux pieds
élégamment courbés et tendus d'un imprimé aux motifs fleuris
reproduits sur les murs, de chaises, de tables, de guéridons
croulant sous les présentoirs en argent massif, de fauteuils
confortables et d'une ravissante cheminée, identique à celle
que Tara avait escaladée, des années auparavant, dans la
bibliothèque juste au-dessus.

Après avoir étendu Robin sur l'un des sofas débarrassé de
ses coussins brodés, ils se postèrent à son chevet, scrutant
avec inquiétude les convulsions qui agitaient le corps inconscient. Le voyant trempé de sueur, Tara incanta et une petite
cuvette d'eau se matérialisa à côté d'elle. Elle épongea le front
brûlant, mais le garçon ne réagit pas. Et la peur mordit un peu
plus profondément le cœur de la jeune fille.

— Fabrice, observa Manitou, ces harpies ont dû passer par
quelque part pour arriver d'AutreMonde sur la Terre. Tu

devrais aller voir ton père, histoire de vérifier que tout va bien à la Porte de Transfert dont il est le gardien.

Fabrice pâlit. Le comte de Besois-Giron, son père, était le gardien humain et nonsos de la Porte de Transfert de Tagon, comme tous les membres de sa famille depuis huit cents ans. Il était peut-être en danger !

Sans discuter, il fila ventre à terre, suivi de Barune qui tentait de soutenir son allure. Moineau, sous sa forme de Bête, bondit sur ses pas. Tara eut un maigre sourire. Depuis que ses amis s'étaient épris l'un de l'autre, il était aussi difficile de les séparer que s'ils avaient été collés à la glu extra-forte. Et Moineau s'inquiétait pour Fabrice qui était le moins puissant d'entre eux.

Soudain Robin ouvrit des yeux brouillés par la fièvre qui le consumait et Tara se pencha.

— Que... que s'est-il passé ? bredouilla-t-il.

— Tu as servi de piste d'atterrissage à une harpie, répondit sérieusement Cal. Un conseil : la prochaine fois que tu vois une nana qui tombe du ciel, évite la galanterie, écarte-toi !

L'elfe ne put retenir un gloussement et se tordit. Lorsque la douleur se fut atténuée, il souffla :

— Par pitié, Cal, ne me fais pas rire, j'ai mal ! Elle m'a empoisonné, n'est-ce pas ? Je vais donc mourir ?

— Certainement pas, gronda Tara, catégorique. Nous allons trouver une solution !

Elle sauta sur ses pieds, s'éloignant de Robin, à la grande déception de ce dernier. Le mot « empoisonné » venait d'éveiller un écho dans sa mémoire. Quelqu'un lui avait parlé de... par ses ancêtres, oui ! Une dent de dragon ! Elle fouilla précipitamment la poche de la Changeline et en extirpa la précieuse relique que lui avait offerte maître Chem pour son anniversaire.

— La dent de dragon ! s'exclama-t-elle, les yeux emplis d'un fol espoir. Elle peut guérir tous les empoisonnements ! Je n'ai pas eu le temps de l'utiliser pour sauver le snuffy rôdeur, mais je ne laisserai pas Robin mourir !

Maître Chem la regarda avec tristesse.

— Hélas, Tara, je pourrais m'arracher toutes les dents et mettre un dentier que cela ne changerait rien. Cette dent peut tout guérir, c'est exact... sauf l'empoisonnement dû au venin des harpies ! C'est spécifié sur le mode d'emploi. Je n'arrivais pas à mettre la patte dessus, alors je te l'ai offerte sans. Désolé.

Un lourd silence accueillit sa déclaration et Tara, anéantie, rangea le précieux et inutile talisman.

— Vous aviez fait appel au roi des démons des limbes la dernière fois pour guérir Tara, n'est-ce pas ? intervint Isabella, les yeux encore écarquillés par le massacre de son jardin qu'elle observait à travers les vastes fenêtres à petits carreaux.

— Ah, Dame Duncan, il va être difficile de le solliciter, rétorqua Cal sur un ton ironique. À notre première visite sur sa planète démoniaque, Tara l'a insulté et a libéré les couleurs qu'il gardait prisonnières, et à la visite suivante, maître Chem s'est assis sur lui et l'a écrabouillé. De plus, ce n'était pas lui qui possédait le remède, mais Magister et nous n'avons aucun moyen de contacter ce dernier. Sans parler du fait que même si nous arrivions à le joindre, il refuserait probablement de nous aider. Je crois bien qu'il nous considère comme des ennemis mortels. Voir Robin passer de « potentielle victime » à « adversaire éliminé » le délecterait certainement.

— Je vois. Avez-vous interrogé la harpie pour savoir qui les a envoyées nous attaquer ? Peut-être le commanditaire de cette agression dispose-t-il d'un antidote ?

— Nous l'avons fait, confirma Tara. La harpie prétend ignorer l'identité de son interlocuteur.

— Ses pareilles sont des mercenaires, précisa Cal. Si elles divulguent l'identité d'un de leurs clients, plus personne ne voudra les engager. Sa réponse est logique. Vous allez avoir du mal à lui faire cracher le morceau !

— Ce n'est pas la première fois que nous avons à faire face à ce genre de menace, soupira Isabella, résignée. Tu as sans doute raison, mais je vais tout de même discuter avec cette harpie, histoire de lui arracher quelques précisions. Si vous entendez des cris, ne vous inquiétez pas, ce sera normal.

Elle fit craquer ses doigts d'un air résolu et sortit.

Tara et Manitou échangèrent un regard. Isabella pouvait être d'une implacable cruauté lorsque c'était nécessaire. Ils n'auraient pas voulu être dans la peau de la harpie. Elle non plus d'ailleurs, à en croire les hurlements stridents qui s'élevèrent peu après.

Manitou déglutit. Il y avait certains des aspects de la puissante personnalité de sa fille qu'il avait un peu de mal à... *appréhender*. Les cris allèrent crescendo et ils grimacèrent.

Tara se retourna vers Robin, mais le demi-elfe avait replongé dans l'inconscience. Elle prit sa main brûlante, mesurant à nouveau à quel point ses amis comptaient pour elle. Elle aurait donné sa vie pour être à la place de Robin !

Au moins *elle* serait évanouie et ce seraient *les autres* qui s'en feraient pour elle !

Maître Chem tenta plusieurs incantations avec la jeune fille, joignant leurs puissants pouvoirs pour purger les veines du demi-elfe, mais en vain. Le seul résultat fut que la tapisserie du sofa retrouva ses couleurs exquises, mais l'état du garçon alla empirant, suivant le cours de l'empoisonnement.

Le demi-elfe s'éteignait sous leurs regards impuissants.

Soudain Fabrice, suivi de Moineau sous sa forme de Bête et portant un corps inanimé, fit irruption dans la pièce, le regard fou, son mammouth barrissant à perdre haleine.

— Tara, mon Dieu ! hurla-t-il.

La sortcelière se redressa, le cœur battant.

— Que s'est-il passé ?

Moineau posa délicatement son fardeau sur un second sofa et Tara reconnut le crâne chauve et le nez arrogant du comte Alphonse de Besois-Giron, père de Fabrice et gardien de la Porte de Transfert entre AutreMonde et la Terre.

— Les harpies ! Elles ont attaqué la Porte pour passer ! sanglota Fabrice. Et elles ont griffé mon père !

CHAPITRE V

LES GLYPHES
ou comment se lier avec un demi-elfe
alors qu'on n'a rien demandé

Le corps du comte tressaillit.

— Il n'est pas mort ! constata Manitou qui venait de poser sa truffe humide au creux du cou de l'homme évanoui, provoquant son sursaut.

— Je n'ai jamais dit qu'il l'était ! Mais il n'a pas la résistance de Robin et, contrairement à moi, il ne dispose d'aucune magie ! reprit Fabrice d'une voix qui s'étranglait. Je lui ai appliqué un Reparus pour guérir ses plaies, mais je suis impuissant contre le venin. Il a été blessé voilà déjà plusieurs minutes, son état se dégrade à une vitesse vertigineuse. Je vous en prie, Maître Chem, dites-moi qu'il y a une solution ! Sauvez mon père !

Le vieux mage évita le regard suppliant de l'adolescent.

— J'aimerais bien, oui, mon garçon. Hélas, à part Magister qui a dû utiliser de la magie démoniaque pour ce faire, personne n'a jamais trouvé d'antidote au poison des harpies. C'est d'ailleurs pourquoi elles sont si redoutées sur Autre-Monde.

Cal réfléchissait profondément, marmonnant entre ses dents.

— Bon sang, c'était quoi, ce film, *Bactérie* ? Non, ce n'est pas ça. *Microbes* ? pas ça non plus...

Soudain il claqua des doigts et s'exclama :

— Oui ! *Outbreak*. Avec Dustin Hoffman et Renée Russo. Formidable, ce film !

Moineau lui jeta un regard noir.

— Cal, Robin et le père de Fabrice sont en train de mourir. Qu'est-ce que ton histoire de cinéma vient faire ici ?

Le jeune Voleur l'ignora et vint se planter devant le dragon.

— Maître Chem, commença-t-il en inspirant profondément, vous savez que j'aime beaucoup les films terriens que nous importons sur AutreMonde, n'est-ce pas ?

Le vieillard le considéra d'un air perplexe.

— Euh, oui, et alors ?

— Dans *Outbreak*, un singe contaminé par un virus du type Ebola infecte involontairement toute une population. S'ensuit une course contre la montre pour retrouver le singe et utiliser son sang pour fabriquer un vaccin. Car celui-ci a été traité pour résister au virus. Il porte l'antidote en lui.

— Cal, fit maître Chem avec un infini regret, nous pourrions capturer et sacrifier autant de harpies que nous le voudrions, cela ne changerait rien. Des centaines de savants ont essayé depuis des millénaires.

— Ah ! fit Cal d'un air malin, c'est là qu'intervient *The Omega Man*.

Le dragon haussa un sourcil interrogateur.

— Un film avec Charlton Heston, précisa Cal. Un virus transforme les gens en zombies aux cheveux et aux yeux blancs. Le dernier humain à ne pas être contaminé, car il a réussi à se protéger, utilise son sang pour réaliser un antidote puisqu'il est insensible au virus. Et nous avons notre propre « Omega Man » !

Les autres sortceliers n'étaient pas aussi familiers avec la culture terrestre, même Fabrice, pourtant terrien, et ils fixèrent Cal d'un même regard vitreux.

— Ben oui, expliqua celui-ci. *Tara* ! La seule personne à avoir survécu aux griffures de harpies, grâce à l'antidote de Magister. Son sang le contient encore probablement ! Ou du moins les anticorps qui lui permettraient de lutter contre une nouvelle injection de venin !

Tara se leva, incertaine.

— Hé, Cal, c'est une excellente idée, souligna Moineau, souriante. Une fois prélevé, on transformerait le sang afin d'en extraire l'antidote et on l'injecterait à Robin et au père de Fabrice. Maître Chem ? Vous sauriez comment opérer ?

— Je n'aime pas beaucoup l'idée de transfuser le sang de Tara dans les veines de qui que ce soit, fit le vieux mage. Pas tant qu'on n'en saura pas plus sur cette affaire de manipulation génétique.

Les adolescents le regardèrent, surpris. Ils avaient oublié ce détail. Apparemment, quelqu'un avait trafiqué les gênes de Tara pour la rendre plus puissante. Malheureusement, ils ne savaient ni qui avait manipulé son ADN, ni dans quel but.

— Mais cela peut sauver leur vie, objecta Moineau.

— Ou les tuer net ! répliqua froidement maître Chem. Pour rien. Si effectivement Tara est immunisée, il n'y a pas à hésiter. Mais nous l'ignorons !

— Il faut vérifier, trancha Tara. Je ne veux pas risquer de mettre en danger Robin et ton père, Fabrice. J'ai prélevé un peu de venin sur Robin quand il a été griffé.

Sa Changeline, obéissant à son ordre muet, fit remonter la fiole contenant le sombre liquide dans la poche de sa robe et elle la brandit, poursuivant :

— Il y a là de quoi m'infecter.

Mal à l'aise, Cal recula et Fabrice pâlit.

— C'est hors de question, gronda maître Chem, avançant d'un pas. Si tu n'es plus immunisée, tu risques de mourir toi aussi. Je refuse de prendre ce risque.

Tara eut un lumineux sourire et avant que quiconque ait le temps de réagir, elle fit surgir un poignard du néant, s'entailla l'avant-bras et versa le poison sur la plaie.

— Tara ! s'écria le vieil homme. Non !

La jeune fille haussa les épaules, grimaçant alors que le feu du venin s'activait dans ses veines.

— Trop tard. Nous allons très vite connaître la réponse.

— Mouais, grogna Cal, hypnotisé, et qui va s'y coller pour trouver un antidote si tu ne l'as pas ?

Pétrifiés, ils observèrent Tara, qui gardait un teint frais comme une rose. Pas la moindre goutte de sueur, pas un soupçon de fièvre. Au bout de cinq minutes de lourd silence, uniquement rompu par les gémissements du comte, le dragon laissa échapper un soupir explosif.

— Tu es encore immunisée, Tara, constata-t-il avec soulagement. Mais la prochaine fois que tu me fais un coup pareil, je te... je te...

— Je ne recommencerai plus, Maître, l'interrompit Tara. Pouvons-nous tenter la guérison à présent ?

Le vieillard se voûta, encore sous le choc.

— J'ai encore les mains... les mattes... hrrmmn, les pattes qui tremblent, maugréa-t-il. Moineau, pourrais-tu te charger de l'opération ?

La jeune fille brune lui jeta un regard affolé.

— Euh, moi ? Vous êtes sûr ?

— Absolument. Je suis là en soutien si nécessaire.

La timide Moineau, à son grand regret, n'osa pas refuser et se mit en position.

Le salon fut réaménagé pour que les deux sofas soient placés face à Tara, assise dans un confortable fauteuil. La jeune fille tendit les poignets et Moineau incanta, après avoir dénudé les poitrines de Robin et d'Alphonse de Besois-Giron.

Cal ne put s'empêcher de demander pourquoi Moineau n'en faisait pas autant pour celle de Tara et faillit se prendre une baffe.

— Par le Transformus, psalmodia Moineau, instruite de la bonne incantation, que l'antidote au venin des harpies soit extrait, que le plasma et le sang en soient traits !

Deux fines lignes sanglantes s'élevèrent des poignets de Tara, fascinée. À l'œil nu, on pouvait voir les particules de magie qui scintillaient dans le fluide, le transformant en une fontaine rouge et rayonnante.

— Par le Reparus, continua Moineau, que le sang de Tara soit transmis et les deux malades guéris !

Le fluide monta, puis se divisa, avant de frapper les corps inconscients. Si le comte de Besois-Giron ne réagit pas, l'elfe revint à la vie dès que le sang s'introduisit dans ses veines. Il se redressa, horrifié.

— Nooooon, hurla-t-il. Non, Tara ! Non !

Faiblement, il tenta de repousser les lignes de sang, sans succès. Elles évitèrent les assauts du demi-elfe et continuèrent à déverser le fluide vital de la jeune fille dans ses veines. Son corps fut secoué de convulsions.

Au même moment, une double ligne de sang s'éleva du corps du garçon et toucha Tara, formant une boucle ! Le liquide changea de teinte et prit une étonnante couleur dorée. Tara broncha brusquement, ensevelie sous une avalanche de sentiments et d'images mentales émis par le demi-elfe. Pêlemêle, elle ressentit sa tristesse d'être un métis, sa crainte constante pour elle et... son... ah ! la la, son amour !

Affolée par cette réaction inattendue, Moineau interrompit son incantation. Le sang cessa d'affluer... et les images aussi.

— Par tous les dieux, Tara, qu'as-tu fait ! gémit Robin.

Et il tendit ses avant-bras vers la jeune fille.

— Regarde.

Sous leurs yeux stupéfaits, deux glyphes d'un pourpre flamboyant apparurent. Deux boucles compliquées soulignées de points et de traits... dont les jumelles dorées se matérialisèrent au même moment sur les poignets de Tara, juste au-dessus de l'accréditation[1] incrustée qui lui permettait de circuler librement à Omois et au Lancovit et qui, sur Terre, était dissimulée aux yeux des Terriens par un Illusius.

— Mais... mais, balbutia celle-ci en se frottant machinalement, qu'est-ce que c'est ?

— C'est de l'écriture elfique, déchiffra Moineau en plissant les yeux. *Estil géoval sensil*. Cela signifie : « Liés, frère et sœur d'âme à jamais. »

---

1. L'Accréditation est une sorte de passeport. Un truc magique que les sortceliers de toutes races portent incrusté sur leur bras, tentacule ou pseudopode, comportant leur photo, leur identité et leur permettant de circuler partout. Non, ça ne fait pas mal, et oui, c'est beaucoup plus pratique que nos ID à nous !

Robin retomba sur son sofa, épuisé.

— Tu m'as donné ton sang. La magie nous a liés lorsqu'une partie du sang t'a été retournée, nous transformant irrémédiablement en naouldiars !

— Mince alors ! fit Moineau. Alors là, c'est la cata !

CHAPITRE VI

LA MISSION
ou l'art d'obliger des gens à se porter volontaires
pour des aventures dangereuses, voire mortelles

Tara ne comprenait plus rien.

— En *quoi* ?

Moineau se chargea d'éclairer sa lanterne.

— Un naouldiar est un frère de sang chez les elfes, expliqua-t-elle.

— C'est exact, confirma Robin. Et j'aurais préféré *mourir* que de devenir le naouldiar, le frère de sang de Tara !

Tara fronça les sourcils. Qu'est-ce que c'était encore que cette histoire ?

— Tu ne veux pas devenir mon frère de sang ? commença-t-elle, blessée par l'apparent rejet du demi-elfe.

— C'est à cause du... ah, comment cela s'appelle-t-il déjà ? le Z'alen'maril, n'est-ce pas ? interrompit vivement Moineau avant que Tara ne prononce des paroles irrémédiables. Les frère et sœur de sang ne peuvent s'aimer.

Tara comprit et rougit.

Car au plus profond de son âme, là où elle cachait ses secrets, elle devait avouer qu'elle appréciait vraiment beaucoup le demi-elfe.

— Le Z'alen'maril les en empêche, continuait Moineau, puisant dans sa mémoire. Il agit comme une sorte de chaperon virtuel, car en liant les sangs il arrive que le capital génétique soit modifié, ce qui interdit l'amour entre les frère et sœur de sang.

— Tu veux dire que Tara va se transformer en elfe ? demanda Cal, wahou, c'est génial ! Elle était déjà jolie, là elle va devenir canon !

Tara grimaça. Il était parfois difficile de savoir si Cal se moquait ou était sincère.

— Non... oui... enfin, je ne sais pas. En fait, je ne crois pas que cela va fonctionner, d'une part parce que Robin est à demi humain, ensuite parce que la magie de Tara est certainement plus puissante que le Z'alen'maril.

— Tara, fit Cal d'un ton sérieux, s'il te pousse des oreilles pointues, ne panique pas, ce n'est pas que tu te transformes en chauve-souris, juste que tu deviens elfique !

Elle ne put discuter plus avant avec Robin, car celui-ci, affaibli par son violent effort, s'évanouit de nouveau.

— L'antidote a agi, heureusement, précisa maître Chem après l'avoir ausculté. Transportez-le dans une chambre et laissez-le dormir. C'est ce qui lui convient le mieux pour le moment.

— Et mon père ? intervint avec angoisse Fabrice qui ne constatait aucun changement.

Le vieillard se pencha et tâta le front du comte d'une main experte après lui avoir soulevé la paupière.

— Il va bien, lui aussi. La fièvre est en train de tomber. Je ne sais pas l'effet que pourrait avoir sur lui le sang d'une sortcelière aussi puissante que Tara, mais dès qu'il s'éveille, surtout, explique-lui ce qui s'est passé. Et s'il sent quoi que ce soit d'anormal, qu'il nous appelle tout de suite.

— D'anormal ? répéta Fabrice.

— Ben oui, fit Cal, malicieux, s'il se met à ouvrir des trous dans les murs ou à changer les gens en grenouille comme Tara, tu pourras considérer ça comme *anormal*.

Fabrice jeta un regard inquiet à son ami. Son père était formidable dans tous les sens du terme et n'avait pas très bon caractère. Imaginer le comte doté de magie du jour au lendemain et obligé de quitter son cher château pour AutreMonde l'emplissait d'un brusque désir de se retrouver loin, très loin d'ici. Obéissant au dragon, il fit léviter Robin et son père jusqu'aux chambres du haut. Ce ne fut pas facile, la magie n'était pas très coopérative, lui donnant une nouvelle fois l'occasion de regretter amèrement de n'être pas plus puissant.

Il déposa Robin dans l'une des pièces, puis passa dans l'autre, Moineau à ses côtés.

Le comte ouvrit un œil brumeux. Et regarda la tapisserie fleurie avec surprise.

— Où suis-je ?

— Reste tranquille, Papa, conseilla Fabrice, tu as été attaqué par des harpies. Elles t'ont griffé, nous t'avons sauvé de justesse. Ah, et je te présente ma petite amie.

Le comte et Moineau lui adressèrent un regard stupéfait. Le comte encore un peu groggy n'était pas sûr d'avoir bien compris, et Moineau ne s'y attendait pas du tout.

— Ta quoi ?

— Petite amie, précisa Fabrice qui enchaîna vite, genre « c'est ma petite copine, on ne va pas en faire une encyclopédie en dix volumes, hein ! » : bon, voici le topo. Nous avons neutralisé les harpies qui se sont attaquées à nous mais un sortcelier inconnu est sans doute en danger. Il va falloir que nous partions à leur recherche. Tu crois que ça va aller ?

— Ta quoi ?

Hou, apparemment il avait été plus touché que prévu. Son cerveau n'arrivait pas à interpréter les paroles de son fils.

— Fabrice, fit Moineau, un sourire figé aux lèvres, ce n'est peut-être pas le bon moment pour ce genre de déclaration. Je ne suis pas sûre que cette information soit passionnante pour ton père dans l'état où il se trouve !

Le jeune Terrien grimaça. Ben si ! C'était justement pour cela qu'il avait choisi ce moment ! Son redoutable père était déstabilisé et affaibli, tout à fait ce qu'il fallait pour lui annoncer la nouvelle.

Le comte pencha la tête et la fixa.

— Pe... petite amie ?

— Oui, il paraît que c'est le mot, sur Terre. Sur Autre-

Monde, nous serions des velori [1]. Je trouve cela plus joli, mais bon... Gloria Daavil, pour vous servir.

— C'est la nièce du roi et de la reine du Lancovit. La princesse Gloria Daavil. Elle est une puissante sortcelière et peut se transformer en Bête.

L'œil du comte se plissa, soudain aigu.

— Ah, oui, je me souviens de vous. Je vous ai rencontrée l'année dernière, lors de la mort du prince Bandiou sur mon domaine. Comment allez-vous ?

Moineau sourit. Il était très civil, le père de son velori.

— Bien, merci, et vous ?

— Pas très, non. J'ai mal partout et c'est comme si des fourmis exerçaient leurs mandibules sur tous les muscles et les veines de mon corps. Dis-moi, Fabrice, rappelle-moi ton âge ?

— Quatorze ans, pourquoi ?

— Tu as quatorze ans et tu as une petite amie ?

Fabrice se sentit rougir. Aïe, qu'est-ce que son père allait encore dire ?

— Oui, et je l'aime de tout mon cœur, Père.

Moineau sentit une humidité suspecte au coin de ses yeux. Elle renifla.

— Moi aussi, je t'aime de tout mon cœur, déclara-t-elle, complètement chamboulée.

Puis, parce qu'elle ne voulait pas que l'émotion la submerge, elle précisa :

— Enfin, sauf lorsque tu te transformes en loup-garou et que tu proposes à Tara de l'épouser !

Le comte fronça ses prodigieux sourcils, puis se rallongea, renonçant à essayer de comprendre ce que venait de dire la sortcelière. Il demanderait des explications plus tard. Là, il était vraiment trop fatigué.

— Alors, prends bien soin d'elle, mon garçon. Elle semble

---

1. Velori : équivalent de fiancé. D'ailleurs si Fabrice connaissait la véritable signification de Velori, il serait probablement beaucoup plus nerveux.

aussi jolie que courageuse. Bon mélange. Je crois que je vais dormir un peu, moi. À tout à l'heure.

Il ferma les yeux et en quelques secondes, un ronflement sonore retentit dans la pièce.

Fabrice vacilla et s'assit, s'essuyant le front. Affronter son père faisait encore partie des trucs qui lui mettaient les genoux en flanelle.

— Reste avec lui, conseilla Moineau qui gardait la déclaration d'amour de Fabrice comme un joyau dans son cœur. Je descends voir Tara.

Elle l'embrassa tendrement et quitta la chambre.

Pendant que ses amis transportaient le comte et Robin à l'étage, Tara s'était renfermée dans ses pensées, encore stupéfaite de l'involontaire déclaration mentale du demi-elfe. Trop occupée à survivre dans un monde où tous les monstres de l'Univers semblaient ligués pour lui planter les crocs dans la jugulaire, elle n'avait pas eu le temps de s'appesantir sur les sentiments pourtant évidents de son ami.

À présent, il n'y avait plus aucun doute. Robin était amoureux d'elle ! Elle sentait son cœur battre plus fort dans sa poitrine. Comment devait-elle réagir ? Ils n'étaient pas de la même race, même si Robin était à demi humain. Euuh, avait-il lui aussi « entendu » ce qu'elle ressentait pour lui ? Alors là, elle était mal !

Soudain le froissement du parchemin qu'elle avait volé, dans sa poche, lui rappela sa mission, elle inspira profondément. L'amour du demi-elfe risquait-il de la distraire de son devoir ? Si elle lui en parlait, pourrait-elle éviter de mettre ses autres amis dans la confidence ? Autant pour le secret !

Désorientée, elle se mura dans un silence pensif. Moineau, qui venait de les rejoindre, en profita pour mettre un peu d'ordre dans le salon. Elle n'osait pas lui adresser la parole, même si elle en brûlait d'envie. Grr'ul, la troll amatrice de plantes, lorgnait le ficus en se demandant quel goût ça avait et si Isabella serait très fâchée si elle en croquait un bout. Fafnir nettoyait sa hache ensanglantée avec application, évitant le visage de Tara et même l'impudent Cal se taisait. Le désespoir de son ami l'avait touché et pour une fois, il était à court de sarcasmes. Ce qui était dommage, parce que l'une des choses qu'il préférait au monde, c'était bien taquiner Robin !

Manitou louchait sur les quelques poils argentés qui avaient l'outrecuidance de parsemer son noir pelage en spéculant sur les chances que son cœur résiste à tant d'émotions fortes. Qu'est-ce qui allait leur tomber dessus maintenant... une météorite ?

Maître Chem, quant à lui, était ennuyé. Tara était celle qu'il avait attendue pendant toute sa longue vie de dragon. Celle qui allait peut-être lui permettre de mettre son plan à exécution. Mais s'il n'arrivait pas à manipuler la jeune sortcelière comme il le désirait, tout ce qu'il avait patiemment manigancé depuis des siècles risquait d'être anéanti. C'était hors de question. Qu'elle le veuille ou non, Tara accomplirait son destin ! Le demi-elfe ne serait pas un problème bien longtemps. Et s'il parvenait à ses fins, la puissance des dragons ne connaîtrait pas de limite ! Involontairement, ses pupilles se transformèrent, chassant son regard humain. Ce fut un œil jaune de serpent qui se braqua sur la jeune fille, mais celle-ci, perdue dans ses pensées, n'y prêta pas attention.

Isabella revint, la mine soucieuse.

— Bien, lança-t-elle, impériale. Avant de vous annoncer les mauvaises nouvelles, dites-moi ce qui s'est passé avec le demi-elfe et le gardien.

Tara fronça les sourcils. Sa grand-mère avait un peu de mal avec les noms. Et une indifférence absolue à ce que l'on pourrait penser de son manque de tact.

— Nous avons guéri *Robin* et le *comte Alphonse de Besois-Giron*, résuma-t-elle en insistant sur les noms, grâce à l'antidote de Magister qui circulait encore dans mes veines.

Elle passa sur l'épisode de la vérification de son immunité, histoire d'éviter qu'Isabella n'explose. Oh, elle lui en parlerait... d'ici une petite centaine d'années... peut-être.

Elle poursuivit :

— Pour une fois, le maudit sangrave a été utile. Il serait fou de rage de savoir que nous avons sauvé des vies, grâce à lui. On a monté les blessés dans les chambres pour qu'ils se reposent. Et toi ? Tu as réussi à obtenir des renseignements ?

— Je me suis montrée plus *persuasive* que vous, confirma la grande sortcelière, le visage fermé. Et ce que m'a dit la femme-oiseau est grave. Elles n'étaient pas seules. Une vingtaine de harpies en tout sont entrées sur Terre. Elles ont attaqué le comte pour dissimuler leur nombre !

Cal releva vivement la tête.

— Vingt ? Mais nous n'en avons éliminé qu'une dizaine ! Les dix autres risquent-elles de nous attaquer de nouveau ?

— Certainement pas. L'ordre de mission que vous avez pris sur les harpies disait vrai. Leur mystérieux commanditaire leur a confié *deux* tâches. Et je soupçonne un sortcelier semchanach[1], car il est absolument interdit de laisser vaquer des êtres mythologiques sur Terre. Si on les voit, tout le système de protection d'AutreMonde sera remis en cause !

Manitou, qui pensait secrètement que ce serait tout de même nettement plus simple si les sortceliers révélaient leur existence aux Terriens, balaya l'argument d'un mouvement de museau.

— Ce n'est pas le plus important. Un Mintus, et hop, les mémoires sont nettoyées et les harpies oubliées. La seconde mission concerne le sortcelier dont parlait Cal ?

— Oui, confirma Isabella, le visage sinistre. Et je viens de contrôler si ce Jeremy est connu de nos services.

— Alors ?

— C'est un sortcelier non déclaré, comme l'étaient Tara ou Fabrice, parce que personne n'en a jamais entendu parler. J'en suis d'autant plus surprise qu'on ne m'a pas récemment

---

1. Tous les sortceliers et Hauts Mages sont soumis au Grand Conseil, dont les lois sont au-dessus des lois des pays. Un sortcelier semchanach refuse les lois et contraintes du Grand Conseil. Tant qu'il ne cause pas de dommages aux habitants d'AutreMonde ou de la Terre et reste discret, il peut vivre sa vie comme il l'entend. Si ce n'est pas le cas, il est poursuivi par les elfes-chasseurs, policiers d'AutreMonde, et neutralisé. Ce qui est un terme militaire pour dire « anéanti ». Les elfes-chasseurs ne sont pas très patients avec les semchanachs.

signalé d'incidents à Stonehenge, ce qui tend à prouver que ce sortcelier n'utilise pas sa magie, ou alors d'une façon discrète. Se cacherait-il de nous ? Et si c'est le cas, pourquoi ?

Ils se dévisagèrent.

— Et la harpie a-t-elle donné la raison de ces deux ordres ?

— Non. Leur mission se bornait à tuer Robin et à enlever ce Jeremy. Elles se sont divisées en deux groupes. Le premier s'est attaqué à vous et le second est en route pour Stonehenge.

— Elles ont utilisé la Porte de Transfert anglaise ?

Isabella eut un mauvais sourire.

— Non, elles n'ont pas pu. Depuis l'attaque de Magister, les dragons ont décidé d'engluer les Portes avec des sorts paralysants, afin de piéger les passagers clandestins comme nos harpies. Ce sont des sorts complexes, seules certaines portes ont été traitées à ce jour.

Cal fronça les sourcils. Voilà qui était un coup dur pour son métier de Voleur Patenté !

— Ah ? Et les portes anglaises font parties du lot ?

— Exactement. Elles sont ensorcelées, contrairement à celle de notre village, ou même la Porte américaine par laquelle Tara est arrivée sur Terre. Ces maudites harpies devaient le savoir, car elles n'ont pas utilisé la Porte londonienne. Avec l'effet de surprise, elles n'auraient eu aucun mal à atteindre Londres en quelques secondes. En choisissant d'y aller par les airs, elles ont opté pour la pire solution. Elles ne peuvent voler très vite et ne sont pas assez puissantes, surtout ici où la magie est affaiblie, pour activer des Transmitus.

— Ce qui signifie ?

— Que nous n'aurions jamais eu le temps de les rattraper si elles avaient choisi l'option Porte. Là, il va leur falloir au moins deux à trois jours pour rejoindre Stonehenge. Cela nous laisse le temps de les « neutraliser ». Tout ceci est extrêmement contrariant et très étrange.

Soudain, il y eut un vacarme et Selena, la mère de Tara, une ravissante jeune femme brune aux longs cheveux bouclés, fit irruption dans la pièce. Son puma familier, Sembor, venait sur ses pas et elle était escortée du Haut Mage Medelus, son fiancé et le futur beau-père de Tara, au grand dépit de cette dernière. Elle ne digérait toujours pas que cet homme puisse convoiter la place de son père, même si celui-ci n'existait plus, pour le moment, qu'à l'état de fantôme.

La jeune femme marqua un temps d'arrêt, surprise de voir autant de monde dans le salon.

— Tara, tu vas bien, ma chérie ? Pourquoi y a-t-il une harpie prisonnière en train de jurer au beau milieu de la pelouse, des cadavres et des trous partout ?

Tara, après avoir tendrement embrassé sa mère et salué Medelus avec une froide réserve, leur livra un compte rendu expurgé de son voyage et des événements qui avaient suivi, parce qu'à Selena non plus elle n'avait pas révélé qu'elle était revenue sur Terre pour trouver un parchemin susceptible de ramener son père du monde des fantômes. Elle voulait lui faire la surprise. Sa mère resserra son étreinte sur elle, toute gaieté envolée.

— Ça n'arrêtera donc jamais, gémit-elle. Non seulement on s'attaque à toi mais à tes amis aussi, maintenant. Qu'ai-je donc fait au Ciel ?

— Je ne sais pas, mais ça devait être terrible, insinua Cal, malicieux. Vous étiez sûrement un horrible sortcelier maléfique dans une autre vie et hop, dans celle-ci, vous voilà punie avec Tara comme fille !

— Cal, s'exclama cette dernière, continue à te moquer de moi et je te transforme en crapaud.

Elle détailla le jeune garçon qui n'était pas très grand, ce qui lui plaisait car ainsi il pouvait se faufiler partout, et ajouta :

— En tout *petit* crapaud !

Elle se tourna vers sa mère :

— Maman, ne t'inquiète pas pour moi. Tout ira bien.

Selena opina, pas rassurée pour autant. Medelus, grand, sombre, encore fragile à cause des blessures causées par le Chasseur, enveloppa Selena dans une accolade réconfortante. Tara fut la seule à remarquer la lueur de panique qui brilla un instant dans son regard. Le Haut Mage avait soudainement l'air terrifié. Pourquoi ?

— Comment se fait-il que tu sois ici ? questionna Isabella, ignorant Medelus qu'elle n'aimait guère, le trouvant de condition trop modeste pour sa fille, veuve de l'ex-imperator d'Omois ! Qu'est-ce qu'elle fichait avec un ridicule petit bio-ingénieur !

— Tara m'avait avertie qu'elle partait se reposer sur Terre. L'Impératrice m'aurait cassé les pieds pour savoir où se trouvait son héritière. Alors, Brad et moi avons éteint nos boules de cristal et passé la journée à Selenda, chez les elfes, avant de venir ici. Personne ne pouvait nous joindre

Ah, c'était la raison pour laquelle elle n'avait pas prévenu les autres ! Tara fit une petite grimace, entre sa mère et l'effrit, décidément, elle n'avait pas eu de chance.

— Alors ? Que décidons-nous ?

Tara hésita, le visage creusé par l'indécision. Elle se sentait... anormalement fatiguée ! Les ennuis la poursuivraient, quoi qu'elle fasse.

— Cette fois-ci, nous ne sommes pas les seuls en cause, trancha-t-elle. Les harpies sont à la recherche d'une autre personne. Il faut avant tout sauver le sortcelier anglais. Pour le reste, nous verrons plus tard.

— Tu as raison. Nous ne pouvons pas laisser des harpies se balader sur cette planète, approuva le dragon. C'est ton travail, Isabella, de réduire au maximum les contacts entre la magie et les Terriens. Pars à la recherche des harpies, localise-les et neutralise-les. Essaye de ne pas les tuer et renvoie-les sur AutreMonde. Si tu ne peux faire autrement, élimine-les et fais disparaître les corps. Je n'ai pas envie qu'un archéologue amateur tombe dessus en creusant un peu trop profond.

À la grande surprise de Tara, le visage de sa grand-mère pâlit et, pour la première fois de sa vie, elle posa une question idiote.

— Tu... tu veux que j'aille à Stonehenge ?

— Oui, répondit le dragon en hochant la tête, pas à Tombouctou !

Tara plissa les yeux. Connaissant sa grand-mère, sa réponse allait carboniser maître Chem, métaphoriquement bien sûr, vu que les dragons étaient à l'épreuve du feu.

Mais Isabella se contenta d'un faible « Oh ! » et se laissa tomber sur une chaise. Comme tout le monde la dévisageait, interloqué par son étrange réaction, elle se reprit :

— Mais nous pouvons les traquer et les arrêter avant, pendant qu'elles sont encore en France, non ?

— Nous ignorons où elles se cachent en ce moment. Ne sous-estimez jamais un ennemi. Elles ne sont pas stupides. Elles ont dû activer un Camouflus. Ce sort ne consomme presque pas d'énergie magique, mais il les rendra indétectables, tant par la vue que par la magie. Notre seul avantage est que nous savons où elles *se rendent*. Si vous ne perdez pas de temps, vous devriez arriver avant elles.

Isabella, à son grand dépit, ne put rien trouver pour réfuter l'argumentation du vieil homme. Elle se tourna vers sa petite-fille.

— Tara ?

— Grand-Mère ?

— Tu vas venir avec moi.

— Comment ? Moi ? Mais pourquoi ?

Tara songeait à contrecœur à rentrer sur AutreMonde. Aussi fut-elle désarçonnée par l'injonction d'Isabella.

— Tu n'es pas en sécurité ici. Et pas plus sur AutreMonde tant que nous ne saurons pas qui est ce nouvel ennemi et pourquoi il en veut à la vie de Robin. Je préfère garder un œil sur toi. Nous allons voyager ensemble jusqu'à Stonehenge, ce sera plus sûr.

Depuis qu'elle était devenue sortcelière, Tara avait développé une sorte de... sixième sens... enfin, *septième* si l'on comptait la magie comme numéro six. Et ce septième sens lui disait que sa grand-mère était ennuyée et anxieuse. Ce qui ne cadrait pas avec son tempérament. De plus, jamais Isabella ne l'avait emmenée avec elle, où que ce soit. Intérieurement, elle soupira. La vieille mage était la maîtresse des secrets. Devant son attitude, Tara pouvait parier que le dragon venait de mettre le doigt sur l'un d'entre eux. Sagement, elle renonça à protester, décidée à découvrir ce que sa grand-mère manigançait.

Et puis, cela présentait un autre avantage. Peut-être que personne n'essayerait de lui trancher la gorge pendant quelque temps !

— Je viens ! lança immédiatement Moineau. Je n'abandonne pas Tara, surtout en ce moment.

— Moi aussi, fit illico Fabrice qui venait de redescendre, Barune tentant de négocier les marches derrière lui sans se casser la... trompe.

Cal avait suivi Tara dans toutes ses aventures et là, il avait la désagréable impression de la trahir. Il en avait les larmes aux yeux tant il était dépité. D'autant que les raisons qu'il allait alléguer étaient en partie mensongères. Mais juste avant son départ pour la Terre, Drrr, l'aragne dont il avait sauvé la vie, l'avait contacté par boule de cristal. Elle avait détecté la trace d'Eleanora, par hasard. La jeune Voleuse Patentée se trouvait à Smallcountry. Tous les chasseurs de prime d'Autre-Monde étaient à sa poursuite. Alors, en dépit de toute son affection pour Tara, il devait tenter de rejoindre et de sauver celle qui avait tenté de le tuer... et lui avait ravi son cœur.

— Bon sang ! Je ne peux vous accompagner ! s'exclamat-il, réellement contrit. Maître Sardoin a signalé à l'université des Voleurs Patentés et à mon maître Voleur Grinchur que mes nombreuses absences risquaient de m'empêcher de me présenter aux examens de fin d'année. Ils m'ont imposé des heures sup. Si je ne retourne pas sur AutreMonde, je ne serai pas éligible pour le diplôme et là, mes parents me tueraient, c'est sûr !

Tara était désolée pour son ami mais comprenait son dilemme... même si elle regrettait d'avance son esprit vif et ses dons étonnants pour la déduction et l'action.

— Grr'ul venir ! assena la troll.

— Non Grr'ul, décréta Isabella. Tu es devenue la garde du corps de Jar et de Mara, et maître Chem n'aurait pas dû te permettre de l'accompagner sur Terre.

Le dragon souffla, agacé par le reproche implicite. Elle en avait de bonnes, la vieille sorcelière. La troll, traumatisée par la disparition de son ex-cliente, avait insisté pour les suivre, confiant la garde des deux jumeaux impériaux à l'une de ses cousines. Lorsqu'il avait cherché à l'en empêcher, maître Chem s'était retrouvé nez à nez avec une massue de la taille de sa tête. Il avait sagement choisi de ne pas discuter.

Mais Isabella n'était pas si facile à circonvenir. Et toutes les protestations de la Troll se heurtèrent à une volonté infrangible. Vaincue, Grr'ul accepta de repartir à Omois.

— Je ne peux pas vous accompagner non plus, annonça le dragon avec regret. Plusieurs Conseils de sécurité ont lieu en ce moment sur AutreMonde, après la fausse invasion de Magister et de ses démons et je dois siéger dans certains d'entre eux. Je compte sur vous, Dame Isabella, pour veiller sur la sécurité de Tara.

Selena allait déclarer qu'elle voulait aussi être avec sa fille lorsque Medelus, qui virait lentement au vert, s'affaissa. Il eut tout juste le temps de basculer dans un fauteuil.

— Brad, s'écria-t-elle, anxieuse, tu vas bien ?

Le mage toussa longuement puis leva un visage marqué de cernes.

— Les potions du chaman guérisseur ne sont pas faciles à digérer, murmura-t-il, exténué. Elles me causent parfois d'intolérables douleurs d'estomac.

Grièvement blessé lors du dernier affrontement entre Tara et Magister, il se remettait lentement du traitement que lui avait fait subir le Chasseur, femme vampyr au service des sangraves.

— Selena, tu dois rester avec Medelus, ordonna Isabella qui n'avait pas l'intention de s'encombrer du sortcelier malade.

La jeune femme regimba mais Tara renchérit :

— Grand-mère et moi allons nous occuper de ces harpies, ne t'inquiète pas. En attendant, Medelus a plus besoin de toi que moi. Nous te tiendrons au courant minute par minute.

Selena avait été privée de la compagnie de Tara pendant

dix ans, car le monstrueux Magister l'avait kidnappée et elle avait toujours un peu de mal avec l'indépendance de sa fille. Résignée, elle opina.

— Très bien. Nous allons demeurer au manoir sur Terre. S'il y a un problème, vous pourrez nous avertir facilement et nous arriverons. Nous serons la base arrière de votre expédition.

Sans qu'elle le voie, Medelus fit une petite grimace. Il détestait la Terre qu'il trouvait primitive en dépit de toute sa technologie. Et il n'aimait pas davantage Tara, à cause de qui il avait failli mourir. Mais il fit contre mauvaise fortune bon cœur. Il n'avait pas le choix. Du moins gardait-il Selena avec lui, l'empêchant de suivre sa fille dans une démentielle et périlleuse aventure.

— Moi aussi, je viens avec vous, articula une voix faible.

— Robin ! s'exclama Tara en se précipitant pour soutenir le demi-elfe qui venait de pénétrer dans la pièce, mais que fais-tu là ! Tu devais te reposer !

— Nous, les elfes, possédons une ouïe très développée, Tara, et même si je ne suis qu'un demi-elfe, je suis aussi sensitif qu'un elfe pur-sang, répondit Robin qui s'assit lourdement tout en réprimant un gémissement de douleur. Et je vous ai entendus. Vous ne me laisserez pas derrière vous !

Isabella allait protester, mais Tara eut un magnifique sourire et, pour une fois, la vieille femme se tut.

— Bien sûr, rit la jeune fille, heureuse de voir qu'il allait mieux... non, vu sa tête de cadavre fraîchement déterré, contente de le voir debout. Nous allons tous botter... le croupion... de ces harpies. Et puisqu'à présent tu es immunisé comme moi, nous ne risquons plus rien ! Mais il faut que tu reprennes des forces. Nous ne partirons que demain matin, cela te convient-il, Grand-Mère ?

— Oui, répondit celle-ci. J'ai de nombreux préparatifs à terminer et des consignes à laisser à Tachil et Mangus. Je vais prévenir la Porte de Transfert de Londres de notre imminente arrivée.

— Parfait, conclut maître Chem. Tachil et Mangus vont

transporter le comte de Besois-Giron jusqu'à son château et je resterai avec lui jusqu'à ce que nous soyons sûrs que tout va bien. Je reviendrai le plus vite possible. S'il y a le moindre problème, appelez-moi sur ma boule de cristal, vous avez mon numéro.

Fabrice laissa partir son père, assuré de sa prochaine guérison. Depuis qu'il avait découvert ses pouvoirs magiques, il hésitait entre l'émerveillement et l'horreur de leurs conséquences. Sa dernière tentative pour devenir plus puissant l'ayant transformé en une espèce de loup-garou à poil ras fou de pouvoir, il appréhendait fort de voir son père contaminé à son tour par la magie de Tara. Mais il savait aussi qu'il ne devait pas laisser son amie seule. Elle passait son temps à se mettre dans les pires traquenards et eux à l'en sortir. Il n'allait pas l'abandonner maintenant.

Une fois maître Chem revenu du château, sans que le Comte ait montré le moindre signe de contamination magique, au grand soulagement de tous, ils tentèrent de nouveau de démasquer le mystérieux commanditaire de l'attaque, sans succès. Tara regarda les glyphes dorés sur ses bras et les mêmes signes pourpres sur ceux du demi-elfe. Et constata qu'ils battaient au même rythme... mmmh, intéressant.

Manitou se glissa à ses côtés, anxieux... enfin autant qu'un labrador puisse avoir l'air anxieux.

— Tara, murmura-t-il, j'ai besoin de te parler.

La jeune fille baissa les yeux vers la soyeuse tête noire.

— Oui, Arrière-Grand-Père ?

— Par pitié, Tara, combien de fois devrai-je te dire que m'appeler arrière-grand-père me donne l'impression d'avoir cent ans !

— Mais tu *as* cent ans et même bien plus !

— Ce n'est pas une raison. Appelle-moi « grand-père ».

La jeune fille sourit et obéit.

— Oui, Grand-Père, que veux-tu me dire ?

— Pas ici. Suis-moi discrètement...

Tara, intriguée, se leva, genre « je vais faire un tour aux toilettes, surtout ne faites pas attention à moi », et franchit la porte du salon d'un air dégagé. Galant allait l'accompagner mais elle lui fit signe de ne pas bouger. Le pégase ne pouvait parler mais le flux de sentiments et d'images qu'il transmettait mentalement était explicite.

— Que se passe-t-il ? demanda-t-elle, intriguée, au chien noir.

— Je ne pense pas que ta grand-mère t'emmène avec elle pour veiller sur toi, révéla Manitou, inquiet.

— Ah non ? Tara ne comprenait pas. Et pourquoi veut-elle que je vienne avec elle alors ? Ne me dis pas que c'est encore une tentative pour empêcher Omois de diriger mon éducation ?

— Pas du tout ! Elle a renoncé à ses ambitions impériales. Je crois bien qu'elle a besoin de toi (il marqua une pause, et prit une grande inspiration) pour lui servir de garde du corps !

Gagné. À voir la tête de Tara, là, il l'avait vraiment surprise.

— Tu rigoles ? Elle est...

— Bien *moins* puissante que toi. Plus tu vieill... grandis, plus ton pouvoir s'accroît. Et elle le sait fort bien.

— Mais pourquoi voudrait-elle une protection ? Elle ne fera qu'une bouchée des harpies ! Elle n'a même pas besoin de moi !

— Ah, mais si. Parce qu'elle a peur. Non, pire, je crois bien, d'après sa réaction, qu'elle est tout simplement terrorisée.

Tara ouvrit de grands yeux. Associer les mots « grand-mère » et « terrorisée » dans la même phrase en parlant d'Isabella, lui semblait un magnifique oxymoron. Elle retrouva la parole pour demander :

— Terrorisée, mais par quoi ?

— Par Stonehenge.

Bon, le mystère s'épaississait, là.

— C'est le lieu où nous allons, n'est-ce pas ? Mais pourquoi ?

— Parce que c'est là que son mari s'est volatilisé !

CHAPITRE VII

L'OMBRE DU PASSÉ
ou comment perdre bêtement quelqu'un
et passer des années à le chercher

Tara n'en croyait pas ses oreilles. Elle se laissa tomber sur le sofa beige qui faisait face à l'entrée, dans le grand hall carrelé de blanc et de noir. Manitou se dressa sur ses pattes postérieures et poussa un bouton dans les boiseries. La lumière inonda la pièce.

— Grand-père a été... volatilisé ? balbutia Tara. Tu veux dire qu'il a disparu, qu'il a peut-être été enlevé... ou assassiné ?

— Oui, confirma Manitou, l'air sombre. Isabella refuse d'en parler... Alors c'est moi qui vais le faire. Ton grand-père était Menelas Tri Vranril.

Super, cela commençait bien. Sa grand-mère avait toujours désigné son mari défunt par le prénom de « John », ce qui ne ressemblait pas, même en faisant un gros effort, à Menelas.

— Menelas ? Y a-t-il un rapport avec la guerre de Troie, Hélène, Pâris, Achille, Agamemnon ? s'enquit Tara, méfiante.

Manitou laissa pendre sa langue, amusé.

— Nous ne sommes pas *vieux* à ce point ! Isabella a rencontré Menelas sur AutreMonde, lors d'un duel illégal. Elle secondait l'un de ses amis ; Menelas était leur adversaire.

Les récits du passé d'AutreMonde donnaient toujours à Tara l'impression d'un conte de fées vaguement cruel et souvent sanglant. Les duels sur AutreMonde étaient illégaux partout, sauf à Omois, pays dont elle était censée hériter... le plus tard possible, s'il vous plaît, merci.

Le principe était simple. Les deux adversaires se faisaient accompagner de deux seconds et de deux témoins. Les seconds pouvaient être mis à contribution pour affronter l'adversaire survivant, à la demande de celui qui avait été terrassé. Ensuite, ils se lançaient des rayons magiques et le plus rapide ou le plus résistant l'emportait.

Tara jugeait ces duels aussi barbares que dangereux mais l'impératrice d'Omois refusait d'en interdire l'usage.

— Tu as dit « illégal », ce n'était donc pas à Omois.

— Cela avait lieu au Lancovit où ils sont prohibés depuis plusieurs siècles. Menelas était originaire du peuple mercenaire de Vilains. Son père dirigeait la baronnie Tri Vranril et siégeait au Grand Conseil des barons. L'ami d'Isabella, Gravir, avait fait la cour à la sœur de Menelas, Voirodia.

— Et alors ? fit Tara, fascinée, il n'avait pas le droit ?

— Non, car elle venait d'arriver au Lancovit pour se fiancer avec l'un des princes : Méovril, fils du roi Dear, le père du monarque actuel. Méovril ignorait que Voirodia ne désirait pas l'épouser. Elle préférait s'occuper de ses troupeaux de pégases et de chevaux et n'avait aucune intention de devenir princesse. Alors, juste avant la présentation officielle des deux fiancés, elle s'est enfuie.

— Classique, soupira Tara, qui avait vu toutes sortes de films sur le thème. Elle a escaladé les murs du château, elle a glissé ou fait du bruit. Gravir, qui était de garde, a cru qu'il s'agissait une voleuse ; il a voulu l'arrêter, je suppose qu'ils se sont battus et hop ! Ils sont tombés amoureux, lorsque, désarmée, elle lui a avoué qu'on tentait de la marier contre son gré.

— Ça, par exemple ! s'exclama Manitou, stupéfait, Isabella t'avait donc raconté toute l'histoire ?

— Non, mais de nombreux scénaristes ont exploité le sujet du « fiancé à qui on veut échapper, et paf ! on tombe amoureuse d'un autre ». C'est le mythe de *Tristan et Iseult*. On l'a étudié en classe avant que je parte sur AutreMonde et découvre que la majorité des mythes et légendes étaient bien réels, là-bas. D'ailleurs, j'aimerais que certains, genre les vampyrs et harpies, le soient moins. Donc, il sauve la belle d'une humiliante déconvenue, lui fait regagner sa chambre et se plante sous sa fenêtre, pâle, mais résolu à suivre son devoir, en dépit de son amour impossible pour l'élue de son cœur.

— Tu lis trop de romans sentimentaux, ma chérie, sourit Manitou. Cela dit, je dois avouer que tu as raison. Le lendemain, Voirodia a réussi malgré tout à échapper à son destin de princesse.

— Elle a trouvé une issue secrète pour s'enfuir ?

— Non ! devant toute la cour et la délégation des barons de Vilains, elle a déclaré qu'elle aimait Gravir et refusait d'épouser Méovril.

— Ouille. Ce n'est pas le comble de la délicatesse, mais ça a le mérite d'être direct. C'est alors que Menelas a défié Gravir ?

— Il a attendu que le prince Méovril le fasse, mais celui-ci, ne connaissant pas Voirodia puisque c'était un mariage politique, se fichait de l'épouser comme de son premier bavoir. Cependant les barons avaient perdu la face. Le soir même, tandis que Gravir mesurait dans quel imbroglio il s'était engagé, Menelas l'a défié. Comme il s'agissait d'un secret, tout le monde fut mis au courant à la vitesse du son.

— Oh ! je vois. Il lui a jeté son gant à la figure et lui a proposé le sabre, au petit matin, dans la prairie, derrière le château ?

— Le rendez-vous fut donné dans une clairière, à midi, pour un duel de magie. Gravir se savait bien moins fort que Menelas. Les enfants de Vilains sont élevés dans le culte de la lutte. Leurs sortceliers et Hauts Mages sont puissants et sans pitié.

— Gravir a donc choisi Isabella pour tuer Menelas s'il succombait au duel ?

— Euh, pas exactement. Isabella était assez... têtue à l'époque. Elle pensait être plus forte que les plus puissants sortceliers, ce qui n'était pas faux. Elle a donc supplié Gravir de la laisser lutter contre Menelas à sa place.

— Wahou, elle ne manquait pas d'air. Qu'a-t-il fait ?

— Il a refusé, bien sûr ! Mais il a accepté de la prendre pour second. Le lendemain midi, tous se sont retrouvés au lieu fixé, Menelas, Gravir, leurs seconds et témoins respectifs, plus le chaman guérisseur. Gravir et Menelas se sont affrontés. Menelas était de première force. Il a réussi à traverser le bouclier magique de Gravir et l'a frappé suffisamment pour que l'illusion disparaisse.

Tara était perdue.

— L'illusion ?

Manitou fit une grimace.

— Eh oui ! Ta bourrique de grand-mère avait ensorcelé Gravir. Elle avait pris son apparence, après l'avoir hypnotisé pour qu'il n'intervienne pas. Lorsque le sort de Menelas a atteint le faux Gravir, il s'est effondré et à la place de l'homme qu'il croyait avoir terrassé est apparue ta grand-mère. Il ne faut pas oublier que c'était il y a longtemps. Elle était d'une incroyable beauté.

— Il a plongé ses yeux dans les magnifiques yeux verts de grand-mère et ils sont tombés éperdument amoureux.

— Sauf que, furieuse, elle l'a assommé comme il se penchait sur elle, il est donc tombé tout court. C'est en se réveillant qu'il en est tombé amoureux. Et elle l'a aimé parce qu'il était le seul sortcelier capable de la vaincre et, surtout, de lui tenir tête. Ils se sont chamaillés sans fin pour savoir qui était le plus fort le plus puissant le plus-plus... Le roi Dear a fini par s'énerver et les a mariés quasiment à la pointe de l'épée. Leurs disputes et leurs réconciliations étaient célèbres dans tout le royaume, comme la profondeur de leur amour. Shakespeare aurait pu s'inspirer de leurs chamailleries pour *Beaucoup de bruit pour rien* ou *La Mégère apprivoisée*.

— C'est super-romantique, s'écria Tara enthousiasmée par la vision de sa grand-mère en amoureuse passionnée. Et ensuite ?

— Ils sont partis vivre à Vilains. Menelas a succédé à son

père, puis, une trentaine d'années plus tard, Isabella est tombée enceinte de Selena.

Ah, oui. Tara avait toujours un peu de mal avec l'incroyable longévité des sortceliers.

— Mais Selena, ma mère, est lancovienne ? Elle n'est pas née à Vilains ?

— Ce fut le résultat d'un concours de circonstances. Selena est née prématurément. Comme d'habitude, Isabella n'avait pas écouté les conseils, ceux du chaman accoucheur en l'occurrence. Elle en a trop fait. Elle était en visite chez moi, au Lancovit, et venait de remettre au roi un rapport à propos de certaines activités des mercenaires de Vilains lorsque les contractions ont commencé. Ta mère est née quelques heures plus tard, trop vite pour qu'Isabella retourne à Vilains.

Tara mit le doigt sur ce qui la surprenait le plus.

— Un rapport ? Ma grand-mère espionnait pour le Lancovit ?

Manitou se tortilla, embarrassée.

— Les mercenaires de Vilains faisaient beaucoup de dégâts à cette époque. Ils attaquaient tout et tout le monde sans discernement, pillant, ruinant, détruisant. Disons qu'Isabella surveillait la situation pour nous. Depuis son mariage, la baronnie Tri Vranril était devenue l'alliée du Lancovit. Tel n'était pas le cas des autres baronnies, hélas. Menelas n'en a jamais rien su, mais plusieurs des missions que ta grand-mère a effectuées étaient réellement périlleuses, notamment celle qui a provoqué son accouchement prématuré.

— Pffff, souffla Tara, je viens d'en apprendre plus à propos de ma famille au cours des cinq dernières minutes qu'en quatorze ans ! Et grand-père ?

— Selena, ta mère, était âgée de dix-sept ans lorsque nous avons eu vent d'une activité anormale autour de Stonehenge. Menelas et Isabella se trouvaient sur Terre, en mission pour les mercenaires de Vilains, afin d'acheter de la dynamite. En cas de menées suspectes touchant la magie, les sortceliers, dragons ou Hauts Mages en visite sur Terre les plus proches de l'endroit incriminé doivent s'y rendre sans délai. Or les deux Hauts Mages d'Angleterre étaient en colloque à New York, en Amérique. Le Lancovit a demandé à Isabella et Menelas, qui venaient d'achever leurs emplettes, d'aller à Stonehenge pour enquêter. Ils sont partis par la Porte de Transfert la plus proche. Seule Isabella est revenue.

— Que s'est-il passé ?

— Nous l'ignorons. Ta grand-mère souffrait d'une amnésie totale lorsqu'on l'a retrouvée, inanimée, près du cercle des pierres dressées de Stonehenge. Ton grand-père avait disparu. Elle a refusé de croire à sa mort et l'a cherché des années durant. Ta mère a trente-huit ans, cela fait donc maintenant près de vingt et un ans que nous sommes sans nouvelles et il a été déclaré officiellement mort. Le site est étroitement surveillé, mais depuis, aucune anomalie n'a été relevée. Ton grand-oncle...

— Mon grand-oncle ? s'exclama Tara. Grand-mère a un frère ? Pourquoi personne ne m'en a jamais rien dit ?

— C'est-ce que je suis en train de faire, je te signale ! Un feu grand-oncle, car malheureusement, mon fils, Revental Duncan, est mort, mais il a eu un fils, mon petit-fils, par rapport à toi qui es mon arrière-petite-fille. Par les liens du mariage, et comme Voirodia et Gravir avaient refusé de gérer la baronnie et s'étaient installés dans les plaines du Mentalir pour élever leurs chevaux et leurs pégases, ce fils, Various, a été élu nouveau baron Tri Vranril. Si tu cherches un jour un endroit où te réfugier sur AutreMonde, ton cousin Various te fera bon accueil.

Tara était ébahie. En l'espace de quelques minutes, elle se découvrait un feu grand-oncle, un cousin et quantité d'informations à digérer.

— Depuis, ta grand-mère est terrorisée par Stonehenge. Et comme tu es devenue plus puissante qu'elle, elle compte sûrement sur toi pour la protéger.

— Mais pourquoi n'envoie-t-elle pas quelqu'un d'autre ? Elle n'est tout de même pas la seule sortcelière capable de nous débarrasser de ces harpies !

— Par orgueil. Maître Chem l'a coincée. Pour rien au monde elle ne reculera, même si cela doit lui coûter la vie !

— Bon, je ferai ce qu'il faut, en utilisant même la magie au besoin. Mais je persiste à croire que c'est une mauvaise idée...

Elle allait poursuivre lorsque Robin, faible et le teint verdâtre, apparut dans l'encadrement de la porte du salon.

— Je... je ne suis pas sûr d'arriver jusqu'en haut sans aide, avoua le demi-elfe en mesurant l'escalier des yeux.

— Attends ! se précipita Tara, je vais t'aider.

Manitou eut un sourire canin et lança :

— À tout à l'heure, Tara.

— Mmmmh, répondit distraitement la jeune fille.

Elle se cala sous l'épaule de Robin et, soigneusement, le suivit marche après marche. L'histoire d'Isabella et de Menelas bouillonnait dans son cerveau et elle ne prêta pas attention aux regards en coin que lui coulait son ami.

Qui ne se sentait pas très bien, mais pour d'autres raisons que le venin.

Car il avait pris une grande décision. Il allait enfin se déclarer ! Après le choc de la découverte, il avait pu réfléchir sans pression. Le Z'alen'maril ne concernait que les elfes. Il n'était elfe qu'à demi, et Tara ne l'était pas du tout. Il allait lui dire ce qu'il éprouvait pour elle. Et cette fois-ci, rien ni personne ne l'en empêcherait ! Finalement, le naouldiar avait du bon. Grâce aux glyphes, il avait perçu que Tara avait des sentiments pour lui. Il n'avait pu en mesurer l'intensité car le lien était encore trop frais, mais cela l'avait encouragé, amoindrissant son insurmontable timidité.

Il ne put retenir un bref râle lorsqu'il s'allongea dans le grand lit frais, recouvert d'un couvre-lit marron brodé de blanc. Penaud d'avoir montré sa douleur, car après tout il était censé être un *guerrier*, il fit une grimace.

— Tu as mal, remarqua Tara, alertée. Ce n'était pas très malin de descendre alors que tu es si malade !

Le demi-elfe ignora l'argument. Il ouvrait la bouche mais Tara, l'esprit plein de ce qu'elle venait d'apprendre, fut la plus rapide. Après tout, son arrière-grand-père n'avait pas spécifié qu'elle devait garder le secret !

— Il faut que je te dise pourquoi Isabella veut que j'aille à Stonehenge ! C'est à cause de son mari !

Le demi-elfe évita poliment de lui préciser que son ouïe d'elfe était suffisamment aiguë pour qu'il ait tout entendu depuis le salon. Elle oubliait constamment qu'il n'était qu'à demi humain. Elle lui raconta l'histoire et lorsqu'elle eut terminé, il hocha la tête, songeur.

— Cela signifie qu'il y a un danger non identifié là-bas ! Est-ce que ce serait en rapport avec le sortcelier non déclaré que les harpies ont pour mission de capturer ?

— Aucune idée, répondit Tara. Tout ce que je sais, c'est que quelqu'un a fait disparaître mon grand-père à Stonehenge. Alors, si je rencontre ce *quelqu'un*, je compte bien lui dire deux mots.

Bon, c'était très intéressant, mais Robin n'avait pas beaucoup avancé dans sa déclaration.

— Tara, se lança-t-il, il faut que je te dise...

— Tara ! cria une voix claire, ta grand-mère voudrait que tu redescendes ! La harpie est prête à nous échanger un nouveau renseignement contre un Reparus pour ses blessures. Elle dit qu'elle souffre trop et que son commanditaire peut aller se faire... hrrmmm... mettons, cuire un œuf... de harpie bien sûr !

Cal, que Robin et Tara n'avaient pas entendu, s'était glissé dans leur dos. Un sourire narquois aux lèvres, il observa le demi-elfe.

— Ça va, mon vieux ? Tu devrais dormir un peu, tu ressembles à un zombie. Pas frais.

Impuissant, Robin dut regarder sa proie, Tara, lui envoyer un doux sourire et filer. Cal, qui avait le chic pour interrompre le demi-elfe chaque fois qu'il essayait de parler à la jeune fille, n'échappa pas à son destin cette fois. L'oreiller lancé par Robin l'atteignit très précisément au ventre et il s'empressa de filer, étouffant son fou rire derrière le claquement définitif de la porte.

Bon, il n'avait pas fini de taquiner son meilleur ami. Et qui allait pourrir la vie de Robin s'il n'était plus là pour le faire ? Il était vraiment malheureux de ne pouvoir accompagner ses amis dans leur quête. Il secoua la tête et descendit sur les pas de Tara. Comment concilier Eleanora et Tara ? Il n'avait pas exactement menti en disant qu'il était en retard à l'université des Voleurs Patentés. Et s'il réglait *et* le problème de retrouver Eleanora (et d'y survivre !) *et* le problème de ses examens ? Pas bête, hein ! Un plan se profilait déjà dans son actif et astucieux petit cerveau.

Dans la chambre d'ami aux couleurs feuille d'automne, le demi-elfe retira la couette brun et crème, dont son organisme non humain n'avait nul besoin, et s'adossa à l'oreiller qui lui restait, inconsolable. La somme de courage qu'il lui fallait pour affronter les admirables yeux bleu marine de Tara était tout simplement phénoménale. À travers la fenêtre ouverte, il contempla les arbres verts, si différents de ceux de son monde, mesurant, encore et toujours, à quel point l'éducation de Tara, si terrienne, risquait d'élever une infranchissable barrière entre eux deux.

Il prit une décision.

La prochaine fois qu'il tenterait de faire comprendre son amour à Tara, il lancerait un sort anti-intrusion-aux-indésirables-qui-s'obstinaient-à-le-gonfler, et le premier qui l'interromprait terminerait le reste de ses jours sous la forme peu ragoûtante d'un asticot !

Il tendit l'oreille pour essayer d'entendre ce que disait Isabella, mais il ne perçut que le déplacement de la petite troupe qui se rendait sur la pelouse. Clopinant à partir de son lit, il s'approcha de la fenêtre et l'ouvrit. Parfait. De là, il avait une vue imprenable.

Cal s'approchait de la harpie, méfiant.

— Alors ? Tu aurais des informations à nous livrer, tête de lard ?

La harpie jura, une écume sanglante aux lèvres.

— Soignez-moi. Un Reparus et je vous dis tout.

Isabella la toisa.

— Ton renseignement d'abord. Et vite !

La harpie leva un regard désespéré vers la Haute Mage, mais se heurta à un visage implacable. Elle comprit qu'elle n'avait pas le choix.

— Donnez votre parole, adjura-t-elle, abandonnant son habituel mode de communication à base de jurons. Donnez, ou je me tais.

— Tu as ma parole de sortcelière, répliqua sévèrement Isabella. Et ton information a intérêt à être de valeur, ou je ne te guérirai pas la moindre égratignure.

— Oh, elle a de la valeur, vieille bique, c'est sûr ! Nous n'avons pas fait que venir sur ce monde puant. Nous avons également condamné la Porte de Transfert pour que vous ne puissiez plus l'utiliser.

Fabrice s'approcha, alerté.

— Comment ça, *condamné* ? Elle était intacte lorsque j'ai trouvé mon père inanimé !

— Elle ne va pas le rester longtemps, et ton vieux débris de père non plus ! Car nous avons placé une bombe qui explosera dans moins d'une heure !

— Une bombe ! s'exclama Tara, mais pourquoi ?

— Par mesure de sécurité. Notre commanditaire nous l'avait confiée. Nous devions la garder pour plus tard. Dès que nous avons vu la tête jaune-yeux bleus, la sortcelière trop puissante, nous avons compris que nous avions été bernées. L'une de nous a appelé celles qui se trouvaient encore au château, en train d'attendre notre rapport. Elles ont posé et activé l'engin. Tic-tac, tic-tac !

Tara sursauta. Ainsi, voilà ce qu'avait fait la harpie avec la boule de cristal. Elle avait contacté ses consœurs !

Fabrice était atterré.

— Mais... bredouilla-t-il, pourquoi voulez-vous faire sauter ma maison ?

La harpie lui lança un regard dédaigneux.

— Nous nous moquons de ton nid, oisillon, notre cible est autre. Mes sœurs ont essayé de faire flamber les tapisseries mais elles sont ignifugées et ont résisté à tous nos efforts. Au moment de son explosion, grâce à un dispositif spécial, la bombe enverra une onde sur la Porte de Transfert qui bloquera tout le réseau des Portes de cette stupide planète ; aucun d'entre vous ne pourra poursuivre les nôtres.

Elle éclata d'un rire rauque.

— Et ce n'est pas la peine de me torturer pour savoir où elle est dans le château, j'étais en train de vous combattre lorsque l'autre groupe l'a posée !

Chapitre VIII

La bombe d'AutreMonde
ou comment convaincre une machine infernale de ne pas exploser

Ils s'entre-regardèrent, consternés. Robin tenta de sprinter, mais en fait descendit le maudit escalier du manoir à la vitesse d'un escargot arthritique.

Lorsqu'il déboucha sur la pelouse, Isabella avait soigné la harpie, tenant sa parole. Fabrice, portant sous son bras Barune miniaturisé, et Moineau, sous sa forme de Bête mais ressemblant extérieurement à un gros chien, fonçaient vers le château de Besois-Giron. La Bête étant la plus rapide, elle menait le train, suivie par Manitou qui galopait en soufflant comme un bœuf, râlant contre ses kilos en trop. Cal, Blondin, qui courait plus vite que son compagnon d'âme et l'encourageait avec de petits glapissements, Fafnir et Tara les suivaient. Juste derrière, maître Chem avait retroussé sa robe de Haut Mage et sprintait à une vitesse incompatible avec son apparence de vieil homme, ses jambes maigres s'agitant comme des pistons.

L'Elfe jura. Jamais il n'arriverait à les rejoindre ! Une poussée dans le dos le surprit. Galant, revenu à sa taille naturelle, lui faisait signe de l'enfourcher. Tara avait pensé à lui ! Elle lui prêtait le pégase pour lui permettre de les rattraper et tant pis pour la discrétion, il n'avait pas le temps de le dissimuler.

La petite troupe défila en trombe devant les habitants de Tagon stupéfaits. Heureusement, personne ne songea à regarder en l'air, où le pégase déployait des ailes argentées, chevauché par un elfe aux yeux de cristal.

Grâce à Galant, Robin fut sur les lieux en même temps que Moineau. Sans attendre les autres, ils se précipitèrent dans la tour qui abritait la Porte de Transfert, dépassant en coup de vent les serviteurs éberlués. La grande salle décorée des tapisseries ensorcelées représentant les différents peuples mythologiques d'AutreMonde, avec ses fenêtres sans vitres dominant le magnifique paysage, était vide. Il y flottait une odeur de roussi. Ils distinguaient les endroits où les femmes volantes avaient essayé d'allumer des feux pour détruire la Porte.

Fébrilement, ils cherchèrent, la Bête se fiant à son flair pour repérer les endroits où les intruses avaient touché les tapisseries, en dépit de la fumée qui la faisait éternuer. Grommelant que les harpies pourraient tout de même se laver de temps à autre, Manitou qui, grâce à ses quatre pattes, était arrivé troisième, l'assistait, utilisant de son mieux sa truffe de labrador. Mais ils ne découvrirent pas la bombe, même aidés du regard perçant de Robin et de Sheeba, la panthère.

Essoufflés, Cal et Blondin, Fabrice et Barune (qui commençait à en avoir sérieusement assez qu'on le secoue en tous sens, le grassouillet petit mammouth n'ayant aucune affinité avec l'exercice), Tara, Fafnir et maître Chem survinrent sur ces entrefaites. La magie violet-rouge du vieillard s'éleva, flot étincelant qui se répandit, cherchant le moindre indice, la cachette bien dissimulée, elle s'insinua même dans les sous-sols et le grenier, mais la bombe demeurait indétectable, sans doute protégée contre toute investigation magique. Ils allaient devoir utiliser, comme au bon vieux temps, leurs yeux, leur cerveau... et leur flair.

— Fabrice ! ordonna maître Chem. Fais évacuer le château. Si la bombe explose, nous pourrons nous protéger grâce à nos pouvoirs. Hâte-toi, le temps presse !

Fabrice opina et fila. Par chance, le personnel du château était restreint. Il fallait écarter le comte, la cuisinière, son aide et le vieux Gus, qui remplissait les fonctions de majordome — c'est ainsi qu'il aimait à se définir — et surtout d'homme à tout faire. Tous connaissaient AutreMonde, la Porte de Transfert étant difficile à dissimuler, et plus encore ce qu'il en surgissait. Ils avaient juré de ne jamais en parler. Mais l'attaque des harpies, le fait d'avoir été emprisonnés dans la cuisine par deux des femmes-oiseaux qui, pour une mystérieuse raison, les avaient épargnés, les laissait ébranlés. Ils se montrèrent reconnaissants de pouvoir regagner leurs foyers respectifs.

— Il y a quelque fose que ze ne comprends pas, dit Moineau qui de temps en temps zozotait à cause des crocs qui ornaient sa gueule. Ah, la varve ! « Par le Reductuch, que mes crocs réduigent que je puiche parler à ma guige. »

Ses canines raccourcirent et elle tenta quelques s.

— C'est sensationnel ces chaussettes sèches... Voilà : pourquoi avoir déclenché une minuterie ? Il était plus simple de faire exploser la bombe dès leur départ, n'est-ce pas ?

Maître Chem tressaillit.

— Maintenir la Porte en fonction pendant une heure permettait aux harpies qui nous ont attaqués de l'utiliser, pour retourner sur AutreMonde une fois Robin tué. Une chose m'intrigue toutefois : si elles bloquent les Portes de la Terre, comment les autres comptent-elles repartir sur AutreMonde avec leur butin ?

— Leur butin ?

— Le sortcelier qu'elles sont chargées de capturer.

— Ah ! oui.

L'indifférence du dragon pour la vie humaine choqua Tara. Assimiler un sortcelier à un butin était monstrueux.

— Ce doit être provisoire, raisonna Robin. Elles pouvaient espérer se cacher pendant un laps de temps et repartir discrètement une fois les Portes réactivées.

— On réfléchira après, intervint Fafnir. Maintenant, trouvons cette fichue bombe !

— Mmmh, où je mettrais un explosif, moi, si je voulais faire le maximum de dégâts et détruire la Porte de Transfert, réfléchit Cal, leur spécialiste pour ce genre d'engins.

Il regarda autour de lui, puis sourit :

— Dans les sous-sols, bien sûr ! Si je fais sauter les fondations, tout le château s'écroulera. Allons-y !

Fabrice revint, hors d'haleine.

— Ça y est. Tout le monde est rentré chez lui. Papa est tout courbaturé, mais il peut marcher. Il est chez le vieux Gus, dont la maison est dans le village. À leurs proches qui ne sont pas dans le secret, j'ai dit qu'il y avait une fuite de gaz et que j'avais prévenu la compagnie, ensuite je me suis rendu invisible pour revenir au château. Alors ? Vous avez désamorcé la bombe ?

— Non, Cal pense qu'elle est dans les sous-sols.

Fabrice n'avait pas l'air enchanté.

— Les cachots, hein ? grimaça-t-il. J'espère que ce truc n'y est pas, parce que malgré les chats et les chiens, les caves sont infestées de rats et de bestioles.

— Avec Blondin et Sheeba, les rats vont se carapater, rassure-toi, sourit Cal. Alors, va pour les caves. C'est par là que nous commencerons !

Hmmm, super ! Araignées et musaraignes au menu. À voir la tête des deux filles, elles n'étaient pas ravies, mais sourirent tout de même bravement, ce qui, dans le cas de Moineau sous sa forme de Bête, fut terrifiant. Quant à Fafnir, les nains se fichaient des insectes. Dans les mines d'AutreMonde, on rencontrait des bestioles autrement plus dangereuses !

Fabrice répartit vivement les lampes torches, placées à l'entrée des cachots. Près des escaliers, le couloir était illuminé et relativement propre. Mais dès qu'on s'enfonçait dans les méandres des caves, la lumière s'amenuisait et les insectes s'en donnaient à cœur joie. Sheeba feula et éternua, gênée par la poussière, Blondin aussi et la Bête dut se transformer en humaine, car son odorat sensible était perturbé. Les cachots, dont la majorité servait de caves à vin, n'étaient pas éclairés. Ils durent allumer leurs lampes et les filles se rapprochèrent insensiblement des garçons. Galant, que Tara avait miniaturisé, hennit de protestation lorsque son beau pelage argenté fut terni par un contact involontaire contre une porte noircie par le temps.

— Bon sang, râla Cal, on n'a pas idée d'habiter un bâtiment aussi gigantesque ! Et il n'est même pas magique ! Tu te rends compte qu'il ne nous reste même pas quarante minutes !

— Le château a été construit par mes ancêtres et chaque génération l'a agrandi et embelli, expliqua Fabrice. Évidemment, du coup, c'est l'endroit idéal pour dissimuler quelque chose !

Du couloir principal où ils se trouvaient partaient plusieurs travées qui menaient aux caves et aux anciens cachots. Ils décidèrent de se séparer. Cal, en bon voleur, ne craignait pas la solitude et il s'éloigna de son côté. Robin et Tara formèrent une équipe, Moineau et Fabrice une autre, Fafnir et Manitou la troisième. Quant au dragon, il était resté en haut et utilisait sa magie pour tenter de retrouver les endroits où les harpies s'étaient rendues.

À partir de ce moment, Cal passa son temps à courir. Aucun de ses amis n'avait la moindre idée de la forme de la bombe, un engin d'AutreMonde sans commune mesure avec la technologie électronique à base de batteries et de fils électriques. Il était le seul à savoir à quoi elle pouvait ressembler, et ils devaient le consulter dès qu'ils butaient sur un objet suspect... Et c'était fou ce que les ancêtres de Fabrice avaient stocké comme bizarreries...

— Cal ! criait Tara en dérangeant deux rats et trois araignées géantes, beuuh, viens voir ça !

Cal accourait, regardait le coffret qu'elle avait déniché, secouait la tête et repartait.

— Yerk, Cal ! hurlait Moineau, regarde !

Elle brandissait une sorte de masse ronde et noire en repoussant les scolopendres qui en dégringolaient.

Et Cal secouait la tête.

— Cal ! appelait Fabrice, j'ai un truc !

Il désignait un coffre hideusement sculpté.

De nouveau, Cal secouait la tête.

Au bout de dix minutes de course effrénée, le jeune Voleur haletait. Il ne leur restait que la partie la plus éloignée des cachots. Ils se regroupèrent pour l'explorer.

— Allons-y, dit Fabrice, en poussant la porte du dernier cachot.

La porte ne bougea pas.

— Allons bon ! pesta-t-il, qu'est-ce qu'elle a encore, cette porte !

— Tu as essayé de tirer au lieu de pousser ? demanda Cal.

— Évidemment, protesta Fabrice, je ne suis pas idiot ! Ça ne marche pas ! Et je n'arrive pas à faire coulisser le panneau de bois pour voir à l'intérieur.

— Elle est peut-être fermée à clef ?

— Je ne vois pas pourquoi, répondit Fabrice en fronçant les sourcils, il n'y a aucun objet de valeur ici ! C'est sûrement coincé à cause de l'humidité. La serrure a dû rouiller !

— Alors, sourit Cal, place aux professionnels !

Avec des mines de chat qui vient de repérer le canari de la voisine, il sortit un attirail d'outils de sa robe et se mit à triturer, à tirer, à pousser, mais la porte ne bougea pas d'un poil.

— Alors ? s'impatienta Robin.

— Elle est fermée à clef, grogna Cal. C'est bizarre, mais je n'arrive pas à l'ouvrir.

— Tu es sûr que tu veux être Voleur ? ironisa Fabrice.

— Ah, ah, ah ! ricana Cal, lugubre. Je peux débloquer n'importe quelle serrure, avec mes doigts de pied. Veux-tu que je te montre ?

Il se redressa et se tourna vers la porte opposée qui était ouverte. Il la claqua, se pencha sur la serrure. On entendit un clic et il se releva.

— Vas-y, proposa-t-il à Fabrice, essaie de l'ouvrir.

Fabrice tourna la poignée, mais la porte était bien fermée. Cal lui sourit, puis rouvrit la porte en deux secondes.

— Tu vois ? Ce n'est pas une question de technique. Il y a quelque chose qui m'empêche d'ouvrir l'autre cachot. Tara ?

— Oui ?

— Tu as ton uniclef ?

— Oui, bien sûr, tu as raison, j'avais oublié.

Tara fouilla les poches de la Changeline et en sortit le cadeau de Cal. Elle se pencha et introduisit la tige dorée et la boule dans la serrure. L'uniclef sembla se tortiller dans sa main, puis resta immobile. Elle tenta de la tourner. Sans succès.

— Zut, gronda Cal furieux. Tant pis. Essayons la magie, même si, normalement, je devrais pouvoir m'en passer.

Il recula et incanta :

— Par le Deverouillus, que la porte ne soit plus fermée, même si je n'ai pas la clef !

Guère coopérative, la porte n'eut pas un frémissement.

— C'est anormal, constata Robin qui voyait les secondes s'écouler avec une anxiété croissante. Laisse-moi essayer. Par le Deverouillus, la porte nous prouve qu'avec la magie elle s'ouvre !

Les différentes incantations ne firent ni chaud ni froid à la porte qui continua à les narguer.

— Attendez ! s'exclama soudain Moineau.

Elle se tourna vers Cal et dit, tout en touchant le panneau de bois du bout du doigt.

— Par le Miniaturus, que Cal réduise afin que je le promène à ma guise !

— Eeeehhhh ! protesta Cal.

Mais à leur grande surprise, il ne fut pas rapetissé. Pas même d'un demi-millimètre. Soulagé, il se tâta sous toutes les coutures. Puis releva un visage furieux vers Moineau.

— Non, mais ça ne va pas ? Qu'est-ce qui t'a pris ?

— L'incantation n'a pas fonctionné, répondit Moineau satisfaite. Parfait. Cela signifie que la magie est neutralisée à proximité de la porte. La bombe est probablement ici, Cal. Elle est protégée par un Protectus extrêmement puissant que nous ne parviendrons pas à briser de cette manière.

— Ah oui ? fit Tara d'un ton agacé en reculant pour échapper au sort négatif. Eh bien, on va voir ça. Pierre Vivante ?

— Attends, Tara ! fit Fabrice d'un ton angoissé, c'est un vieux château...

— Plus le temps ! le coupa Tara. Donne-moi ton pouvoir, Pierre Vivante. Nous avons une porte à réduire en morceaux !

La Pierre Vivante ne demandait pas mieux. Ça faisait un

bout de temps qu'elle n'avait pu déchaîner toute sa puissance. Elle aimait bien démolir les choses avec Tara.

— *Pouvoir tu veux* ? *Pouvoir je te donne* !

Les mains de la jeune fille s'illuminèrent de bleu, ses yeux aussi, sa mèche crépita et, prudents, ses amis et son arrière-grand-père entrèrent dans un cachot voisin pour se protéger.

Tara concentra sa magie afin qu'elle soit réduite à un mince faisceau. Le flux bourdonnait, impatient d'être lâché et, petit à petit, le halo autour de ses mains devint bleu foncé. Fascinés, ses amis la regardaient, prêts à plonger au sol.

Ce ne fut pas nécessaire. Lorsque Tara relâcha son pouvoir, celui-ci frappa avec une violence inouïe... et se volatilisa à quelques millimètres de la porte.

La jeune fille en fut surprise au point qu'elle stoppa net, fixant avec ahurissement le panneau de bois, totalement intact.

Incrédules, ses amis sortirent de leur abri.

— Alors là, Tara ! s'exclama Moineau, c'est incroyable !

Elle effleura le bois.

— Il n'y a même pas une égratignure !

— Hou, rigola Cal, un truc qui résiste à Tara, ce n'est pas incroyable mais impossible ! Je croyais que tu allais faire des confettis de ce château !

— Les harpies, remarqua Moineau en enroulant pensivement l'une de ses boucles autour de son doigt, *n'ont pas* ce genre de puissance. Quel que soit notre ennemi, il dispose de la technologie magique d'AutreMonde ! Et les harpies l'ont utilisée. Cela confirme les dires de la prisonnière.

Tara, habituée à la puissance de sa magie, demeurait stupéfaite de son échec. Puis, saisie d'un brusque vertige, elle prit appui sur Robin, le temps que son malaise se dissipe. Le demi-elfe, guère plus solide, résista de son mieux, tentant de juguler le trouble qu'il éprouvait à tenir Tara dans ses bras.

— Ça m'apprendra à compter sur la magie pour résoudre tous les problèmes, murmura Tara en se redressant à regret.

Le demi-elfe sentait bon, un mélange de fleurs sauvage et de sous-bois.

— Bon, se ressaisit-elle. Que fait-on maintenant ? On file à toutes jambes avant l'explosion ?

— Nannnn, je n'ai pas encore essayé, sourit Fafnir. Si la maudite magie ne fonctionne pas, voyons ce que je peux faire.

Elle s'approcha du mur et plaça sa main dessus, prête à utiliser le pouvoir si particulier de sa race pour s'infiltrer à travers la pierre. Cal avait horreur que la naine fasse cela, il en avait la chair de poule.

Mais cette fois, le pouvoir des nains fut inopérant. Fafnir eut beau pousser, sa main ne s'infiltra pas. Le visage rouge, elle stoppa, puis, furieuse, dégaina sa hache et l'abattit sur la porte.

Il y eut un DOOINNNNNNNG ! retentissant et la naine s'accrocha à sa hache qui vrombissait comme une abeille sous amphétamine. Le tranchant incroyablement aiguisé n'avait pas entamé la moindre fibre de bois.

Fafnir cessa de vibrer avec sa hache et se campa devant la porte, les sourcils froncés.

Puis elle grogna :

— Tara ?

— Oui, Fafnir ?

— Est-ce que tu as mes gants... *tes* gants ? Ceux dont je t'ai fait cadeau, en melacier Destructor.

— Bien sûr !

— Donne-les-moi.

Docile, Tara obéit. La naine enfila les gants, prit son élan et abattit ses mains transformées en poings sur la porte récalcitrante.

Le choc fut d'une violence inouïe. Le château entier trembla et de la poussière dégringola d'un peu partout.

Ils regardèrent la porte. Qui eut l'air de leur rendre un regard ironique.

— Bon ! lança Fabrice. Une autre idée ? Vite. Il nous reste moins de vingt minutes pour sortir d'ici !

— Mmmmh, réfléchit Cal, pour qui la porte représentait un défi à son honneur de futur Voleur Patenté. Ma mère dit souvent qu'un problème n'a pas qu'une seule solution. Prenons le cachot dans lequel est enfermée la bombe, il s'agit d'un cube ou d'un rectangle dont deux côtés sont protégés. Or un cube comme un rectangle possède six faces. Peut-être les harpies ont-elles oublié cette évidence ?

— Attends un peu ! s'exclama Fabrice. Tu as raison ! Je monte voir si elles ont protégé le plafond.

— Bien, fit Robin, je vais sur le côté droit, Tara et Moineau, allez vérifier l'autre côté.

Mais, quelques instants plus tard, ils se retrouvaient devant la porte, vaincus. Le plafond et les côtés n'avaient pas été négligés par les femmes-oiseaux.

— Et derrière ? demanda Tara avec espoir.

Fabrice réfléchit.

— D'après les plans, les prisons sont adossées aux douves. Mais mon père les a fait combler depuis longtemps pour assainir les murs et éviter les dégâts de l'humidité.

Ils se précipitèrent. Au passage, ils avertirent maître Chem qu'il devait sortir du château au cas où ils échoueraient. À l'arrière de la grande bâtisse, une magnifique pelouse ondulait, quatre mètres au-dessus des cachots.

— Bon, alors ? grogna Robin en observant le terrain avec une moue dépitée, que fait-on ?

— Nous n'avons pas le choix, répondit Tara. Nous *devons* désactiver la bombe.

— Mais nous allons mettre des jours à déblayer la terre, se désola Moineau. Utiliser la magie pour dégager un mur porteur peut entraîner de graves dégâts. Je peux me changer en Bête pour creuser plus vite mais...

Tara, qui s'était emparée de sa mèche blanche et la mâchouillait avec ardeur, s'exclama :

— Attendez, j'ai une idée ! Il y a des élémentaires partout, tant sur AutreMonde que sur Terre. Un élémentaire de feu a tenté de détruire notre manoir, et nous avons combattu l'élémentaire d'eau, pour délivrer les gnomes bleus. Y a-t-il des élémentaires de *terre* ?

— Ouiii ! s'exclama Cal, vexé de ne pas y avoir pensé le

premier. Tu as raison. Faisons appel à un élémentaire de terre, il va nous excaver tout ça en deux secondes !

— Tu sais comment faire ? interrogea Tara avec espoir.

Le jeune Voleur fut clair.

— Moi ? Pas du tout.

— Euh, moi, je sais, indiqua Moineau, qui avait étudié les élémentaires sous toutes leurs formes. Voyons un peu si je me souviens de la formule.

La jeune fille se mit à incanter.

— Elementus applicatus Terra Terra Terra !

Un crissement se produisit et, sans crier gare, une grande forme boueuse, constituée de mica brillant, de sable, de terre, de racines et de tas de bestioles genre vers de terre et autres bousiers qui couraient ou rampaient sur toute sa surface, se matérialisa devant Moineau. Sa tête était couronnée d'herbe verte et ses doigts crochus étaient des branches mortes. De petits paquets de boue s'échappaient de son corps et tombaient en flaques par terre. La jeune fille pâlit mais ne recula pas.

— Ahhhh ! gronda l'apparition en s'étirant, ouvrant une bouche où brillaient d'imposants crocs de granit, je dormais bien. Que me veux-tu, petite ?

Face à un être qui mesurait une dizaine de mètres de hauteur et pouvait l'écraser sans même s'en apercevoir, Moineau opta pour une extrême politesse.

— Des harpies ont posé une bombe pour détruire cet endroit, ô Grand Élémentaire de terre. Nous requérons ton aide pour ouvrir un tunnel jusqu'à l'endroit où est dissimulé l'engin. Aurais-tu l'obligeance de nous accorder ton attention ? Sans détruire le château ?

— Avec plaisir, petite. Et quelle sera ma récompense ?

Moineau n'avait pas songé à cet aspect des choses. Mais Fafnir, qui n'avait guère apprécié d'avoir manqué mourir noyée lors de son combat contre l'élémentaire d'eau, avait elle aussi étudié cette race étrange :

— Tu pourras manger la terre que tu déblayeras, ô Élémentaire de terre, ainsi que tous les rosiers que tu trouveras de l'autre côté du château, cela te convient-il ?

Fabrice gémit et lança un regard noir à la naine, qui l'ignora.

L'élémentaire se pencha et goûta la terre. Puis il se redressa et dit avec satisfaction :

— Tout à fait, petite. Excellent salaire, très bonne terre, bien entretenue. Laissez-moi un peu de place, je ne voudrais pas abîmer vos corps fragiles.

Ils ne se le firent pas dire deux fois et reculèrent avec précipitation.

En une fraction de seconde, l'élémentaire se transforma en un fantastique tourbillon qui se mit à absorber la terre le long du mur du château.

Ils découvrirent alors qu'ils avaient négligé un détail : le bruit.

Il s'éleva comme un mugissement de tornade, et les serviteurs du château réfugiés dans le village ainsi qu'une bonne partie des habitants finirent par passer la tête par le portail entrebâillé, ahuris par le spectacle démentiel qui se déroulait sous leurs yeux.

Selena, Medelus et Isabella survinrent sur ces entrefaites et la vieille mage passa tout le monde au Mintus, sans états d'âme. Les habitants retournèrent à leurs occupations et elle scella le portail. Maître Chem les rejoignit.

— Mais que se passe-t-il ici, encore ? hurla Selena. Tara ?

— Nous avons découvert la bombe mais impossible d'y accéder normalement, cria Cal. Alors on a trouvé un autre moyen !

Medelus, qui n'avait pas entendu, s'approcha d'eux, l'air très inquiet, et s'époumona :

— Mais pourquoi creuse-t-il ?

Patient, Cal répéta :

— L'élémentaire va ouvrir un chemin jusqu'à l'endroit où est dissimulée la bombe dans un cachot en dessous.

Medelus le dévisagea, l'air de réfléchir.

— Hrrmmm, peut-être ne suis-je pas très au courant, avança-t-il, mais ne serait-il pas plus simple de l'atteindre à partir des sous-sols ?

Cal écarquilla de grands yeux naïfs.

— Dites donc, mais vous avez raison ! Allez-y, vous, et dès que vous aurez ouvert la porte du cachot, appelez-nous !

Medelus lui jeta un regard méfiant, mais le petit Voleur lui présenta un visage resplendissant d'innocence. Le mage se dirigea vers le château, et Cal gloussa.

— Attendez ! finit-il par crier. Je plaisantais. C'est dangereux, la porte résiste aux incantations, et il ne reste pas beaucoup de temps avant l'explosion. Je vous déconseille de vous aventurer là-dedans !

Medelus lui lança un regard méprisant.

— Combien de temps ?

— Douze, treize minutes, au grand maximum.

Le fiancé de Selena se drapa noblement dans sa cape et déclara :

— Alors, il est de mon devoir d'essayer !

Et, voulant briller aux yeux de Selena qui n'avait rien vu de la scène, il s'éloigna vers l'entrée du château.

— S'il se fait tuer, que personne ne vienne dire que c'est de ma faute, bougonna le jeune Voleur.

— Ça va prendre longtemps avant que l'élémentaire ait terminé ? coupa Fafnir. J'ai étudié leurs habitudes et leurs pouvoirs mais sans penser que les nains pourraient les utiliser. Seraient bien pratiques dans nos mines, ces trucs-là. Me demande pourquoi on n'y a pas pensé avant.

— Probablement parce que les élémentaires d'AutreMonde se font payer en or, à l'inverse de ceux de la Terre. Et je crois savoir que les nains n'aiment guère se séparer de leur or, n'est-ce pas ?

— Très drôle, souffla la naine, d'autant plus agacée que la réponse malicieuse de Cal était exacte. Alors, il en a pour longtemps ?

— Non, la terre est meuble. Encore quelques secondes et ce sera fini. D'ailleurs, cela vaut mieux, parce que le temps file. Et moi, désamorcer les bombes juste avant qu'elles n'explosent, ce n'est pas de mon goût.

L'élémentaire s'activait et il eut bientôt mis au jour la paroi qui les intéressait. Moineau, sur un signe de Fabrice, lui hurla que cela suffisait.

Un peu déçu car il aurait préféré continuer à se goinfrer de bonne terre, l'élémentaire arrêta son travail.

— Je vais goûter les rosiers, comme convenu, dit-il en s'inclinant. Puis je repartirai. N'hésitez pas à faire appel de nouveau à moi la prochaine fois que vous en aurez besoin. Mon nom est Bourbier.

Moineau et Fabrice s'inclinèrent.

— Merci, Élémentaire Bourbier.

L'être s'éloignait lorsque, soudain, il se tint ce qui lui servait de tête en grognant de douleur.

— Ahhhhhhh ! mugit-il, j'ai maaaal !

Et d'un bloc, il se retourna et abattit une énorme main, roulée en poing, droit sur Cal et Tara.

Mais Tara était sur ses gardes. D'expérience, dès qu'elle devait faire face à un être dépassant les six mètres de haut avec des crocs, elle se méfiait. Aussi tenait-elle prête sa magie, dont elle avait dissimulé la lueur en cachant ses mains dans les poches de la Changeline.

Un bouclier scintillant de pouvoir apparut au-dessus de leurs têtes, déviant le poing. Déjà l'élémentaire lançait son autre bras avec violence et leur protection magique se désintégra. Tara et Cal avaient roulé plus loin. Galant hennit et s'attaqua à Bourbier avec Sheeba. Ils parvinrent à distraire l'attention de l'élémentaire qui se mit à battre l'air de ses mains crochues pour les attraper.

En redressant la tête, Tara vit Medelus qui revenait des cachots, l'air furieux. Il parlait tout bas, marmonnant derrière sa main.

— Moineau, hurla-t-elle en esquivant une nouvelle attaque meurtrière de Bourbier. Vite ! assomme Medelus !

En un clin d'œil, la Bête remplaça la frêle jeune fille et fonça vers le Haut Mage.

Elle ne fit pas dans la dentelle. Sa patte s'abattit, et Medelus fit douloureusement connaissance avec le sol.

Selena poussa un cri et se précipita vers son fiancé, pensant que Moineau avait perdu la raison. Mais celle-ci s'était déjà écartée et attendait, les pattes croisées sur son torse velu.

Le résultat fut instantané. Bourbier cessa de poursuivre Tara et Cal qu'il avait pris en chasse et se secoua, envoyant de la boue et des morceaux de racines un peu partout.

— Par mes ancêtres, rugit-il, que s'est-il passé ? Ma tête, ma tête me fait si mal !

— Vous avez essayé de nous aplatir ! hurla Cal, furieux. Pour Tara, je peux le comprendre ! Mais *moi* ! Je n'ai rien fait à personne !

Tara se releva péniblement, maculée de terre boueuse. La Changeline émit un grognement presque audible et entreprit de faire disparaître la saleté.

En compagnie de Cal, elle clopina jusqu'au corps de Medelus. Selena lui appliquait un Reparus et le bleu qu'il avait à la mâchoire s'effaça. Le mage papillonna des cils, puis se redressa.

— L'élémentaire nous a attaqués ?

— Non, répondit Selena d'un air sombre, c'est Moineau, elle s'en est prise à toi... j'espère pour elle qu'elle a une explication valable !

L'énorme Bête se dandina, gênée.

— C'est Tara qui m'a demandé de le faire. Et elle a eu raison, car l'élémentaire a été immédiatement libéré !

Selena la regarda d'un air stupéfait, se releva et s'éloigna de quelques pas, tout en baissant la voix.

— Quoi ? Tu soupçonnes Medelus d'avoir essayé de...

— Me tuer, oui, l'interrompit Tara.

Selena en recula d'indignation.

— Tara ! Comment peux-tu imaginer que Medelus veuille te faire du mal ! Je le connais depuis des années ! Il est doux, bon et gentil !

— Mouais, exactement comme dame Boudiou, grinça Cal qui n'avait pas apprécié que Bourbier tente de l'aplatir, lui aussi. Les gens changent. Vous l'avez perdu de vue pendant dix ans. Qui peut deviner ce qui s'est passé durant ce laps de temps ? Peut-être est-il devenu un sangrave ? Peut-être est-il un ennemi de Tara pour des raisons que nous ignorons ? D'ailleurs, j'aimerais savoir pourquoi il s'est attaqué à moi aussi !

Dans les yeux de Selena, Tara entrevit un doute.

— Je ne saisis pas bien, observa le Haut Mage qui se relevait lentement, sensible à la tension soudaine. Votre amie, la princesse Gloria du Lanvovit, a certainement une explication logique au fait de m'avoir assommé ?

Fafnir fit dans le sobre :

— Elle pense que vous avez attenté à la vie de Tara.

— *Et* Cal ! précisa le petit Voleur. Tara *et* Cal !

— Hrrmm, Tara et Cal, rectifia la naine sans l'ombre d'un sourire. Et elle est gentille, moi, j'aurais employé ma hache.

Le Haut Mage fronça les sourcils.

— Je n'ai rien fait de tel !

— Mais vous incantiez ! accusa Tara.

— Pas du tout ! protesta Medelus. J'allais lancer un sort pour maîtriser l'élémentaire lorsque la princesse Gloria m'a frappé. Pourquoi donc voudrais-je vous tuer, toi et Cal ?

— J'ai cessé depuis longtemps de me demander *pourquoi* on en veut à ma vie. Je me contente d'essayer de survivre sur ce monde de fous, répondit froidement Tara.

— Mais c'est ridicule ! s'exclama Medelus, agacé. Tu es la fille de la femme que j'aime !

Mmmmoui, évidemment, il n'avait aucune raison de s'en prendre à elle.

Maître Chem observa Medelus, puis remarqua :

— Il n'est pas exclu que la bombe soit protégée par un sort, même de ce côté. Celui-ci se serait emparé de Medelus lorsqu'il a touché la porte, le poussant à ensorceler Bourbier après avoir identifié ceux qui pouvaient représenter un risque pour la bombe. Cela expliquerait pourquoi Bourbier s'en est pris à Cal autant qu'à Tara.

— C'est pofible, dit Moineau qui, sous le coup de l'émotion, se remit à zozoter. Ce doit être l'un des mécanifmes de défense de fe diabolique engin... qu'il faut désamorfer tout de suite avant qu'il ne transforme le fâteau en un tas de gravats !

Bourbier gronda. Il avait eu la ferme intention de faire comprendre qu'on ne prenait pas le contrôle d'un élémentaire sans son autorisation. Aussi fut-il très déçu lorsqu'il apprit qu'il n'allait pas pouvoir démembrer Medelus.

Tara admit gentiment que sa paranoïa allait peut-être un peu loin et s'excusa auprès du Haut Mage.

Pas Fafnir. Fafnir, elle, décida de garder un œil sur Medelus. Et bientôt celui-ci sentit le regard implacable de la naine peser sur lui.

— Dès que vous trouvez le coupable, vous me le remettez hein ? demanda Bourbier, plein d'espoir.

— Euuuh, je ne crois pas, non, répondit Selena. Il y a des lois pour les tentatives de meurtre et la prise de contrôle d'un être conscient sans son accord. Le ou les responsables seront jugés, ne t'inquiète pas, Bourbier.

L'élémentaire protesta, mais Selena fut inébranlable.

Malin, Cal lui rappela qu'il n'avait pas consommé la seconde partie de son salaire, les somptueux rosiers qui lui tendaient les bras plus loin.

L'être passa une grande langue boueuse sur ses crocs et s'éloigna, ébranlant la terre de son pas.

— Et bon appétit ! souligna Cal, au vif désespoir de Fabrice.

Ils ne comprirent pas ce que le jeune Terrien marmonna, mais les mots « père », « tuer » et « rosiers » se détachèrent avec netteté.

Ils se tournèrent vers l'excavation. Distraits par l'attaque de Bourbier, ils avaient perdu un temps précieux.

Irrattrapable. Il ne leur restait plus que six minutes.

Ils n'avaient pas l'intention de faire du toboggan, aussi Cal et Robin se hâtèrent-ils de créer des marches pour descendre au fond du trou.

Dans un silence religieux, Cal s'approcha des fondations maculées de terre et toucha la paroi avec précaution. Il murmura :

— Par l'Ouvertus, le mur va s'ouvrir sans que le château ait à en souffrir !

Juste devant lui, plusieurs pierres pivotèrent, formant un petit passage, et il poussa un hurlement joyeux qui fit sursauter tout le monde.

— Ça marche ! Quelle imbécile, cette harpie ! Elle n'a pas pensé que nous passerions par-derrière ! typique ! Ça fonctionne ! Je suis le meilleur !

— Bon, railla Robin, quand tu auras fini de t'auto-congratuler, on pourra entrer dans ce cachot et prendre la bombe ?

— C'est à moi d'y aller, affirma Cal, c'est moi le Voleur, vous ne sauriez que faire. Consolidez les murs pour éviter les éboulements et accordez-moi trois minutes. Si je ne suis pas revenu, envoyez quelqu'un me chercher. De préférence le plus puissant d'entre nous. D'accord ?

— Pourquoi le plus puissant ? demanda Moineau, effrayée.

— Cette bombe est une sorte de trésor. Bien protégé. Il est possible qu'elle soit couverte par d'autres sorts à l'intérieur. Si je ne ressors pas, c'est qu'il me sera arrivé quelque chose.

— Tu ne préfères pas qu'on vienne à plusieurs ? proposa Robin, qui n'aimait pas laisser l'action aux autres.

— Mmmh, non, vous pourriez déclencher des pièges que *moi*, je détecterais. Allez-y, étayez les parois.

Moineau et Fabrice obéirent. Celui-ci doubla même la dose de magie, histoire que son père retrouve son château intact, puis Cal agrandit son ouverture et, suivi de Blondin, il se faufila à l'intérieur.

Tara se rongeait les sangs. Dans tous les films qu'elle avait vus, des *Aventuriers de l'arche perdue* aux *Mines du roi Salomon*, il y avait *toujours* des pièges autour des engins qu'il fallait désamorcer. Et cette fois-ci, le héros n'avait aucun scénariste pour lui sauver la peau ! Sans compter que la bombe pouvait exploser d'un moment à l'autre. Pourvu que la harpie n'ait pas prévu que les adolescents essaieraient de passer par-derrière !

Comme sa mèche blanche commençait à donner de sérieux signes de fatigue, elle regardait ses ongles avec attention, prête à les entamer, lorsque Cal réapparut, triomphant, brandissant une boule noire aux piquants rouges, aussi grosse qu'une tête humaine... et une pierre lumineuse.

— Je l'ai ! Ça a été facile ! hurla-t-il. Et j'ai trouvé une autre Pierre Vivante ! C'est elle qui devait déclencher la bombe, mais j'ai réussi à la convaincre de ne pas le faire. Nous l'avons désamorcée ensemble, nous ne risquons plus rien.

De la poche de Tara, la Pierre Vivante étendit un pseudopode de lumière vers la pierre irrégulière que Cal tenait à bout de bras.

— Elle très fatiguée, dit-elle au bout de quelques secondes. Mais elle contente d'avoir été libérée ! Elle dire Cal gentil, mignon, joli !

Le jeune Voleur rougit.

— Dis-lui merci de ma part, mais ce n'était rien !

— Si si, elle dire toi très bien éviter les couteaux, et aussi le Destructus et les aiguilles empoisonnées et les filets étrangleurs !

Fabrice regarda Cal avec stupeur.

— Mais tu as dit que ça avait été facile !

— Bah ! Rien de bien méchant. Pas la peine d'en parler. Euuuh, Pierre Vivante, si tu pouvais expliquer à ta copine que c'est ok et qu'elle n'a pas besoin de rentrer dans les détails...

Mais il était trop tard. La seconde pierre révéla ce qu'il voulait passer sous silence.

— Elle dire ça très bonne idée de mettre tout nu pour glisser sous barrière. Si avais porté vêtement, ça aurait déclenché rayon de feu !

Fafnir éclata de rire.

— Tu as attrapé la bombe... tout nu ! Par mes aïeux, je regrette d'avoir manqué ce spectacle !

— Bon, ben, ça va, hein, pas la peine d'en rajouter, c'est déjà assez gênant.

Et le jeune Voleur remonta en grommelant beaucoup, escorté par les sourires de ses amis.

— Voilà qui est étrange, fit remarquer Manitou, qui avait

délivré la Pierre Vivante de l'emprise du Ravageur d'Âme. Les Pierres de magie sont extrêmement rares et celle de Tara est, à ma connaissance, la seule qui soit capable de communiquer, même si je ne comprends pas pourquoi la qualité de son langage s'est autant dégradée depuis que nous avons quitté l'île des Roses Noires. Comment cette seconde Pierre Vivante s'est-elle retrouvée ici et, surtout, pourquoi l'utiliser de manière aussi bassement utilitaire ? C'est une entité puissante, je trouve dégradant d'en faire une minuterie de bombe, moi.

La Pierre Vivante de Tara manifesta son approbation... sans toutefois fournir d'explication.

Maître Chem et Moineau refermèrent soigneusement l'ouverture, consolidèrent les murs, puis, aidés par les autres, remontèrent à la surface.

Fabrice examina avec désolation l'excavation et son mammouth grogna. Lui, il n'avait jamais été autorisé à goûter le moindre pétale de la plus minuscule rose, c'était injuste !

— Mon père va me tuer ! gémit le jeune Terrien.

— Propose-lui de faire construire une piscine, répondit gentiment Cal.

— Très drôle, grogna Fabrice, inconsolable. Et il pourra me noyer dedans lorsqu'il verra ce que nous avons fait de ses beaux rosiers.

— Tu n'auras qu'à lui dire que c'est plus facile de faire repousser des rosiers qu'un château !

Oui. Évidemment. Fabrice grimaça, incapable de répliquer.

— Parfait, enchaîna Isabella. Nous allons nous préparer et, comme convenu, nous partirons demain. Par mesure de sécurité, fermons temporairement la Porte de Transfert, Tachil et Mangus veilleront sur le château cette nuit.

— Il faut que je mène une enquête sur cette bombe, murmura maître Chem. Comment diable ces harpies ont-elles pu... ?... Ah ! oui, peut-être que de cette manière...

Ils attendirent poliment, mais le vieil homme n'avait pas l'intention de partager ses déductions avec eux. Il referma sa bouche et ne dit plus rien.

Fugitivement, Tara pensa qu'au lieu de marier sa mère avec

Medelus ils feraient bien de marier le dragon avec sa grand-mère Isabella. Tous deux partageaient trop le goût des secrets !

Soudain il y eut un petit déclic et la seconde Pierre Vivante se mit à briller plus vivement. Interloqués, ils regardèrent la bombe noir et rouge quitter la main de Cal et s'élever dans les airs.

Puis à cinq centimètres du visage du Voleur, elle fit ce pour quoi elle était programmée.

Elle explosa.

CHAPITRE IX

LA MORT DE LA PIERRE
ou comment roussir un dragon

La boule de feu éclata, son contenu mortel transformé en éclats incandescents et tranchants. L'un des shrapnels jaillit et... s'arrêta à un millimètre du visage du jeune garçon !

Le cœur battant à mille à l'heure, il loucha sur la langue de feu qui le touchait quasiment mais ne le brûlait pas. L'explosion venait d'être « gelée », contenue par ce qui était apparemment un champ de force magique très puissant.

Il commença à reculer en priant fort pour que le champ tienne bon. Ses amis s'étaient instinctivement aplatis sur la pelouse et la boule de feu se tenait juste au-dessus d'eux.

Devant lui, le dragon grimaçait sous l'effort qu'il était en train de fournir. Car c'était lui qui empêchait l'enfer de se déchaîner.

Dès qu'il avait vu la bombe s'élever, il avait incanté, prêt à la bloquer. Heureusement pour Cal et les autres, car l'explosion était d'une incroyable violence, il était intervenu à temps.

Le problème à présent était de se débarrasser du brasier.

Une impulsion mentale et il se transforma, retrouvant son corps naturel de dragon. Une seconde et il survolait le village, ses ailes bleues aux motifs argentés largement étendues, la boule de feu à sa suite.

Une troisième et naquit au-dessus de Tagon un mini soleil qui concurrença momentanément le vrai. Le bruit qui l'accompagna fit trembler la Terre. Pendant quelques instants, le cœur serré, ils crurent que maître Chem avait péri. Mais le dragon était résistant et, bien que roussi, son cuir épais et ses écailles l'avaient protégé. Il atterrit avec légèreté et lança son juron favori :

— La vache !

Cal se tâtait sous toutes les coutures pour vérifier qu'il n'en manquait pas un morceau. Il fut entouré par ses amis, tout aussi traumatisés. Prodigieusement soulagés qu'il soit vivant, ils ne se lassaient pas de le prendre dans leurs bras, de le toucher, ce que Cal trouvait bien agréable, surtout lorsque c'étaient les filles qui le câlinaient.

Une mélopée funèbre s'éleva. La Pierre Vivante pleurait. Un instant, ils ne comprirent pas pourquoi, puis leur regard se posa sur la seconde Pierre Vivante. Elle n'irradiait plus aucune lumière. Elle n'était plus qu'une pierre irrégulière, gris-noir, sans conscience ni vie.

— Pierre morte, ragea l'entité magique, folle de colère. Si j'attrape harpie, je désosse !

— Dans ce cas, nous serons deux, gente Dame, fit le dragon qui était très poli avec la Pierre Vivante, surtout depuis qu'il avait pris conscience qu'elle le dépassait en puissance. Celui ou celle qui a commandité cet horrible engin payera, soyez-en sûre.

Cal, un peu hébété, le dévisagea.

— Je n'ai pas tout compris, fit-il en s'éclaircissant la gorge. J'avais désamorcé la bombe !

— C'était une arme à double détente, expliqua Robin, qui avait fini par reconnaître l'engin. Tu crois l'avoir désamorcé, et en fait, non. Un second mécanisme se déclenche entre dix secondes et vingt-six heures après la neutralisation du premier.

— Tu aurais pu me prévenir avant !

— Ce sont les Terriens qui ont inventé ce dispositif, s'excusa Robin, je le connais mal. Le système est redoutable. Ils font éclater la première bombe, les équipes de secours interviennent, c'est alors qu'ils font exploser la seconde. Ou encore, ils te laissent penser que tu as désamorcé l'appareil et il se déclenche quand il y a foule tout autour.

Une incrédulité horrifiée se lisait sur tous les visages.

— Tu veux dire que cette arme-là existe vraiment sur notre monde ? dit Fabrice, consterné.

— Pas dans sa version magique, bien sûr, mais en version technologique, oui. Les nonsos ont un prodigieux appétit de destruction. Alors, pour certaines de nos armes, nous nous inspirons d'eux. Cela dit, nos services du Lancovit ne l'ont pas, mais je sais qu'Omois en a fait fabriquer plusieurs proto-types. Nous n'avons pas réussi à vol... hrrmmm, consulter les plans omoisiens, mais nous en connaissons le principe. Alors je n'ai reconnu la bombe que lorsqu'elle s'est mise à léviter. Je n'ai pas eu le temps de t'avertir que maître Chem bloquait l'explosion.

— Vous m'avez sauvé la vie, Maître, déclara solennelle-ment Cal. Elle vous appartient désormais.

— Mmmh, merci, jeune Voleur, c'est vraiment aimable de ta part, mais je ne vois pas bien ce que j'en ferais. La pro-chaine fois, sois plus prudent. Bon. Le Conseil des Hauts Mages attendra. Maintenant que je sais que c'est un exem-plaire originaire d'Omois, il va me falloir enquêter pour comprendre comment une arme aussi sophistiquée est tombée entre les mains des harpies. Tachil et Mangus veilleront sur ton père, Fabrice, puisque tu accompagnes Isabella et Tara à Stonehenge. S'il y a un problème, qu'ils me contactent et je leur enverrai le chaman guérisseur. Mais a priori, d'après ce que j'ai vu, ton père va aller très bien.

Et il fila en toute hâte vers le château. Un peu étonnés, ils prirent conscience qu'ils venaient d'échapper à une mort atroce.

Et que leur ennemi ne reculait devant aucune horreur.

CHAPITRE X

MEURTRES ET MANIGANCES
ou comment se retrouver impliqué dans une enquête...
mortelle

Sur AutreMonde, à Omois, dans le laboratoire numéro 7, le chef de la Garde impériale, Xandiar, se grattait la tête à l'aide d'une de ses quatre mains gantées, ennuyé. À force de traîner par terre, son uniforme pourpre et or était sale et froissé.

Comme il remettait son rapport sur la disparition de l'Héritière d'Omois à l'Impératrice, le dragon, maître Chem, avait adressé au palais impérial un message indiquant que Tara était retrouvée.

Le visage de l'Impératrice s'était éclairé. Mais lorsqu'elle avait découvert que son héritière ne revenait pas tout de suite, elle avait piqué une crise. Prudente, dame Auxia, sa brune cousine, avait lancé un sort de protection sur les porcelaines fragiles qui égayaient la pièce. Mais l'Impératrice avait contenu sa colère.

La nouvelle de la mort du savant était arrivée sur ces entrefaites et la corvée de l'enquête de routine sur l'accident du labo n° 7 était tombée sur le malheureux chef des Gardes.

Au début, il avait pris cette décision pour ce qu'elle était : une injuste punition, due au fait qu'il était au mauvais endroit au mauvais moment. Mais à présent, son flair lui indiquait que cette affaire était tout sauf de la routine. Des détails ne cadraient pas.

Le corps tout d'abord. Le vrrir qui l'avait déchiqueté l'avait coupé en deux. Il avait étudié les mœurs des vrrirs. Comme tous les félins, celui-ci aurait dû briser la nuque du savant ou lui arracher la gorge, puis lui dévorer les entrailles, et ensuite tout le reste. Or il avait retrouvé deux bouts de corps, à une certaine distance l'un de l'autre.

Ensuite, le sang. Si la gueule du vrrir en était maculée, son pelage n'en était pas couvert. Lorsque le savant avait été tranché en deux, son assaillant aurait dû être aspergé sous l'effet du choc. Ce n'était pas le cas.

La cage non plus ne cadrait pas. Elle était ouverte, comme ça, ni forcée, ni voilée. Visiblement, le vrrir s'était échappé sans peine. Xandiar connaissait Vlour Mabri, le généticien décédé. Il était consciencieux et prudent. Jamais il n'aurait laissé une cage ouverte. Ni par inadvertance, ni par étourderie.

Enfin, le meilleur pour la fin. Il y avait un anti-Tempus et un anti-Revelus dans la pièce, empêchant de visualiser les événements qui s'y étaient déroulés. Pour quelle raison quelqu'un avait-il placé ces sorts sur un simple laboratoire ? Xandiar s'était renseigné. Le labo n° 7 ne traitait pas d'affaire sensible. Aucun motif de contre-espionnage ne justifiait donc la présence d'anti-Tempus/Revelus. Mais cela remontait à une huitaine de jours à peine. Les projets dangereux venaient d'être transférés dans une autre aile du palais, mieux isolée, depuis qu'un des savants avait failli faire exploser celle-ci. Si l'assassin avait posé un anti-Tempus/Revelus, partant du principe que les enquêteurs ne s'en étonneraient pas, il avait commis une bourde.

Il sourit. Son instinct ne le trompait pas. Dans sa tête, « l'accident » venait de se transformer en « assassinat ».

Il tenait une piste. Il lui fallait désormais trouver le pourquoi, mais aussi le comment. Depuis que Magister avait éliminé le zombie, général de l'armée d'Omois, quelques semaines auparavant, Xandiar inclinait à la paranoïa et voyait des complots partout. Il savait... non... sentait que le principal coupable de l'affaire de l'armée des démons lui avait échappé et se trouvait encore au palais.

Son regard se promena tout autour de la pièce. Lorsque le savant avait été tué, une forme massive, plus haute que lui-

116

même, devait faire écran car aucune goutte de sang n'avait touché les meubles derrière. Intéressant. Haute, certes. Mais à quel point ?

Il revint aux restes, se pencha, les examina. Il toucha l'os de la colonne vertébrale de l'une de ses quatre mains gantées, puis, à l'aide d'un scalpel, préleva un nouvel échantillon et le plaça dans une bulle de force qui rejoignit celles qui flottaient déjà derrière lui, le suivant sagement. C'était bien ce qu'il pensait. L'os avait été tranché net, avec une force démesurée. Les vrrirs étaient puissants, certes, mais pas au point de sectionner un squelette humain de cette manière. Peu d'animaux sur AutreMonde en étaient capables. Un draco-tyrannosaure oui, mais ils étaient sévèrement gardés et ne pouvaient s'échapper. Et puis un tas de crocs et de griffes de huit mètres de haut déambulant dans le palais aurait été instantanément repéré. Un démon, alors ? Mais pourquoi un démon assassinerait-il un savant et, surtout, pourquoi masquerait-il son crime ? Les démons n'étaient pas discrets et aimaient se vanter de leurs méfaits. Un dragon, aussi, pouvait tuer de cette façon. Et avec ses facultés de métamorphose, il avait le loisir d'adopter n'importe quelle apparence pour s'esquiver. Bien, la liste n'était pas si longue. Démons et dragons. Voilà qui promettait de devenir passionnant.

Il se pencha, l'œil attiré par une tache blanche, une petite plume dans un coin. Il y avait plusieurs oiseaux dans le laboratoire et il supposa que l'un d'eux l'avait perdue. Mais, parce qu'elle se trouvait sur la scène du crime, il la plaça dans une bulle de force et elle flotta derrière lui.

Les enquêteurs sous ses ordres avaient commencé à étudier les dossiers du généticien. Il travaillait sur plusieurs projets et avait entassé des centaines de feuilles, fiches et autres documents qui encombraient son bureau. Xandiar s'installa devant l'ordinateur et l'alluma.

L'ordinateur braqua sur lui un œil attentif. Une bouche se forma, ainsi qu'une oreille.

— Chef des Gardes ! s'exclama la machine. Que puis-je pour vous ?

— Quel est le dernier projet sur lequel travaillait Vlour Mabri ?

— Le croisement entre un spatchoune et un enregistreur. Il partait du principe que personne ne se méfierait d'un volatile gloussant et comptait en transformer plusieurs en espions vivants.

Xandiar haussa un sourcil dubitatif. À moins que la société protectrice des spatchounes n'ait décidé d'exterminer les exploiteurs de spatchounes, ce qui l'aurait fort surpris, il ne voyait pas qui pourrait s'en prendre au savant à propos d'un travail aussi anodin. Non, la réponse n'était pas là.

— Y avait-il autre chose ?

— La dernière entrée que je possède indique que ce dossier a été consulté le 27 Faicho 5014.

« Ah, constata intérieurement Xandiar dont le cerveau fumait presque, depuis plus d'un mois donc. Bizarre. »

— Mais il venait ici tous les jours, non ? Étonnant que ses derniers travaux remontent aussi loin !

— S'il a travaillé sur mes programmes depuis, précisa la machine, je n'en ai aucune trace. Il a dû effacer les documents. Cela lui arrive de temps en temps, lorsqu'il veut mettre de côté des données confidentielles ou dangereuses dont il pourrait avoir besoin plus tard.

— Et tu n'as pas de... comment appeler cela... de résidus ? De trucs qui resteraient, de mémoire fantôme qui me permettrait de savoir sur quoi il travaillait ?

— Mais non ! protesta la machine, offusquée. Lorsqu'on me commande de faire quelque chose, je le fais correctement, qu'est-ce que vous croyez, si on me demande d'effacer, j'efface et il ne reste rien, pas le moindre byte. Mettez-vous en doute mon intégrité professionnelle ?

— Non, non ! pas du tout, recula Xandiar, surpris par la véhémence de la machine, je m'enquérais, c'est tout !

— Eh bien, vous avez la réponse.

Le grand chef des Gardes examina l'écran de la machine sur lequel fluctuaient des motifs étranges et abscons, tandis que l'œil le dévisageait d'un air froid, un sourcil tout juste créé pour souligner son déplaisir.

— Mais s'il a besoin de ces données, reprit-il, pour un usage, disons, ultérieur, qu'en fait-il ?

— Il les enregistre sur des disques ou des disquettes et les emporte chez lui.

Xandiar nota mentalement qu'il devait faire perquisitionner chez le savant.

— Parfait ! Merci, Ordinateur, tu peux disposer et je te prie d'excuser mes questions indiscrètes, je n'ai pas voulu te vexer.

— C'est sans problème, Chef des Gardes, s'adoucit la machine, ce fut un plaisir. Et si je peux vous être utile en quoi que ce soit, n'hésitez pas. On s'encrasse un peu les circuits ici !

Et l'œil, l'oreille, le sourcil et la bouche s'estompèrent tandis que l'appareil s'éteignait.

Xandiar resta songeur. Ainsi le savant travaillait sur un projet qu'il n'avait pas voulu laisser accessible. Cela avait-il un rapport avec sa mort ?

Soudain, il sursauta, alors qu'une ombre énorme tombait sur lui.

Il leva la tête, un peu, puis encore plus haut. Un dragon qu'il connaissait bien se dressait devant lui. Contrairement au Lancovit où il arborait volontiers sa forme de vieux mage, ce dragon-là préférait conserver sa forme naturelle à Omois. Depuis que les siens avaient combattu pour protéger Tingapour et l'Empire, les Omoisiens qui, en temps normal, ne les aimaient guère, avaient changé d'attitude et le dragon, fin politique, en profitait à fond.

Le chef des Gardes remarqua que le nouveau venu était couvert de suie, tout le corps maculé comme s'il avait été exposé à une violente explosion. Et son regard jaune était triste et fatigué.

— Maître Chem ! le salua Xandiar en s'inclinant respectueusement tout en se demandant pourquoi le visiteur était dans un tel état. J'ignorais que vous étiez de retour à Omois. Comment se porte l'Héritière (on sentait le H majuscule dans sa voix) ? Va-t-Elle revenir ? Pourquoi est-Elle partie ? Quelles...

— Voyons, fit le dragon, dépassé par le déluge de questions, les réponses sont : bien ; je l'espère ; apparemment parce qu'elle était fatiguée. Que se passe-t-il au palais ? J'ai demandé à vous voir et on m'a indiqué qu'il y avait eu un incident ?

Le grand garde s'empourpra d'une couleur assortie à son uniforme.

— Veuillez me pardonner toutes ces interrogations ! s'excusa-t-il avec dignité. Mais la disparition de notre Héritière m'a causé beaucoup de souci. Je croyais que mon service de sécurité avait encore failli à La protéger. Aussi, lorsque vous nous avez annoncé qu'Elle était vivante et en bonne santé, et qu'Elle était partie de son propre gré, j'avoue que...

— Que vous l'auriez bien étranglée de vos propres mains, murmura le dragon à sa place. Et je partage votre opinion.

— Ce n'est pas ce que j'allais dire, protesta le grand garde.

— Mmmouais, mais c'est ce que nous pensons tous. Cette enfant n'est pas facile à surveiller. Elle passe son temps à se faire enlever ou à disparaître. J'aimerais bien qu'elle arrête, mes nerfs commencent à être usés.

Xandiar ne dit rien, mais on sentait qu'il était d'accord. Il prit une profonde inspiration, redressa les épaules et interrogea :

— À quel sujet désiriez-vous me voir ?

— Vous d'abord, répliqua le dragon. Alors que je vous cherchais, dame Kali m'a indiqué que vous meniez une enquête ?

— Oui, répondit Xandiar en le menant aux pitoyables restes du savant.

Le corps avait été mis en stase afin que les pouf-pouf et les insectes voraces ne s'y attaquent pas. Le champ lumineux qui l'entourait ne les empêcha pas de passer. Xandiar s'accroupit et le dragon se pencha.

— Un vrrir a été libéré et a *apparemment* attaqué Vlour Mabri, causant sa mort.

L'oreille sensible du dragon avait enregistré l'accent mis sur « apparemment ».

— Et ?

— Je ne crois pas à l'accident. Je soupçonne un meurtre !

Le dragon parut surpris. Puis il regarda mieux le corps démantibulé, s'attardant sur la coupe des os. Et fronça les sourcils.

— Tiens, étrange. Le vrrir aurait été délivré pour tuer le savant ?

— Non, je ne crois pas que le vrrir ait causé la mort de qui que ce soit... dans ce palais du moins. Il a été utilisé pour maquiller l'assassinat. Et je compte bien découvrir qui a fait cela. Et pourquoi.

Soudain, le dragon se raidit, fixant son regard derrière Xandiar. Celui-ci se redressa, luttant pour ne pas se retourner. Qu'est-ce que le dragon observait avec une intensité proche du malaise ? Il se souvint de ce qui flottait derrière lui. Pas de doute, maître Chem louchait sur les indices, malgré son effort pour garder l'air dégagé.

— Et vous avancez dans votre enquête ? finit par questionner le dragon, en baissant les yeux vers lui.

Le gros reptile n'était pas le seul à avoir l'oreille fine. Xandiar était également sensible aux moindres nuances de la voix et il perçut le trouble du dragon. Aussi, tous ses sens en alerte, décida-t-il de se montrer allusif.

— Oh, vous savez, ce genre d'affaire prend du temps. Mais vous ne m'avez pas dit pourquoi vous me cherchiez ?

Le dragon souffla par les naseaux, agacé par la dérobade du garde, puis répondit sèchement.

— À cause d'une bombe.

Xandir se raidit, en alerte.

— Une... bombe ?

Cela expliquait la suie et l'air fatigué du dragon. Qu'est-ce que l'Héritière avait encore manigancé ?

— D'après Robin M'angil, le demi-elfe, il semble qu'il y ait une fuite dans votre laboratoire militaire de recherche de pointe, d'où proviendrait une arme particulière, créée à

Omois. J'ignore sur quoi travaillait Vlour Mabri, mais il peut exister un lien entre les deux affaires.

Il décrivit en détail la bombe et la façon dont elle lui avait explosé à la gueule. Xandiar fronça les sourcils. Le principe lui en semblait sournois. Il n'aimait pas les armes sournoises.

— Comment cet engin s'est-il retrouvé entre les serres des harpies, c'est toute la question, termina le dragon. Alors, prévenez-moi si vous trouvez quoi que ce soit.

Les propos du dragon inquiétèrent vivement le grand garde.

— Une bombe aurait été volée dans notre stock de nouvelles armes ? Impossible. Les laboratoires n° 1, 2 et 3, qui les fabriquent, sont sous haute surveillance. Personne ne peut escamoter quoi que ce soit sans être immédiatement repéré.

— Sans doute, l'apaisa le dragon. Mais si la bombe a été copiée, il n'était pas nécessaire de sortir un prototype. Il suffisait d'enregistrer les plans.

Xandiar, encore hérissé, lui jeta un regard aigu.

— La magie aussi est contrôlée. Si on tente d'activer un sort de copie ou de photo, cela déclenche l'alarme.

— Et avec un appareil photo terrien nonsos ? Argentique ou numérique ?

Le garde se figea, mécontent.

— Vous nous prenez pour des débutants ?

— Alors, vous avez eu affaire à un Voleur très intelligent qui a identifié une faille à laquelle vous n'avez pas songé. Tenez-moi au courant. C'est important. Je vais en parler à l'Impératrice, ensuite je repars pour le Lancovit, mais je serai de retour à Omois dans quelques jours pour vous seconder... si nécessaire.

Et il fila à une vitesse impressionnante pour un être de son poids.

Interloqué, Xandiar le regarda partir. Il pivota et observa pensivement les échantillons qu'il avait prélevés.

Décidément, tout ceci devenait de plus en plus intéressant. Il décida de mettre le laboratoire sens dessus dessous. Si le savant avait dissimulé quelque chose ici, il le trouverait.

Ce n'était qu'une question de temps.

CHAPITRE XI

LE VOYAGE À LONDRES
ou comment apprendre à aimer le brouillard

Les sortceliers durent appliquer des quantités de Mintus et Tagon fut en passe de devenir la capitale du trou de mémoire, car l'envol du dragon et l'explosion n'étaient pas passés inaperçus. Et avec les portables qui prenaient films et photos, ils durent fouiller tout le village pour effacer les images compromettantes.

Selena et Medelus confirmèrent qu'ils resteraient au manoir, pendant l'expédition. Fabrice veilla près de son père avec Tachil et Mangus, mais ses amis dormirent chez Isabella. Et le lendemain, le groupe se mit en route pour Londres.

Tara ne connaissait pas la cité mythique, traversée par la Tamise et ouverte sur la mer, foyer de mille crimes et grâces, ensorcelant le touriste dans son brouillard fuligineux. Mais la ville lui semblait familière à travers les aventures de Sherlock Holmes ou d'Hercule Poirot, aussi était-elle très curieuse lorsque la Porte de Transfert les déposa dans un immeuble de brique rouge, face à un monsieur en maillot de bain, imprimé de nounours bleus. Assortis avec la couleur de sa peau, car en dépit de la saison, il faisait un froid de canard dans l'entrepôt.

Et qui pivotait lentement sur lui-même, les bras en l'air.

— Mince ! Les voyageurs ! balbutia-t-il en reculant devant les arrivants qui les dévisageaient, stupéfaits. Je ne vous attendais pas si tôt !

— Gardien ? siffla Isabella, mais que faites-vous ?

Il attrapa en vitesse une robe de chambre marron et l'enfila, tentant de maîtriser le claquement de ses dents.

— Nous avons appris que Fabrice, le fils du Gardien de Tagon, est devenu sortcelier après avoir été contaminé par la Porte de Transfert, expliqua-t-il, embarrassé. J'ai décidé de m'exposer aux rayons, pour expérimenter si le processus fonctionnait aussi pour moi.

Isabella resta sans voix. Et Moineau, d'ordinaire charitable, ne put s'empêcher de glousser tant le spectacle des maigres mollets du gardien était ridicule.

— Je crois que ma famille a été exposée pendant plus de huit cents ans, précisa Fabrice, et qu'en fait, c'est ma mère qui a été touchée.

Les yeux de l'homme s'exorbitèrent.

— Vous... vous... êtes...

— Oui, il est Fabrice de Besois-Giron, le seul, l'unique ! répondit Moineau, amusée.

— Qu'est-ce que cela fait ? demanda avidement le gardien. Je veux dire, d'acquérir soudain des pouvoirs magiques ?

— Eh bien, une demi-tonne d'échafaudages m'est tombée dessus, répliqua Fabrice. Alors, je ne me souviens pas bien, à part que j'ai eu la peur de ma vie... Non, la peur de ma vie, ce fut lorsque je ne parvins pas à trouver la charade de l'aragne géante sur AutreMonde et qu'elle se mit à refermer ses crochets venimeux sur moi... Bref, j'ai repoussé les barres d'acier, qui se sont mises à flotter au lieu de m'écraser et hop ! Je suis devenu sortcelier. Toutefois, nous ignorons d'où viennent mes pouvoirs, ce n'est qu'une extrapolation de mon père !

— Justement, répliqua l'homme, une fois chassée l'image saisissante de l'aragne géante. Vous n'en savez rien, et si c'est vraiment la Porte qui donne la magie, je serais stupide de m'en passer, non ?

— Mais pourquoi en maillot de bain ? interrogea Tara, les yeux brillant d'hilarité contenue.

— J'ai pensé que les vêtements pouvaient faire obstacle aux rayons. Sssssss, poursuivit le gardien nonsos, comme

Barune émettait un barrissement retentissant en écho à l'amusement de Fabrice. Faites taire vos Familiers !

— Pourquoi ? questionna Isabella, hautaine. Je croyais que ce quartier était désert ?

— Ne m'en parlez pas, gémit le gardien. Nous avions choisi les docks car cet endroit était abandonné, puis des tas de gens chics sont venus s'installer, c'est devenu hypermode et le maire a tout fait réhabiliter. Il va falloir déplacer la Porte de Transfert d'ici quelques mois, parce que question sons et lumières, ça va finir par attirer l'attention.

— Stop, l'interrompit Isabella. Je n'ai que faire de vos doléances. Je ferai part de votre requête au Grand Conseil. Nous sommes en transit, pas en inspection. Avez-vous réservé à l'hôtel ?

— L'hôtel de la Magie, au centre de Londres, a été prévenu. Vous êtes attendus, grogna le gardien, mécontent que personne ne compatisse à ses soucis.

— Nous devons travestir les plus... voyants d'entre nous, décida Isabella en désignant d'un même mouvement de tête Fafnir, Robin, et les Familiers. Tara ?

— Grand-Mère ?

— Notre magie sur Terre est moins puissante, et je n'aimerais pas que nos déguisements s'effacent au beau milieu de Time Square. Voudrais-tu avoir l'obligeance de t'occuper de Robin et de Galant ? Je me charge de Barune, de Sheeba et de Fafnir.

La naine fronça les sourcils.

— Qu'est-ce qui ne va pas avec mon apparence ? Et il n'est pas question que j'abandonne ma hache.

Isabella détailla la naine rousse, aussi large que haute, dont les biceps puissants tendaient le justaucorps vert. Depuis son exorde, discours de passage de l'âge enfantin à l'âge adolescent chez les nains, Fafnir avait rasé sa barbe, ce qui la rendait plus féminine malgré les innombrables armes qui pendaient à sa ceinture, les bottes de guerre à bout ferré... et la moue belliqueuse qu'elle arborait.

— Je vais seulement modifier tes vêtements et rendre ton

attirail invisible, précisa la vieille sortcelière. Il y a des nains sur Terre, tu ne devrais pas être trop remarquée.

Et avant que la naine ne puisse protester (comment ça, *attirail* !), Isabella incanta :

— Par l'Habillus, que Fafnir soit à la dernière mode sans que ma magie s'érode !

Le flux magique frappa la naine qui se retrouva vêtue d'un jean taille basse dévoilant la peau dorée de ses prodigieux abdominaux, d'un petit top ajusté et d'un blouson de cuir rose.

— Euuuh, Grand-Mère, je ne crois pas que le rose soit une excellente idée, avança Tara, avant que Fafnir s'énerve.

Mais elle les surprit. Les nains adorent les couleurs vives, probablement en réaction à leur environnement minier obscur. Leurs villes à Hymlia se paraient de fleurs et de magnifiques végétaux chantants, et elle trouva le blouson tout à fait à son goût.

— Ça va, dit-elle avec un sourire. Mais ce pantalon est bizarre, pourquoi est-il si bas sur mes hanches ? Je ne pourrai pas courir sans le perdre, et encore moins me battre !

Barune fut transformé en gros chien, et gambada bientôt par tout le hangar, ravi de sa nouvelle agilité. Il avait tout autant de poils, mais du moins n'étaient-ils plus bleus. Sheeba, devenue une ravissante coolie, genre Lassie chien fidèle, exprima son indignation par un aboiement sonore.

— Bien, fit la vieille sortcelière, satisfaite. À ton tour, Tara !

Tara, qui s'était juré de ne pas user de sa magie sur Terre, pour éviter de métamorphoser en grenouille la moitié de la ville, protesta :

— Grand-Mère, tu sais à quel point ma magie est... incontrôlable !

— Précisément, assena Isabella. Je sais que tu refuses de l'employer sur Terre. Mais tu risques d'en avoir besoin, que tu le veuilles ou non. Je préfère que tu t'entraînes ici et maintenant, plutôt que devant des milliers de badauds. Ta Pierre Vivante devrait t'aider à la maîtriser.

Tara soupira mais obéit. Isabella avait raison, pour cette

fois. Lorsqu'elle n'était pas en colère ou en situation d'urgence, sa magie était bien moins forte sur Terre, étranglée par la technologie, et elle devait tester sa puissance habituelle pour savoir si celle-ci était vraiment amoindrie, à l'instar de celle de sa grand-mère.

Veillant à juguler l'enthousiasme de la Pierre Vivante, la jeune fille déguisa Galant, qui grogna en sentant ses ailes disparaître et son corps rapetisser. Bientôt, un magnifique chien-loup blanc prit sa place.

— Pierre Vivante, fit sévèrement Tara, j'avais dit « pelage noir et marron ». Pourquoi ce chien est-il *blanc* ?

— Pas beau, marron, grogna l'entité magique, rétive. Très joli en blanc !

Tara soupira. La Pierre Vivante n'en faisait qu'à sa tête, mais elle devait admettre que le pégase était magnifique sous sa nouvelle apparence. Et qu'elle n'avait transformé personne d'autre en chien au passage, ce qui était une consolation.

— À mon tour, dit Robin. Vas-y, efface-moi ces oreilles d'elfe !

Il oscillait entre le gris et le verdâtre, mais tenait debout sans aide, heureux de devenir provisoirement humain. Ce n'était pas facile d'être un demi-quelque chose. Et il ne pouvait s'empêcher de se demander si Tara pourrait tomber amoureuse de lui sous cette nouvelle forme.

La jeune fille lui sourit. Depuis qu'il avait révélé, involontairement, ses sentiments pour elle, en hurlant sa douleur lorsqu'ils étaient devenus frère et sœur de sang, Tara était décidée à approfondir sa déclaration.

— *Pierre Vivante*, fit-elle mentalement, *allons-y*.

Elle continua à haute voix :

— Par le Transformus, que l'elfe s'efface et qu'un humain lui fasse place !

L'image de l'elfe se brouilla. Ses cheveux d'argent raccourcirent et se teintèrent de blond. Ses yeux de cristal virèrent au bleu et son corps d'une minceur féline et élégante s'étoffa. Petit nez, dents blanches, menton volontaire, un superbe jeune homme, à l'image curieusement familière, prit la place de l'elfe.

Tara tiqua. Elle connaissait ce visage ! La vision d'un splendide guerrier aux impeccables pectoraux flotta devant elle...

— Pierre Vivante ! s'exclama-t-elle, je ne t'ai pas demandé de transformer Robin en Brad Pitt !

Moineau, qui ouvrait de grands yeux admiratifs, en lâcha la main de Fabrice, ce qui ne fut pas du goût de l'athlétique sortcelier.

— Wahou, apprécia-t-elle, très mignon, dis-moi. Qui est Brad Pitt ?

— C'est un acteur très célèbre sur Terre, répondit Tara en rougissant. La Pierre Vivante et moi avons vu un de ses films récemment et je crois bien qu'elle s'est laissé influencer. Robin ne peut se balader sous cette forme ! Ou bien toutes les midinettes de Londres vont nous courir après dans trente secondes !

Mécontente, la Pierre Vivante obéit lorsque Tara la pria poliment de procéder à quelques changements ; les traits de l'elfe se modifièrent. Il était toujours aussi beau, mais ne ressemblait plus à l'icône terrienne. Tara ressentit un curieux petit pincement au cœur en constatant la joie du demi-elfe en se voyant humain. Elle ne comprenait pas toujours Robin, mais son statut de métis lui pesait sans doute plus qu'il ne voulait l'admettre.

Elle rendit invisible l'arc de Llilandril qui, très fier de son incomparable apparence, appréciait peu d'être caché.

— *Quoi Tara fait avec son pouvoir ?* questionna soudain la Pierre Vivante dans la tête de Tara, la faisant sursauter.

— *Comment ?*

— *Failli transformer tout le monde, magie plus puissante, pourquoi ?*

— *Il semble que quelqu'un ait trafiqué mes gènes lorsque j'étais petite pour me rendre plus forte, plus... magique.*

— *Ah !* fit la Pierre Vivante sur un ton dubitatif. *Ça pas bon, ça trop fort !*

Il y avait un miroir en face de la Porte et la jeune fille y vit son reflet. Elle tressaillit. Visage creusé, cernes noirâtres, elle avait presque aussi mauvaise mine que Robin !

Elle baissa les yeux vers la Pierre Vivante, chassant l'image tristement fidèle.

— *Pour l'instant, j'ai de puissants ennemis, alors je suis heureuse que mon pouvoir me permette de les combattre. Cela dit, si tu as une idée pour m'en débarrasser, je suis preneuse ! Il me fatigue de plus en plus au fur et à mesure que je l'utilise. Bon sang, j'espère que je n'ai pas attrapé la grinchette !*

La Pierre Vivante ne réagit pas, mais Tara la sentit pensive.

Leur échange avait duré le temps d'un éclair et les autres étaient presque prêts.

— Parfait, décréta Isabella en passant sa petite troupe en revue. Transformez vos robes de sortceliers à présent, et nous pourrons y aller.

— Changeline, demanda Tara, vêtements terriens ! Et sans me dénuder, s'il te plaît ! (La dernière fois, elle s'était retrouvée toute nue devant ses amis. Ah, ces gadgets d'Autre-Monde !)

L'entité magique se plia à ses ordres et Tara fut vêtue d'une robe courte et de sandales.

— L'emblème d'Omois est peut-être inutile, observa Tara en louchant vers sa poitrine, sur laquelle s'étalait le paon pourpre aux cent yeux d'or, quasiment vivant.

La Changeline obéit et l'image s'effaça.

— Il vous faut être doublement prudents, précisa le gardien. Depuis quelques années, de plus en plus de livres circulent sur, ou à propos de, la magie. Les sorts que nous avions lancés pour ôter tout crédit à la magie dans l'esprit des gens perdent de la puissance. Les nonsos sont en alerte. Le nombre de Mintus amnésiants appliqués cette année a doublé, avec notamment un pic à l'occasion de la parution du livre rapportant vos aventures. Beaucoup de nonsos se sont mis à rechercher les Portes de Transfert et les sortceliers présents sur Terre sont vite repérés, surtout par les enfants.

— Nous n'avions pas le choix, répliqua Isabella en pinçant les lèvres. Cette maudite Sophie Audouin-Mamikonian est insensible à la magie. Soit nous lui donnions de la matière pour ses livres, soit elle révélait tout sur AutreMonde. Nous avons songé à l'éliminer mais le Haut Conseil a refusé, malgré mon avis. Encore heureux qu'elle ait relaté la vie de Tara sous forme de fiction !

— Certes, admit le gardien. Nous sommes en alerte orange et le Grand Conseil des Hauts Mages a interdit d'utiliser les Transmitus en Angleterre, sauf en cas d'extrême péril. Pour vous rendre à Stonehenge, il vous faudra voyager comme des humains normaux.

Isabella plissa le nez.

— Je sais. Allons déjà jusqu'à l'hôtel, ensuite nous prendrons le train pour le comté de Wiltshire, où se trouve le site.

— Le propriétaire de l'hôtel de la Magie s'occupera de vos billets, je vais le prévenir.

Ils s'éloignèrent après l'avoir remercié et Tara sourit en le voyant prestement retirer sa robe de chambre. Si le pauvre homme avait su à quel point la magie était dangereuse, il se serait rhabillé en vitesse !

Deux Rolls-Royce noires aux formes allongées les attendaient à l'entrée de l'entrepôt.

— On ne devait pas voyager discrètement ? avança Tara, impressionnée par l'imposante beauté des deux véhicules.

Sa grand-mère balaya sa remarque d'un revers de main :

— Il y a quasiment plus de Rolls au Royaume-Uni que de voitures communes. Crois-moi, personne n'y prêtera attention.

Deux chauffeurs en livrée, casquette à la main, se précipitèrent. Les observant pendant qu'ils empilaient les bagages dans les coffres apparemment sans limite des deux voitures, Tara remarqua qu'ils étaient identiques.

— Si Mèdème veut bien s'avancer, fit le premier en omoisien avec un étrange accent, la voiture de Mèdème est prête.

Isabella hocha la tête et pénétra dans la première Rolls-Royce. À l'intérieur, il y avait des sofas confortables, des coupes de champagne posées sur d'exquis guéridons de bois, des coupelles remplies de cacahuètes et de noix de cajou. Dès que Tara et Robin entrèrent, la voiture frémit et, à part celle d'Isabella, les boissons alcoolisées furent remplacées par des sodas et des jus de fruit. Le chauffeur se pencha et déclara d'un ton affecté :

— Si Mèdème a besoin de quoi que ce soit, que Mèdème énonce à haute voix son souhait. La voiture se fera un plaisir de l'exaucer.

— J'aimerais que les harpies que nous pourchassons tombent raides mortes pour que nous puissions rentrer immédiatement à Tagon.

Le chauffeur garda le silence pendant une seconde, et corrigea :

— Dans la mesure de nos moyens, évidemment, nous pourvoirons à votre parfait confort.

Sans laisser à Isabella le temps de lui formuler d'autres demandes impossibles à satisfaire, il claqua vivement la porte. Tara et Robin étouffèrent un rire complice. Ils burent leurs sodas, en silence à cause de la présence d'Isabella, mais les regards qu'ils échangeaient valaient tous les discours du monde.

Force fut à Tara de constater que sa grand-mère avait eu raison. Les trottoirs, de plus en plus animés à mesure que les voitures s'enfonçaient vers le cœur palpitant de Londres, étaient arpentés par des foules d'Anglais bien plus préoccupés par l'heure proche du déjeuner que par les deux berlines noires.

Il était amusant de détailler la magnifique métropole derrière l'abri des vitres teintées. Les maisonnettes basses avec leur minuscule jardinet ouvraient sur des ruelles sombres comme sur de majestueuses avenues, le contraste entre les deux donnant un charme étrange à la ville. Avisant dans une vitrine des émeraudes grosses comme des œufs de poule, Tara se souvint du joyau incrusté dans sa peau par les couleurs et pria la Changeline de le masquer. Les glyphes dorés sur ses avant-bras pourraient passer pour des tatouages, le bijou, lui, tout d'ébène, or, diamant, rubis, saphir et émeraude, risquait de soulever des interrogations. Ils longèrent la Tamise puis s'engagèrent dans Hyde Park, là où la Serpentine avait vu les jolies cavalières et leurs courtisans se promener le long de ses vertes berges, pour enfin arriver à l'hôtel de la Magie.

En franchissant le portail, Tara, sensible aux ondes magiques, eut l'impression de pénétrer un champ magnétique, qui s'irisa légèrement de bleu au passage des deux voitures. Vus depuis l'intérieur, les objets et les passants dans la rue paraissaient flous.

— Protection magique de confinement, commenta Isabella. Au cas où il y aurait des débordements de la part de nos visiteurs sortceliers, Hauts Mages ou dragons. Et cela empêche les nonsos d'entrer dans l'hôtel. Voici des centaines d'années, l'auberge était maquillée de manière à ressembler à un bouge infâme où personne ne voudrait se risquer. Mais avec l'affaiblissement de la magie sur Terre, ce travestissement ne pouvait être maintenu. Nous avons fait comme si nous rachetions et rénovions le bâtiment et dévoilé sa véritable apparence, puis posé un champ répulsif qui écarte tous ceux qui ne sont pas affiliés à AutreMonde ou ne possèdent pas de magie, à part les gardiens des Portes de Transfert, qui, comme tu le sais, sont des nonsos, et qui bénéficient d'un passe spécial.

Le portier, majestueux et compassé dans son uniforme, leur ouvrit la portière. Ni tentacules, ni pinces, ni troisième œil. Son apparence était celle d'un humain classique. Dès qu'il vit Isabella, il s'inclina profondément.

— Dame Duncan, salua-t-il, c'est un très grand honneur de vous recevoir.

Isabella hocha la tête et s'engouffra dans l'hôtel sans répondre. Pour compenser la froideur de sa grand-mère, Tara fit un joli sourire au portier.

Celui-ci lui rendit son sourire.

En double.

Juste sous sa première bouche, une seconde s'ouvrit sur sa gorge, dévoilant des dents assez peu engageantes, tandis que ses yeux disparaissaient de son visage pour réapparaître plus haut, au bout d'antennes, d'où ils lui adressèrent de petits signes amicaux.

D'accord. Pas humain du tout.

Tara fila derrière sa grand-mère, légèrement ébranlée. À l'intérieur régnait une tiédeur agréable, comparée à la fraîcheur du dehors. Des colonnes de marbre gris magnifiquement sculptées entouraient le hall, percé d'un puits de lumière dévoilant... les soleils d'AutreMonde ! Tara reconnut sans peine la géante jaune et sa petite compagne rouge qui éclairaient la planète magique.

Des fées multicolores s'occupaient des plantes grimpant le long des murs et les fleurs rouges entonnèrent un hymne lorsque le groupe s'immobilisa en face de l'accueil, formant un harmonieux contrepoint au chant des sirènes bleues qui folâtraient dans le bassin au centre de la salle à manger. Deux licornes à la corne dévissée (les licornes ayant mauvais caractère, elles avaient obligation de retirer leur corne avant de pénétrer quelque part, histoire de n'embrocher personne) les saluèrent d'un hennissement amical. Un cahmboum, les tentacules chargés de livres, avançait d'un air affairé, propulsant son corps sphérique et jaune sur un skateboard ! Des sortceliers vêtus aux couleurs de leur pays, bleu et argent pour le Lancovit, pourpre et or pour Omois, suivis de leurs Familiers, se promenaient dans le parc privé qu'on apercevait dans l'enfilade des portes. Tara écarquilla les yeux. Elle aurait juré qu'il était impossible de trouver un parc de cette dimension à l'intérieur de Londres ! C'était la faune d'AutreMonde qu'elle entrevoyait au loin. Nulle part sur Terre n'existait cette éblouissante explosion de couleurs et de formes. Les arbres ne pouvaient se déplacer comme ils l'auraient fait sur leur planète d'origine, aussi se contentaient-ils de s'agiter lorsqu'un pigeon téméraire se posait sur leurs branches. Des oiseaux de feu dansaient autour de leurs nids ignifugés. Des licornes paissaient au milieu des bééés, ignorant les animaux laineux avec mépris. Des kré-kré-kré traquaient un traduc qui projetait son odeur tout autour de lui pour dégoûter les prédateurs. Des mooous secouaient leurs deux têtes, des brrraaas meuglaient en repoussant les piqqq et les mouches à sang qui les tourmentaient et dans le lointain retentit le terrifiant beuglement d'un draco-tyrannosaure qui figea tous les animaux pendant une fraction de seconde. Tara frissonna. C'était même un peu trop réaliste pour son goût !

Une jeune sirène sortcelière, encapsulée dans sa bulle d'eau, des bidons de lait se secouant joyeusement derrière elle, les dépassa, prête à aller traire la plantureuse balboune pourpre qui flottait dans un lac d'eau salée suspendu. Le beurre et la crème de balboune étaient de véritables délices et les sortceliers préféraient en avoir l'approvisionnement tout frais sous la main. Des fées multicolores encourageaient les bizzz à butiner les champs de sopors, astophèles et autres kalornas, puis récoltaient le miel crémeux en babillant et chantonnant.

Le champ de protection enveloppait également le parc, transformant l'endroit afin de projeter au-dehors l'illusion d'arbres, de pelouses et de fleurs terrestres.

— Une partie du personnel est originaire d'AutreMonde, expliqua Manitou, le museau en l'air. Les architectes ont recréé le décor et l'atmosphère de notre planète, car nos ressortissants supportaient mal le climat terrien, plus froid. Nous avons fait de même dans tous les autres sanctuaires sortceliers pour aider ceux qui sont en faction sur Terre à ne pas devenir neurasthéniques.

Il trottina vers le comptoir d'accueil où se tenait un gros homme chauve, des binocles désuets sur son nez bulbeux... mais ses yeux n'avaient rien d'humain. Verts et dorés, ils étaient fendus comme ceux d'un chat ou d'un reptile. Il loucha sur les arrivants par-dessus ses verres irisés.

— Maître Bruvilendirgrecharilvar ! le salua Manitou. Quel plaisir de vous revoir ! Comment se porte votre charmante épouse ?

— Elle va bien, merci, Maître Manitou, répondit l'homme

qui avait le nom d'un dragon, et qui en était probablement un sous son déguisement humain. Comment se porte votre famille ?

— Eh bien, nous avons quelques harpies à rattraper du côté de Stonehenge, alors ma fille et ma petite-fille m'accompagnent, avec des renforts au cas où. Combien d'AutreMondiens ou de Terriens sont-ils présents ici aujourd'hui ?

— C'est assez calme. Nous avons une dizaine de ressortissants d'AutreMonde, et le gardien de la Porte de l'Inde qui est en vacances. L'ambassade est loin d'être pleine, aussi vous ai-je réservé nos meilleures suites.

— Je croyais qu'ici, c'était un hôtel ? chuchota Tara.

— En fait, le bâtiment remplit les deux fonctions, précisa Isabella. Parfois des touristes autreMondiens, sentivoriens, tadixiens, madixiens, etc. s'égarent sur Terre, à la suite d'une mauvaise manipulation de Porte de Transfert ou volontairement. Bien que nous ayons formellement déconseillé aux sortceliers de venir sur cette planète, il arrive qu'ils désobéissent (à sa voix, on sentait qu'Isabella n'imaginait qu'un seul châtiment pour ces insolents, la prison et les fers !). Les professeurs des Universités, les Premiers Sortceliers et les Hauts Mages font également des voyages d'étude. Tous connaissent les adresses des ambassades sortcelières sur Terre. Ainsi, dès que quelqu'un a un problème, il se rend dans l'une d'elles, où il est pris en charge et rapatrié.

— Vous n'avez jamais eu d'accident ?

Manitou se fendit d'un sourire canin.

— Dans les années Vingt de cette planète, un célèbre gangster s'est réfugié dans l'hôtel de la Magie de Chicago, aux États-Unis. Comme il était poursuivi par des policiers, l'influence du champ de magie répulsive n'a pas suffi pour l'empêcher d'entrer dans notre immeuble. Mais son irruption a brisé les sorts de dissimulation. Nous avions toute une délégation de vampyrs ce jour-là, deux centaures, quelques cahmboums et un dragon, qui ont repris leur apparence naturelle.

— Wahou, le choc ! Et alors ?

— Il a tiré sur le dragon et sur les vampyrs, ce qui ne leur a pas fait grand mal, le dragon s'est avancé vers lui pour le neutraliser et il s'est enfui sans demander son reste. Je n'ai jamais vu un homme se rendre aussi vite à la police ! Nous n'avons même pas eu le temps de lui jeter un Mintus d'amnésie. Depuis, il a exigé d'être mis au secret, a avoué tous ses crimes et même certains qu'il n'avait pas commis et, lorsque sa peine a été commuée pour bonne conduite, il a catégoriquement refusé de quitter sa cellule.

Fabrice était hilare.

— Se retrouver nez à nez avec un dragon a dû être un moment d'intense solitude en effet ! Moi-même, bien que prévenu, la première fois que cela m'est arrivé, j'ai ressenti une mollesse au niveau des genoux.

— Grmmmml, fit maître Bruvilendirgrecharilvar, je n'arrive pas à comprendre pourquoi vous, les humains, avez si peur de nous !

— Vous mesurez six mètres de haut, quinze de long, vous crachez du feu et vos dents sont plus longues que des sabres de cavalerie, persifla Fabrice. Ah, et aussi certains des vôtres, devenus fous, ont dévoré une bonne quantité des nôtres. Ce genre de... détail... ne s'oublie pas, même des siècles plus tard.

— Ce furent de malheureux quiproquos, répliqua le dragon, très digne, et puis vos chevaliers ont tué tout autant de dragons !

— Ah, pardon ! rétorqua Moineau qui avait bien étudié l'histoire de la Terre au moment de l'invasion des démons et des dragons ! Ce n'est pas tout à fait exact. Pour un dragon tué, il y avait des centaines d'humains carbonisés. Et je ne parle pas des vaches !

L'œil du dragon s'embua.

— Ahhh, les vaches ! sourit-il avec délice. Je crois que nous avons sauvé cette planète essentiellement pour les vaches. Quel merveilleux festin ! Savez-vous que ces bestiaux n'existent nulle part ailleurs ? Les Terriens ignorent que nous en sommes les principaux exportateurs vers notre propre monde. Je songe parfois que cette planète-ci, peuplée d'immenses troupeaux de vaches sur des vastes pâturages, sans humains, serait un lieu idéal...

Il interrompit sa rêverie en découvrant une demi-douzaine de regards noirs braqués sur lui.

— Hrrrmmm, s'éclaircit-il la gorge. Nous disions donc une nuit pour six chambres réservées pour six personnes, avec petit déjeuner. Dînerez-vous ici ?

— Il vaut mieux, décida Isabella alors que Tara allait proposer une visite de Londres et de ses innombrables restaurants. Je n'ai pas envie que d'inutiles débordements de magie attirent l'attention sur nous.

— Pardon, fit Moineau. Lorsque ma mère a appris que nous venions à Londres, elle a pris la liberté de nous réserver en dernière minute six places pour le spectacle de Sir Andrew Lloyd Weber, *Le Fantôme de l'Opéra*. Elle ignorait que vous désiriez que nous restions à l'hôtel, j'en suis fort désolée. Mais je peux annuler, si vous préférez !

Isabella la fusilla du regard un instant, puis réfléchit qu'après tout, Moineau était la nièce du roi du Lancovit, même si sa timidité naturelle lui interdisait de s'en vanter. Il était plus diplomatique de la laisser assister à cette représentation.

— Soit. Je ne vois pas d'inconvénient à cette sortie, à condition que vous vous montriez prudents. Ah, et je veux que Robin demeure à l'hôtel avec moi. Il est encore faible, il doit se reposer.

La maligne sortcelière savait bien ce qu'elle faisait.

— Je reste aussi, annonça aussitôt Tara, malgré son désir de voir l'opéra, dont tout le monde lui avait dit qu'il était génial. Mais Fafnir, Moineau et Fabrice ne peuvent rater une telle occasion. Vous devez y aller !

Robin jeta un œil narquois à Isabella. Il n'aimait guère être utilisé pour manipuler Tara mais, d'un autre côté, il préférait la savoir à l'abri. Dans l'état où il se trouvait, il était incapable de la protéger. Il observa Tara. Il aimait tant de choses chez la jeune fille qu'il avait du mal à lui trouver un défaut.

Certes, elle était têtue. Elle n'avait pas très bon caractère.

Elle était beaucoup trop indépendante, comme le prouvait sa fugue inutile.

Ah, et elle ne se rendait pas du tout compte, apparemment, qu'il était fou d'elle, ce qui prouvait qu'elle n'était pas très *observatrice*.

À ces exceptions près, il adorait son humour, sa magnifique chevelure blonde (même s'il soupçonnait l'Impératrice de tricher et d'avoir lancé un sort sur les cheveux de Tara pour qu'ils poussent vite, afin que son héritière lui ressemble le plus possible), ses grands yeux bleu marine et son courage.

Si elle avait pu être un peu plus âgée, ç'aurait été parfait. La différence entre eux, quoique insignifiante sur Autre-Monde, était de deux ans, et cela le gênait.

Une pensée le fit frémir. Et si Tara le considérait comme un... grand frère ! Cela expliquerait pourquoi elle ne semblait pas s'intéresser à lui ! Par les mânes de ses ancêtres, quelle catastrophe ! Il serra les poings, livide. Cette torture ne pouvait pas durer. Il allait déclarer son amour à la jeune fille avant de perdre la raison, ce qui était déconseillé pour les elfes, leur sang guerrier ayant une fâcheuse tendance à s'exprimer en massacrant tout ce qui bougeait autour d'eux lorsqu'ils étaient poussés à bout.

Si elle le rejetait, il supporterait noblement la douleur en se tenant à ses côtés jusqu'à ce qu'elle n'ait plus besoin de lui. Puis il s'engagerait dans les missions de pacification contre les Pirates de l'océan des Brumes et rechercherait une mort glorieuse mais rapide.

Ses glyphes pulsaient sur son bras comme un cœur vivant et une horrible pensée lui donna la nausée. Que ferait le Z'alen'maril s'il embrassait Tara ? A priori, les naouldiars pouvaient se toucher, mais pouvaient-ils s'embrasser ?

Devait-il se tenir à l'écart de Tara pour éviter de la mettre en danger ? Il soupesa cette option. Non, il allait devenir dingue s'il continuait à rester loin de Tara. C'était lui, le demi-elfe. S'il survenait quoi que ce soit, il serait le seul touché, Tara était humaine et ne risquait rien.

Toutefois, l'interrogation demeurait, au fond de son esprit, empoisonnant ses pensées.

Se méprenant sur son air souffreteux, Isabella l'envoya se coucher en vitesse.

Contrairement aux Terriens, les sortceliers n'aimaient guère l'altitude, et toutes les suites se trouvaient au troisième étage. Très confortables, elles disposaient des aménagements technologiques, tant autreMondiens que terriens, les plus récents. Lorsque Robin s'étendit, le lit se mit à bouger sous lui ! Se relevant à une vitesse surhumaine en dépit de la douleur, il comprit que le lit ne l'attaquait pas, mais voulait le masser pour le détendre. Il chercha comment désactiver le mécanisme et se rallongea avec un soupir.

Être un demi-elfe était une souffrance de chaque instant. Sa partie elfe voyait une potentielle agression dans chaque geste des gens qui l'entouraient, le contraignant à un épuisant qui-vive. Sa partie humaine recherchait la résolution des conflits par la diplomatie et la discussion, plutôt que par la violence. Les deux moitiés ne s'accordaient que dans leur amour pour Tara.

Il savait parfaitement qu'il ne pourrait jamais être plus qu'un petit ami pour Tara... enfin si le naouldiar ne le transformait pas en quelque chose de vert, petit et visqueux quand il embrasserait l'élue de son cœur.

Le problème sur AutreMonde c'était que les légendes de princes transformés en crapauds étaient souvent de tragiques réalités... et qu'il fallait faire gaffe si on voulait déguster un plat de cuisses de grenouilles à l'ail !

Un rictus crispa son séduisant visage en un masque d'amertume. Même si le Z'alen'maril ne le métamorphosait pas en crapaud, jamais l'Impératrice n'accepterait un demi-elfe comme prince consort. La tante de Tara ne cachait pas sa xénophobie. Il y avait bien plus d'humains que de créatures d'AutreMonde à Tingapour comme dans tout Omois. Les deux souverains n'appréciaient guère les dragons et considéraient les elfes au mieux comme des armes utiles à la défense de l'empire.

Il soupira. Il était suffisamment jeune pour espérer que les choses s'arrangeraient et détestait sa lucidité d'elfe qui lui soufflait qu'il n'en serait rien.

Pour la millionième fois, il maudit le sort qui avait uni ses parents, faisant de lui un sang-mêlé, pire, une victime.

CHAPITRE XII

L'OR DU RHIN
ou comment transformer une naine guerrière
en actrice

Tara sentait les glyphes battre sur son bras et, d'une façon floue, elle avait également conscience de la présence... ou plutôt de l'existence de Robin. Elle achevait de ranger ses affaires dans la suite qui s'était décorée de pourpre et or, aux couleurs d'Omois, lorsqu'elle s'immobilisa, pensive. Elle avait compris que le demi-elfe voulait sortir avec elle, mais elle était effrayée. Cela pouvait-il changer leur relation ? Saurait-elle encore se battre contre tous ceux qui en voulaient à sa vie, alors que des liens plus forts que l'amitié la lieraient à Robin ?

Bon, elle avait tenu tête à Magister, au Ravageur d'âme, au Prince Bandiou et au roi des Démons, elle pouvait bien affronter l'amour de Robin !

Avant de sortir, elle ordonna à la chambre de se transformer en désert paisible sous la lune, son lit posé sur une dune de sable fin. Elle traversa le couloir et toqua à la porte du demi-elfe. Un œil s'ouvrit dans le bois, la toisa. Une bouche se créa et dit : « L'accès est libre pour l'Héritière impériale, veuillez avancer, je vous prie. » Et la porte s'ouvrit en grand. Tara était un peu gênée. Elle-même avait donné des consignes rigoureuses à sa propre porte. Avec cette fichue magie, tout le monde pouvait se métamorphoser et elle ne voulait pas laisser entrer n'importe qui sans être prévenue.

Elle fit quelques pas et s'arrêta, interloquée. Comme sur AutreMonde, dans l'environnement magique de l'ambassade,

141

il était possible de modifier l'apparence de sa chambre ou de son environnement à son gré. Elle aimait le désert. Robin, lui, avait préféré une clairière entourée d'arbres et son lit se nichait tout en haut de l'un d'eux. Des biches blanches paissaient la moquette, enfin l'herbe bleue, entre les fûts majestueux. Les deux lunes d'argent, Tadix et Madix, éclairaient comme en plein jour. La scène était romantique en diable.

Robin, en train de grimper sur un arbre pour aller se coucher, prit soudain conscience de la présence de la jeune fille dans sa chambre. Les yeux arrondis d'étonnement, il rata la branche qu'il visait et s'aplatit le nez au sol. Il se releva d'un bond, crachant des brins de mousse, tandis que Tara retenait un gloussement involontaire.

— Tara ! Je ne m'attendais pas... tu m'as surpris !

— J'ai vu, remarqua Tara en se mordant furieusement les joues, son fou rire menaçant de déborder.

— C'est une séquelle du venin. Les elfes ne se cassent pas la figure aussi facilement d'ordinaire.

L'agacement dans sa voix chassa l'amusement de Tara. Elle leva la tête vers les arbres majestueux.

— Wahou, commenta-t-elle en changeant de sujet, c'est splendide !

— Le paysage fluctue un peu, grimaça Robin en terminant de s'épousseter, la magie tient moins bien sur Terre.

— Si c'est le cas, moi, à ta place, j'éviterais de placer mon lit en haut d'un arbre qui risque de disparaître, non ?

Robin sourit :

— Je reconnais là ton pragmatisme, Tara !

— C'est juste que j'aimerais éviter d'avoir à recoller tes os !

Le sourire de l'elfe s'effaça.

— Il faut qu'on parle, Tara.

Le moment qu'elle redoutait et espérait en même temps approchait à grands pas. Elle prit une profonde inspiration. Le demi-elfe se pencha vers elle, son visage se rapprocha du sien, ce qui la fit loucher et, le cœur battant, elle ferma les yeux.

Une seconde s'écoula. Deux, puis trois. Il ne se passait rien.

Étonnée, elle rouvrit les paupières. Le demi-elfe la regardait, intrigué.

— Tu as mal ? interrogea-t-il.

Tara rougit. Oups ! apparemment, il n'avait pas eu l'intention de l'embrasser. Elle hésitait entre « zut » et « ouf ». Sur Terre, un garçon aurait compris mais les elfes ne suivaient pas les mêmes coutumes. Chez eux, fermer les yeux signifiait qu'on souffrait. OK, reçu cinq sur cinq. Il allait falloir employer les grands moyens !

— Hmmm ? Non, ce n'est rien, reprit-elle, voyant que le demi-elfe attendait sa réponse. Que voulais-tu me dire ?

— Je dois t'expliquer nos règles elfiques (oui, eh bien, elle allait lui expliquer quelques usages terriens !). Le naouldiar n'est pas une chose anodine, commença Robin en la conduisant courtoisement vers un fauteuil de mousse verte et fleurie. À présent que nous sommes connectés, si l'un de nous est en danger et a besoin de l'autre, nous le saurons instantanément.

— C'est plutôt pratique, remarqua Tara, d'un air qui se voulait dégagé. Mais ce que sa bouche ne disait pas, ses yeux le clamaient et le demi-elfe s'y noya pendant quelques secondes.

— Euh... oui. Le naouldiar peut aussi intervenir lorsque nous dormons, en connectant nos deux esprits. Si l'un de nous fait un cauchemar, l'autre sera alerté.

— Ah, formidable ! s'enthousiasma Tara qui n'avait pas écouté un mot, occupée à dévisager le nouveau visage de son ami.

Même en humain, qu'il était beau ! Très mauvais pour ses nerfs, cela. Car il ne l'était pas d'une manière mièvre. Sa beauté était guerrière, aiguisée comme une lame. Sous la surface calme, elle sentait bouillonner son énergie d'Autre-Mondien.

— ... termina le demi-elfe. Qu'en penses-tu ?

Tara eut l'air égarée et souffla :

— Mmmmh ?

Patiemment, Robin répéta :

— La connexion de nos rêves peut être dangereuse. Mais nous pouvons affaiblir ce lien afin de nous protéger.

Vu la manière dont il rêvait de Tara, il craignait surtout qu'elle ne s'enfuie en hurlant ! Tara finit par répondre, de travers.

— Et toi ? Qu'est-ce que tu penses... de moi ?

Voilà, elle l'avait dit. Robin s'arrêta net, comme frappé par un marteau. Il plongea ses yeux dans ceux de Tara puis déclama d'un ton passionné :

— *S'lil embri chal vari. S'lil géomsili, mel chalandri. S'al s'li ss éovul. Loc echal t'eol, echal maril.*

La langue était d'une grande douceur, coulait comme du miel et Tara sentit un frisson lui parcourir le dos.

— C'est le début d'un poème elfique, expliqua Robin, ses yeux fixés sur elle.

Il se mit à genoux, lui saisit les deux mains et traduisit :

— Ta beauté est de velours liquide qui engloutit mon âme. Ton esprit est la plume qui trempe dans l'encre de mon sang. Sans toi, je suis ombre. Et l'eau de tes larmes est le puits où je me noie...

C'était magnifique. Tara n'avait qu'une façon de répondre. Les mots n'étaient plus utiles. Elle se pencha et sa bouche toucha celle, de soie et de douceur, du demi-elfe.

Ce qui se produisit alors n'aurait pas dû arriver. Le sort d'AutreMonde, lancé quelques jours auparavant par l'homme qui n'en était pas un, frappa à cet instant précis. Juste au moment où Tara était le plus vulnérable. Si elle avait eu les yeux ouverts, elle aurait vu la magie et se serait instantané-ment protégée. Mais elle embrassait Robin et ses paupières étaient closes.

Le sort s'enfonça dans son dos comme une flèche ardente et cruelle.

La soie et le miel se changèrent en sang et en métal. Son cœur qui vibrait se calma et elle recula, rompant le contact. Surpris, le demi-elfe, qui voguait au paradis, rouvrit les yeux et la vit qui le dévisageait, l'air songeur.

— Robin... je... je ne crois pas que...

144

— Oh ! Tara ! s'exclama Robin, c'était merveilleux ! Et le Z'alen'maril ne nous a pas empêchés de nous toucher !

Il se pencha de nouveau vers la bouche de la jeune fille. Qui se leva d'un bond de biche apeurée, cherchant fébrilement comment se dérober sans blesser son ami.

— J'ai... beaucoup de responsabilités, dit-elle, sans arriver à croire qu'elle était en train de prononcer ces paroles. Et puis, tu as raison, un demi-elfe ne serait pas accepté facilement par ma famille.

Choqué, Robin la dévisagea sans comprendre.

— Mais je n'ai jamais rien dit de tel !

— Tu n'en as pas eu besoin, l'interrompit Tara. Je l'ai lu dans ton âme lorsque nous sommes devenus naouldiars. Toute cette peine, cette douleur, cette peur d'être méprisé par l'Impératrice à cause de ton rang et de ton métissage. Ce fut bref, mais intense. Cela ne fonctionnera pas entre nous, Robin. Je suis désolée. Je t'aime infiniment, comme ami. Pas autrement.

Sans qu'elle sache pourquoi, ses larmes se mirent à couler. Elle se leva et quitta la chambre en courant, laissant le demi-elfe anéanti, incapable d'appréhender ce qui venait d'avoir lieu. Comment avait-elle pu le rejeter aussi sèchement ? Cela avait-il un rapport avec le naouldiar ? Non, ce n'était pas possible !

Son sang de demi-elfe ne fit qu'un tour dans ses veines et bouillit de rage et de frustration. L'arc de Llilandril se matérialisa à son bras, croyant qu'il voulait se battre, mais il refusa l'arme vivante. Il saisit son épée. Son regard tomba sur les arbres et les biches qui paissaient. Parfait, juste ce qu'il lui fallait. Il rejeta la tête en arrière, hurla et son épée s'abattit.

Tara frissonna lorsque le cri de Robin retentit derrière la porte à laquelle elle s'adossait, des larmes s'échappant de ses yeux comme un torrent. Elle non plus ne s'expliquait pas ce qui lui était arrivé. Elle regagna sa chambre, engourdie comme si on lui avait tapé sur la tête, l'assommant à demi. Ses sentiments pour Robin semblaient si forts ! Et au moment où elle l'avait touché, pfffouit ! Ils s'étaient envolés, ne laissant que cendre et poussière.

Encore sous le choc, elle donna des ordres à sa porte pour qu'elle laisse entrer ses amis, sa grand-mère et son arrière-grand-père. Et zut pour la paranoïa.

Galant l'attendait, elle lui confia sa peine, reniflant dans son mouchoir, les yeux et le nez rouges.

Elle fut surprise par sa réaction. Le pégase *bâilla* ! Puis lui retransmit nonchalamment ses sentiments. Les humains étaient bien compliqués ! Chez les pégases, on se trouvait une jolie compagne, on lui faisait du charme en ébouriffant ses plumes et en se pavanant, on lui construisait un nid douillet et hop ! le tour était joué !

Les images étaient suffisamment ridicules pour arracher un maigre sourire à Tara. Elle se voyait mal en train de se pavaner devant Robin en ébouriffant ses cheveux !

Le Familier eut un petit sourire mental. Il avait réussi à la distraire de son chagrin, pendant quelques instants.

Tara passa dans la salle de bain et la Changeline disparut le temps qu'elle prenne une douche, les sorts de pluie l'arrosant d'une eau chaude et douce, lavant ses larmes. Elle soupira, retenant à grand-peine une vague de fatigue et de tristesse. Elle se sentait à nouveau anormalement épuisée.

Brusquement, un grand tumulte retentit dans l'hôtel-ambassade.

Le sort d'insonorisation n'était manifestement pas assez puissant pour couvrir un hurlement de rage. Tara ne mit pas longtemps à reconnaître la voix. C'était Fafnir ! Ses amis revenaient du théâtre plus tôt que prévu...

Elle sortit de la salle de bain, la Changeline transformant sa chemise de nuit en jean, tee-shirt et Converse et se précipita dans le couloir. Sa chambre dominait le hall et, à travers le bois ouvragé du balcon, elle aperçut Fafnir, qui ressemblait à un bout de chalumeau porté au rouge. La naine était folle de rage. Curieusement, sa colère semblait orientée contre... Fabrice et Moineau !

Allons bon, quelle catastrophe s'était encore produite ? Galant, à moitié endormi, lui fit signe qu'il restait dans la chambre, à côté du panier où ronflait déjà Manitou. Elle dévala les étages.

— Mais c'était un *o-pé-ra*, Fafnir ! criait Moineau. Une fiction, quelque chose qui n'existe que dans l'imagination de son auteur !

— Ces nains étaient ridicules ! s'obstinait Fafnir. Nous ne forgeons pas des armes pour les dieux, parce qu'ils n'en ont pas besoin ! Ensuite, il ne nous viendrait pas à l'esprit de forger des anneaux d'or ensorcelés, nous ne pratiquons pas la magie ! L'erreur est inexcusable ! Enfin, nul ne pourrait nous obliger à fondre et à travailler de l'or contre notre gré ! Le premier qui s'y risquerait prendrait une hache dans la figure !

— Qu'est-ce que c'est que ce charivari ? demanda Isabella qui descendait majestueusement les escaliers.

— Maman s'est trompée de jour, expliqua Moineau en foudroyant Fafnir du regard. Ce soir, à l'opéra, ce n'était pas *Le Fantôme de l'Opéra* qui se jouait, mais *L'Or du Rhin*, de Wagner, l'histoire de Siegfried, de Brunehilde, la fille du dieu borgne Wotan, et de l'anneau d'or. Lorsque Fafnir a vu les nains forger l'anneau, puis Siegfried le prendre après avoir tué le dragon, elle a sauté sur la scène !

— Non ! s'exclama Tara, les yeux brillant d'amusement, divertie de son chagrin. Dis-moi qu'elle n'a pas fait une chose pareille !

— Cette histoire ridicule bafouait l'honneur des Nains ! gronda Fafnir, je devais intervenir ! Et leurs chants étaient inacceptables !

— Et ensuite ? questionna Isabella.

— Fafnir a assommé l'acteur qui jouait Siegfried, elle a rendu l'anneau aux faux nains et leur a expliqué qu'ils ne devaient pas obéir à d'autres qu'eux-mêmes, même si leur taille n'était pas normale, que l'apparence n'était pas importante, mais l'esprit oui. Ils ont voulu la neutraliser, elle en a lancé quelques-uns au milieu des spectateurs, puis a fait la leçon aux autres. Nous avons dû initier un Mintus général avant de quitter la salle. Nous n'avons pu ranimer Siegfried, nous l'avons laissé assommé sur la scène, ainsi que plusieurs nains affalés parmi les spectateurs.

— Pfff, sont fragiles, ces humains, c'étaient de minuscules baffes ! Je voulais rester pour vérifier qu'ils avaient bien compris, mais Moineau m'en a empêchée, précisa Fafnir, courroucée.

Isabella leva les yeux vers la voûte qui reproduisait le ciel étoilé d'AutreMonde et ses deux lunes, et soupira :

— Je sens que ce voyage va être interminable. Allez vous coucher, puisque l'incident est clos.

Elle leur tourna le dos et remonta d'un pas las.

Fafnir la suivit dans l'escalier, ses bottes à bout ferré martelant le marbre précieux, à la mesure de son indignation. Le directeur de l'hôtel, en chemise de nuit, un étrange bonnet de nuit sur la tête, gémit lorsque de petits bouts de sol se craquelèrent sous les pieds de la naine.

Tara secoua la tête et regagna sa chambre. La naine et son formidable mauvais caractère avaient réussi à lui faire oublier momentanément ce qui s'était passé entre Robin et elle. Mais l'incompréhension et l'angoisse revenaient à la charge. Elle s'adressa sévèrement à son esprit : « Ça suffit, hein ! Tu ne vas pas ressasser cette histoire toute la nuit. Dormir, il faut dormir ! »

Elle se lava les dents, puis se fit envelopper d'une chemise de nuit. Elle fouilla dans sa poche. Le parchemin était là. Elle allait prendre le temps de le lire. Elle le déroula, et sursauta. Dans la faible lueur du musée, elle n'avait pas fait attention. Mais à présent l'horreur de la situation lui apparaissait.

Elle ne parvenait pas à lire un seul mot, une seule lettre ! Ce n'était pas de l'omoisien, ni aucune des langues d'Autre-Monde. Elle tenta un Traductus, sa magie jaillissant comme un flot, mais le parchemin ne réagit pas. Au bout d'une demi-heure d'essais infructueux, elle soupira. Elle devrait demander de l'aide. Résignée, elle rangea le document et se glissa dans son lit. La lumière diminua et la douce brise du désert vint faire flotter les voiles blancs de son lit à baldaquin. Les étoiles se mirent à briller faiblement, et ses paupières se fermaient lorsque la porte de sa chambre s'ouvrit sur une silhouette. Tara se raidit, veillant à conserver une respiration régulière, comme si elle dormait déjà, mais activa sa magie sous les draps. Elle regretta d'avoir cédé à un accès de sentimentalisme en autorisant la porte à laisser passer ses familiers.

— Euh, Tara, ne me carbonise pas, s'il te plaît, c'est moi, Moineau !

Comment son amie savait-elle qu'elle était réveillée et prête à agir ? Elle allait lui poser la question lorsqu'elle se rendit compte que ce n'était pas le doux reflet des lunes factices qui éclairait la pièce.

C'était elle.

Pas juste ses mains. Tout son corps illuminait. Effrayée, elle dégagea un bras des couvertures. Sa peau diffusait une lueur comme un ver luisant, bleu.

Moineau s'avança, accompagnée par Sheeba, sa panthère argentée.

— Ça, par exemple, Tara, chuchota-t-elle. Que fais-tu ?

— Moi ? rien du tout, répondit la jeune fille. C'est cette fichue magie ! Regarde-moi, on dirait un lampadaire !

Moineau faillit rire tant l'indignation était sensible dans la voix de son amie, mais se reprit très vite.

— Ce n'est pas normal ! Nous devons réveiller dame Isabella sans perdre un instant !

Moineau n'aimait pas Isabella dont elle redoutait l'ambition et la soif de puissance, lui trouvant d'ailleurs des affinités avec l'Impératrice et Magister, qui voulaient l'un et l'autre instrumentaliser Tara pour leurs stratégies personnelles. Toutefois elle reconnaissait son pouvoir. La vieille sortcelière saurait soigner Tara.

— Non, ne la dérange pas, souffla Tara. Galant dit que je fais cela de temps à autre, lorsque je suis endormie.

— Mais tu es éveillée ! répliqua Moineau, anxieuse.

Tara savait comment la distraire de son inquiétude.

— Éveillée et curieuse. Nous n'avons pas eu le temps de discuter depuis que tu sors avec Fabrice. Alors ?

Moineau et elle avaient soigneusement évité jusqu'alors

d'évoquer sa relation avec Fabrice, parce que Cal était capable de mettre les boules de cristal de ses amies sur écoutes et ne s'en privait pas. Le jeune Voleur, dépité, en avait été pour ses frais.

Le regard que lui lança Moineau indiquait qu'elle n'était pas dupe, mais elle répondit :

— C'est... magique ! Fabrice est craquant. Le seul truc que j'ai du mal à gérer, c'est son obsession.

— Son obsession ? Tu veux dire qu'il a envie de... de faire *ce que tu sais* avec toi ?

Moineau rougit comme une tomate.

— Quoi ? Non ! s'exclama-t-elle. Pas du tout !

— Ah bon ? Mais je croyais que les garçons ne pensaient qu'à ça ?

— Pas que les garçons, répliqua vertement Moineau. Tu n'imagines pas le nombre de filles qui lui tournent autour au Lancovit. Plusieurs ont bien failli terminer leurs jours sous forme de grenouille tant elles m'énervent. Lui se contente de rigoler !

— Nooooon !

— Si ! Je te jure, Tara, l'amour, c'est compliqué. Bon, pour répondre à ta question à propos de tu sais quoi, nous en avons discuté. Mais nous sommes trop jeunes et ni lui ni moi n'avons envie de tout gâcher. Alors nous allons prendre notre temps et nous verrons bien dans quelques années. Nous n'avons que quatorze ans ! S'il est obsédé, ce n'est pas par cela mais par son pouvoir.

— Aïe, mauvaise nouvelle. Il essaye encore de devenir plus puissant ?

Moineau eut un soupir navré et glissa une main nerveuse sur ses boucles brunes.

— Oui. Il lit des livres si répugnants que leur couverture suffit à me donner mal au cœur.

— Du genre du Livre interdit, écrit par des démons ?

— Absolument. Tu sais, mes parents ont toujours souligné à quel point la magie pouvait être dangereuse, probablement parce qu'ils fréquentent beaucoup les nains qui la détestent.

Parfois, Fabrice se fâche contre moi, il dit que je me comporte comme une mère, pas comme une petite amie !

Tara fit la grimace. Oui, ça, c'était désagréable. Elle avait beau adorer sa mère, lui être comparée dans une telle situation ne lui plairait pas du tout.

— Il ne veut pas renoncer. Oh, il m'aime, c'est sûr ! Mais sa soif de puissance est en train de tuer la joie qu'il a en lui.

Tara était stupéfaite. Elle s'était apitoyée sur son propre sort et en avait oublié son meilleur ami.

— Se rend-il compte qu'il risque de terminer comme Magister ? Lui aussi recherche le pouvoir !

— Je le lui ai dit.

— Et alors ?

— Il a répondu qu'il saurait s'arrêter au bon moment. Et que moi, j'avais assez de magie pour le stopper s'il n'y parvenait pas. Qu'il ne veut le pouvoir que pour me protéger.

— Comme Dark Vador, hein ? Pour l'amour de Padmé ! Tu devrais lui payer l'intégrale de *Star Wars*, comme exemple à ne pas suivre. Écoute, si tu as besoin d'aide...

— Non, surtout pas, l'interrompit vivement Moineau. Je dois régler ce problème seule.

Elle sourit à Tara et décida de changer de sujet.

— À propos, comment ça va entre Robin et toi ? Il a enfin réussi à te déclarer son amour ?

— Ah ? Tu... étais au courant ?

— Je pense que la moitié d'Omois et du Lancovit sait que Robin est fou de toi mais n'ose te l'avouer.

Ce fut au tour de Tara de rougir, horriblement gênée. Comment ça, la moitié du Lancovit ? Euh, sa mère, sa grand-mère et son arrière-grand-père aussi ? Super !

— Il m'a déclamé un poème, avoua-t-elle.

— C'est super-romantique ! Qu'est-ce qu'il racontait ?

Le sort maléfique avait effacé les paroles d'amour. Elle chercha, mais ne put les retrouver. Elles n'étaient plus qu'un vague écho dans son âme ensorcelée.

— Je ne me souviens pas. Une histoire de velours, d'âme et de puits.

Moineau eut l'air perplexe.

— De puits ? Euh, je ne vois pas bien le rapport, mais bon, si tu le dis. Et... ?

Tara rougit encore plus. C'était assez curieux avec la lumière bleue, d'ailleurs.

— Alors, nous nous sommes embrassés.

— Eh ! c'est génial ! Et ?

— Et... rien. Je n'ai rien ressenti. Au contraire, on aurait dit qu'il perdait tout attrait, qu'il devenait... un simple ami.

Moineau la dévisagea, n'en croyant pas ses oreilles.

— Tu rigoles ?

L'air malheureux de Tara répondit pour elle.

— Mais c'est terrible ! J'étais persuadée que...

— Oui, moi aussi. Je ne comprends pas.

— Tu étais aussi amoureuse de lui, non ?

Tara fut honnête.

— Amoureuse ? Je l'ignore. J'éprouvais des sentiments forts pour lui, comme pour toi, pour Fafnir, pour Cal, Fabrice, Galant, un mélange d'amour et d'amitié. Je pensais que le fait de l'embrasser allait me montrer exactement ce que je ressentais. Et... oh, Moineau, c'est terrible, ce n'est pas de l'amour, c'est juste de... l'affection !

En revoyant la scène, elle sentit son cœur battre plus vite. L'éclat de sa magie s'aviva. Sur ces entrefaites, la porte s'ouvrit et, flanqué de Barune, Fabrice, lancé à la recherche de Moineau, s'arrêta net devant le spectacle qu'offrait Tara.

— Salut Tara ! Tu sais que tu ressembles à un Schtroumpf ?

Tara sourit, ses dents blanches se détachant sur sa peau bleue.

— Oui, Galant me l'avait déjà signalé, répéta-t-elle. Il paraît que je fais souvent ça quand je dors. Tu cherchais Gloria ?

Fabrice, qui n'aimait pas le surnom de Moineau, ne l'appelait plus que par son prénom. Le jeune homme s'avança et la lumière de la lune l'éclaira. Vêtu d'un minuscule pagne, son corps était couvert de runes bizarres et il sentait mauvais. Non,

152

soyons justes. Il puait tellement qu'à côté de lui une charogne vieille d'un mois aurait senti la rose.

— Beuh, Fabrice, mais qu'est-ce que tu fabriques ? grogna Tara en se pinçant le nez.

— Ah, ça schlingue hein ! C'est un rituel de « parasite du cheveu, regarder ». De « pou » « voir ».

Aïe, il semblait pris d'une de ses petites crises de charades. Moineau soupira.

— Fabrice, qu'est-ce qu'on avait décidé, à propos de ton envie de devenir plus puissant ?

Le garçon baissa la tête et se dandina sur ses pieds nus.

— Hrrmrm, que c'était dangereux ? Inapproprié ? Stupide ?

— Interdit. La dernière fois que tu as essayé, tu t'es transformé en loup-garou à poil ras et tu nous as toutes les deux demandées en mariage. J'aime beaucoup Tara, mais pas à ce point !

Le garçon sourit tendrement à la jeune fille brune.

— Ma glorieuse Gloria, je n'aime que toi.

Profitant de ce que la jeune fille se perdait dans son beau regard noir, il changea de sujet, histoire qu'elle ne lui arrache pas la promesse de cesser ses recherches, promesse qu'il se savait incapable de tenir.

— Bon, Tara, en fait, je cherchais Moineau, mais je voulais te parler à toi aussi. Allez, vas-y, crache le morceau !

Stupéfaite, Tara le dévisagea.

— Quel morceau ?

Moineau le regarda, surprise.

— Tu es déjà au courant pour Robin et Tara ?

— De Rob... non, pas du tout, enfin, s'il y a quelque chose que tu veux me dire à son sujet, tu m'en parleras après. C'est à propos de ce bobard que Tara nous a servi hier. Ça marche peut-être avec les autres, mais moi je la connais depuis que j'ai trois ans et qu'elle a essayé de me piquer mon GI Joe pour le marier avec sa Barbie. Alors vas-y, Tara. Explique. Qu'es-tu venue faire sur Terre au juste après t'être enfuie discrètement d'AutreMonde ?

Tara leva un sourcil hautain.

— D'abord, je ne voulais pas marier ma Barbie avec ton GI Joe, et puis, c'est toi qui m'as piqué les robes de Barbie pour les mettre sur ton guerrier plein de muscles, si je me souviens bien.

Embarrassé, Fabrice jeta un coup d'œil à Moineau, hilare, et répondit dignement :

— J'avais trois ans, je voulais voir s'il arriverait à se battre avec tout ce fatras de jupons et de frous-frous. Bon, ta tentative de diversion était assez réussie, mais pas suffisamment. J'attends !

Moineau pinça les narines et souffla :

— Pourrais-tu retirer ce machin de ton corps, s'il te plaît ? C'est... pénible comme odeur !

Fabrice respira un grand coup, le regretta immédiatement car il s'étouffa à demi puis, vaincu, fit disparaître les runes et l'odeur, au grand soulagement de Barune qui avait la trompe sensible.

— Bon, alors, Tara ?

C'était l'heure du choix. Soit elle persistait dans son mensonge, pour les raisons qui l'avaient décidée à accomplir seule la première partie de son plan, soit elle disait la vérité. Elle se rendit. La bombe qui avait failli tuer Cal lui avait rappelé à quel point ses amis s'étaient montrés fidèles. Elle ne pouvait pas leur dissimuler une chose aussi importante.

— Memmm venue mmm parchemin, marmonna-t-elle entre ses dents.

— Quoi ?

— Je suis venue voler un parchemin ! répéta Tara, plus fort.

Fabrice et Moineau s'attendaient à tout, sauf à cela.

— Un parchemin ? s'étonna encore Moineau. Mais un parchemin qui fait quoi, qui dit quoi ?

Tara hésita, puis capitula :

— Un parchemin qui explique comment faire revenir physiquement un fantôme !

Moineau comprit en une seconde et sauta sur ses pieds.

Plus familière d'AutreMonde que Tara et Fabrice, elle était à même d'apprécier la dangerosité des propos de Tara.

— Quoi ? Mais tu es folle ! C'est horriblement périlleux et interdit !

Tara sentit les larmes lui monter aux yeux.

— Tu ne comprends pas ! Maman va épouser Medelus !

— Bon sang, Tara, ta mère veut se marier avec un type vivant ! C'est normal ! Ton père est *mort* !

— Rectification : c'est un *fantôme,* répondit Tara, butée. Et je suis décidée à le faire revenir. Je ne renoncerai pas, Moineau. Tu peux objecter ce que tu veux, à partir de maintenant, ce sera mon but. Rendre son corps, sa vie et sa famille à mon père !

— Wahou ! s'enthousiasma Fabrice qui n'aimait guère Medelus. C'est génial, on va te donner un coup de main !

— Euh, Fabrice, tu ne m'aides pas beaucoup, là ! intervint sèchement Moineau.

— Justement, j'ai besoin de vous ! s'énerva Tara. Je n'arrive pas à déchiffrer le manuscrit que j'ai volé au Caire. Il est écrit dans une langue inconnue !

Tara ne put poursuivre. Elle s'aperçut qu'elle avait du mal à respirer.

— Dites donc, vous ne trouvez pas qu'il fait chaud dans cette chambre ?

Alertée, Moineau dévisagea son amie. Sous le halo de lumière, son visage était luisant de transpiration. Elle tendit la main et sursauta en éprouvant un léger choc lorsqu'elle toucha la peau bleue de Tara. Le front de la jeune fille était brûlant. Moineau, qui s'était rassise sur le lit, se releva d'un bond.

— Tara ! Tu es en train de faire une overdose de magie ! Éteins-la immédiatement !

Se sentant à la limite du malaise, Tara tenta de réagir.

— Je... n'y parviens pas, balbutia-t-elle. Elle refuse de m'obéir !

En effet, la magie couvrait tout le corps de la jeune fille, à présent trempé de sueur.

— Pierre Vivante, cria Moineau, seconde-moi ! Change-line, refroidis-la !

Les deux entités magiques obtempérèrent. La chemise de nuit de Tara se transforma en un tissu glacé qui absorba la sueur et l'excès de chaleur, tandis que la Pierre Vivante essayait de juguler le flot magique en train de se répandre dans la pièce. Les bulles de silence qui protégeaient le sommeil de Manitou et Galant se brisèrent. Réveillés en sursaut, ils se précipitèrent. Galant venait brutalement de prendre sa forme de pégase !

— Chambre, ordonna Moineau, climat arctique !

À peine avait-elle parlé qu'un courant glacial jaillit. Le paysage de désert se modifia. Une banquise glacée sur laquelle dormaient des pingouins et des phoques apparut et la température chuta brutalement.

— Mais que fais-tu ? demanda Fabrice en claquant des dents.

— Tara fait une overdose de magie. Il faut à tout prix faire baisser sa température !

— Tara ! appela une voix à l'extérieur.

La porte s'ouvrit sur Robin, terrifié, à moitié habillé et qui avait retrouvé son apparence d'elfe.

— Mes glyphes me brûlent, cria-t-il, et je ne suis plus humain ! Que se passe-t-il ?

Fabrice lui expliqua la situation pendant que Moineau intensifiait le refroidissement de la pièce et donnait des robes de sortcelier à Fabrice et Robin. Chaque robe réagit en se couvrant d'une épaisse fourrure tandis qu'un capuchon poussait et recouvrait leur tête. Robin incanta rapidement pour protéger le chien, le mammouth, la panthère et le pégase. À présent, il faisait moins vingt degrés dans la suite et Tara, à demi inconsciente, ne montrait aucun signe d'amélioration. De petits nuages de vapeur s'élevaient de son corps.

— Robin ! commanda Moineau, va chercher dame Isabella et maître Bruvilendirgrecharilvar. Demande aussi au chaman guérisseur de venir d'urgence. Toutes les ambassades d'Autre-Monde en ont un.

Sans discuter, le demi-elfe fila et revint à peine une minute plus tard en compagnie d'Isabella et du dragon sous sa forme naturelle, qui dut élargir l'entrée de la chambre.

En dépit de ses écailles, il frissonna. La suite était la proie d'un terrible blizzard qui entourait un corps à présent immobile, pulsant d'une violente lumière bleue qui se reflétait sur la neige et les visages.

— Par mes ancêtres, jura-t-il, abaissez le niveau de magie ! L'ambassade ne résistera pas à un tel dégagement d'énergie !

— C'est impossible ! cria Moineau pour couvrir le hurlement du vent. Tara n'arrive plus à contrôler son pouvoir ! Où est le chaman ?

Le dragon vomit une kyrielle de jurons inventifs.

— Il n'est pas là, par les vaches de la Terre, c'est la première fois qu'il s'absente depuis des lustres ! Qu'allons-nous faire ? Le champ de protection de l'ambassade va se désintégrer et, croyez-moi, il n'y aura pas assez de Mintus pour dissimuler notre existence à tout Londres ! Voire à la planète entière, avec leurs maudits satellites nonsos !

Fafnir fit irruption dans la chambre, brandissant ses haches :

— Quoi ! quoi ! Où sont-ils ? Laissez-les-moi !

Elle s'arrêta net en découvrant l'ahurissant spectacle.

— Calme-toi avant de blesser quelqu'un, intima Isabella. Personne ne nous attaque. Tara fait une overdose de magie.

Les somptueux cheveux roux de la naine se couvrirent de givre et elle écarquilla ses grands yeux verts.

— Encore ! Va vraiment falloir agir. Hou, fait froid ici ! Je reviens !

Une minute après, elle était de retour, emmitouflée dans une épaisse fourrure qui la faisait ressembler à un petit tonneau très poilu.

Isabella se penchait vers sa petite-fille, anxieuse.

— Tara, tu m'entends ? Tara ?

Mais la jeune fille avait sombré dans l'inconscience.

La puissante sortcelière l'examina, promenant les mains à quelques centimètres au-dessus du corps, pour sentir le flux magique. Lorsqu'elle se redressa, son visage était grave.

— Moineau, explique-moi ce que tu as fait au juste ?

— Sa température augmentait à une vitesse alarmante, résuma la jeune fille par-dessus le bruit infernal du vent. J'ai invoqué un blizzard pour abaisser la chaleur, et de son corps, et de la magie.

— Ce n'est pas suffisant ! hurla Robin. Les glyphes me brûlent, elle est en train de se consumer vivante !

— NON ! gronda Isabella. Je ne laisserai pas cette planète détruire une seconde fois une personne que j'aime. Écartez-vous !

La magnifique sortcelière étendit les bras et lança d'une voix tonnante :

— Éléments, vent et glace ! Par le Congelus, que ma petite-fille se fige, en un cercueil de givre !

Un cocon de glace se forma en un clin d'œil, enveloppant entièrement la jeune fille, qui frissonna ; elle eut une violente réaction. De ses yeux, de sa bouche et de ses mains jaillirent des rayons de lumière éblouissants qui détruisirent tout sur leur passage. Par chance, la suite était au dernier étage. Seules les souris et les araignées du grenier furent les innocentes victimes du déluge de feu, qui brisa le champ répulsif aussi facilement qu'un couteau chauffé à blanc entre dans du beurre. Le pilote de l'avion qui faisait route au-dessus de l'ambassade à ce moment ne comprit jamais pourquoi le bout de son aile se volatilisa. Il atterrit en catastrophe à Heathrow. Heureusement pour les sortceliers, les passagers qui avaient vu la lueur bleue aveuglante ne furent pas pris en considéra-tion, compte tenu du nombre de coupes de champagne qu'ils avaient consommées. Et l'avion intercepta le rayon, dissimu-lant la sorcellerie aux yeux infatigables des satellites.

Dès que la magie avait surgi, les sortceliers, prudents, s'étaient aplatis, à part le dragon qui les regardait, étonné.

— Que faites-vous ? demanda-t-il.

— La magie de ma petite-fille est incontrôlable, expliqua Manitou qui grelottait, le ventre collé à terre. Moi, à votre place, je me ferais plus petit, vous risquez de perdre quelque chose si vous restez debout !

Lorsqu'une nouvelle décharge lui roussit le bout du museau, le responsable de l'hôtel comprit qu'il avait affaire à un pouvoir démesuré. Il se transforma en un minuscule dragon qui se laissa tomber derrière une chaise avec indignation. Quels chambardements dans son ambassade si ordonnée, si soignée ! Il observa ce que faisait Isabella, fermement décidé à ne pas la quitter d'une semelle. Il n'avait pas envie de terminer sous forme de steak grillé.

Bien qu'allongée au sol, la vieille sortcelière n'avait pas interrompu ses incantations. Au début, la magie dégagée par Tara fut la plus puissante. Elle brisa à maintes reprises le cocon. Mais la Pierre Vivante, les autres sortceliers et le dragon unirent leurs pouvoirs à celui d'Isabella et petit à petit la magie de Tara faiblit, puis fut contenue. La glace se figea et plus rien ne bougea. À travers le cocon transparent, on distinguait le corps, toujours aussi bleu, mortellement immobile.

Les glyphes sur la peau de Robin devinrent glacés, et Galant s'affala, évanoui.

Lentement, ils se redressèrent, prêts à plonger, mais la glace ensorcelée était parvenue à juguler les émissions magiques de Tara. Moineau fit cesser le blizzard, au grand soulagement de Manitou.

— Par mes ancêtres, murmura le demi-elfe, accablé. Est-elle... ?

— Morte ? acheva crûment Isabella, la fatigue creusant son beau visage. Non, j'ai presque interrompu ses fonctions vitales, mais son énergie est toujours présente. Elle est dans le coma. Et elle y plonge de plus en plus profondément. Je ne pourrai pas la maintenir longtemps dans cet état. Sa situation va s'aggraver de minute en minute. Nous devons annuler cette mission et retourner immédiatement sur AutreMonde. Seuls les chamans sauront la guérir.

— Galant est touché aussi ! cria Moineau qui venait d'ausculter le pégase. Il a subi le contrecoup. Il a perdu connaissance !

— Miniaturise-le ! commanda Isabella. Et mets-le dans un

panier, en compagnie de la Pierre Vivante. Nous allons l'emmener. Dès que Tara reprendra conscience, il se réveillera.

Ils foncèrent dans leurs chambres et, sans perdre de temps à faire leurs bagages, se changèrent. Les robes de sortceliers se séchèrent et quelques minutes plus tard, ils entouraient le cocon de glace magique dans le hall de l'ambassade. Ils se mirent à parler, essayant d'amoindrir leur angoisse grâce à un flot d'inepties.

— Mon Dieu, constata Fabrice, les yeux plissés, ça fait très Blanche-Neige !

— Blanche-Neige ? interrogea le demi-elfe, d'un ton désespéré.

— Une jeune fille détestée par sa belle-mère, qui l'empoisonna. Elle fut mise dans un cercueil de cristal et un prince charmant la réveilla par un baiser.

— Alors, je ne risque pas d'être le prince, répliqua sèchement le demi-elfe, blessé.

Fabrice se mordit la lèvre. Moineau lui avait glissé à l'oreille la déconvenue de leur ami. En compétition autrefois avec le demi-elfe pour l'affection de Tara, à présent qu'il sortait avec Moineau, il pouvait mesurer combien il devait souffrir.

— Tu as raison, s'excusa-t-il, je suis idiot. Et comme dirait Cal, si Tara avait été Blanche-Neige, elle aurait pulvérisé sa belle-mère plutôt que d'attendre dans un cercueil qu'un stupide prince charmant se balade dans le coin pour l'embrasser !

— Je ne croyais pas pouvoir l'avouer un jour, mais il me manque, ce petit Voleur, grogna Robin qui était la cible favorite de l'impudent Cal.

— À moi aussi, reconnut Moineau. Il m'énerve avec son humour douteux, mais ça fait du bien, quand on a peur, de rire avec lui. J'espère qu'il reviendra bientôt.

— Tout le monde est prêt ? questionna Isabella qui venait de terminer ses préparatifs. Robin, viens ici, je vais te rendre une apparence humaine, et retransformer Galant, Barune et Sheeba en chiens. Ensuite, nous partirons.

La panthère feula. Et un chat, c'était beaucoup mieux un

160

chat ! Mais Isabella maîtrisait mieux la forme canine et Sheeba dut se résigner.

L'une des deux voitures fut réaménagée et accueillit le cocon de Tara et le panier de Galant. Dans un silence sépulcral, tant elle était inquiète, Isabella les fit se diriger vers la Porte de Transfert.

— Et les harpies ? finit par oser demander Manitou, la truffe posée sur la glace froide qui le fit éternuer.

— Qu'elles aillent se faire plumer en enfer ! rétorqua Isabella. Ma petite-fille passe en premier.

— Je n'en doute pas, admit Manitou. Ce que je voulais dire, c'est : as-tu prévenu quelqu'un qu'il fallait se charger de les neutraliser, selon le doux euphémisme de maître Chem ?

— Oui, j'ai prié maître Bruvilendirgrecharilvar de dépêcher quelqu'un sur place. Le problème, c'est qu'il n'a personne d'assez puissant, ou d'assez courageux, pour affronter les harpies tout seul. Alors je ne sais ce qui adviendra. Nous verrons cela lorsque Tara sera hors de danger.

En fait, Manitou se fichait des harpies comme de son premier os mais il n'avait pas oublié, lui, que la vie d'un sortcelier était en danger. Isabella, comme toujours, était indifférente à tout ce qui ne la concernait pas directement.

— Tara, jolie sortcelière, malade ? demanda oralement la Pierre Vivante qui n'avait pas tout compris.

— Oui, elle est très malade, répondit doucement Moineau. Mais nous l'avons sauvée, grâce à toi et à notre pouvoir. Nous allons la guérir, ne t'inquiète pas.

— Aime plus cette planète ! ronchonna la Pierre. Autre Pierre tuée, poum, explosée, morte, toute noire, esprit parti. Tara malade... Ne va pas du tout !

— Nous retournons sur AutreMonde, la rassura Fabrice. Tu retrouveras bientôt l'environnement magique auquel tu es habituée.

— Bien, fit la Pierre avec satisfaction. Aller vite, hein ! Guérir Tara et tuer les méchants.

Fafnir eut un sourire aigu. Elle aimait la vision simpliste de la Pierre. Elle tapota le cristal conscient d'un air approbateur.

Quelques mois avec la Pierre et elle en ferait une naine honoraire tout à fait convenable.

Ils arrivèrent enfin aux docks dans un silence morose. Faire monter le cocon sans éveiller l'attention des nonsos ne fut pas une mince affaire et maints jurons et grognements furent proférés, mais finalement l'encombrant emballage reposa au milieu de la Porte de Transfert vers AutreMonde.

— Vous avez terminé votre mission ? questionna le Gardien, étonné, qui avait du mal à émerger de son sommeil.

Son pyjama était le pendant de son maillot de bain, gris avec de jolis éléphants roses. Moineau savait qu'il était marié et se fit la réflexion que sa femme avait des goûts infantilisants. Elle eut un frisson de panique. Et si c'était exactement ce qu'elle reproduisait avec Fabrice ? Bon, à partir de maintenant, elle allait essayer de ne le considérer que comme un petit copain, non comme une bombe susceptible d'exploser à tout moment. La vie auprès des nains si sérieux, si ronchonneurs, avait fini par lui ôter tout sens de l'humour, mais elle n'avait pas envie de se comporter comme une vieille femme acariâtre !

— Non, répondit sèchement Isabella. Activez la Porte, nous devons repartir immédiatement à Travia, au Château Vivant.

Le gardien dut se contenter de cette réponse sibylline et obtempéra. Ils entourèrent le cocon et Isabella cria, dès que le Sceptre de transfert fut placé sur la tapisserie correspondante :

— AutreMonde, Château Vivant de Travia, royaume du Lancovit !

Sous les yeux du gardien, les cinq tapisseries émirent leurs rayons de lumière chatoyante, de toutes les nuances de l'arc-en-ciel, et il ne se passa rien !

Au bout de quelques secondes, Isabella leva un sourcil hautain.

— Eh bien, Gardien ?

— Je ne comprends pas, Dame. Laissez-moi vérifier.

L'homme se plaça au centre avec eux et répéta :

— AutreMonde, Château Vivant de Travia, royaume du Lancovit !

De nouveau les couleurs, sans effet.

L'homme grogna puis tripota deux tapisseries. Mais en dépit de tous ses efforts, le résultat fut inchangé.

Ils ne pouvaient aller nulle part. La Porte de Transfert ne fonctionnait plus !

Chapitre XIII

Le dossier caché
ou comment faire parler les morts

Xandiar avait mis sens dessus dessous le laboratoire et à part quantité de trouvailles bizarres et d'inventions inexplicables, il n'avait rien découvert en rapport avec le meurtre du savant. Le grand chef des Gardes impériaux était donc assez agacé.

Dans son pré-rapport à l'Impératrice, il avait indiqué que l'accident était un meurtre. S'il n'en faisait pas la preuve, il allait passer pour un imbécile. Cela l'aurait troublé voilà quelques mois, quand il tenait tant à briller aux yeux de son impératrice. À présent, l'attitude de la jeune femme avait ouvert les yeux du chef des Gardes et, s'il se souciait tout autant de sa sécurité, il s'inquiétait moins de son approbation.

Comme tous les souverains, Lisbeth utilisait les gens. Or, depuis qu'il avait travaillé avec Tara, dans le laps de temps où l'Impératrice avait été enlevée, il avait pu mesurer la différence entre une souveraine absolue, qui gouvernait sans se préoccuper de son entourage, et une princesse éclairée, qui écoutait ses ministres et se souciait de la vie quotidienne de son peuple. La comparaison n'était pas à l'avantage de l'Impératrice, ce qui gênait Xandiar.

Il chassa cette idée de son esprit pour se concentrer sur la jeune princesse héritière. Au début il ne l'aimait guère. Elle était imprévisible et les cadavres surgissaient sous ses pas comme des fleurs après la pluie. Puis elle lui avait confié sa vie et son honneur, et lui avait rendu sa dignité. Depuis, il lui vouait une reconnaissance sans faille. Elle avait régné peu de temps, mais d'une façon juste et efficace, notamment en empêchant le Premier ministre de faire massacrer les manifestants nonsos qui avaient hurlé leur peur et leur détresse devant le palais, lors de l'invasion des démons de Magister.

Lisbeth, soutenue par son demi-frère Sandor, gouvernait Omois d'une main de fer, enfermée parfois dans un dangereux autisme. La planète changeait lentement mais sûrement. De nouvelles techniques venaient aider les nonsos qui petit à petit apprenaient à se passer de magie. Les machines qui fonctionnaient sur Terre s'adaptaient sur AutreMonde pourvu qu'on leur fournisse de l'énergie, ce qui n'était pas compliqué.

L'Impératrice voyait ces transformations d'un mauvais œil. Dernièrement encore, elle avait provoqué l'ire d'Antisort, l'organisation secrète nonsos, en condamnant des nonsos pour avoir utilisé sur AutreMonde des voitures importées de la Terre. Xandiar savait que la guilde des tapis volants était derrière ce verdict et même s'il n'appréciait pas les véhicules terriens bruyants et nauséabonds, il était hostile aux pressions que les marchands exerçaient sur le pouvoir en place.

Agité, il fit demi-tour si brusquement qu'il entra en collision avec la nouvelle série d'échantillons qui flottait derrière lui. Il s'en débarrassa d'un geste brusque.

Bon, tout reprendre depuis le début. Il devait se mettre à la place de la victime. Il se campa à l'endroit où le corps avait été trouvé et leva les yeux, comme s'il était le savant. Il était face à un grand être qui... quoi ? Disons, qui lui parlait.

Devant ses assistants ébahis, Xandiar s'adressa à quelque chose d'invisible au-dessus de lui.

— Et bla bla bla, fit-il dans le vide, et bla bla bla.

— Euh, vous m'avez parlé, Chef ? interrogea l'un des gardes, plus audacieux que les autres.

— Non, grogna Xandiar. Je discutais avec celui qui va m'assassiner dans quelques secondes.

Les gardes portèrent immédiatement la main à leur épée.

— Quelqu'un veut vous assassiner, Chef ? demanda le même étourdi.

166

— Oui, toi ! soupira Xandiar. Mets-toi devant moi et transforme-toi en... disons, en démon.

— Moi ? Mais...

— Allez hop ! Exécution !

Tous les autres soldats reculèrent avec un bel ensemble, prodigieusement intéressés tout à coup par les moulures du plafond. Celui qui avait été désigné jeta autour de lui un regard éperdu, mais aucune échappatoire ne se présenta.

— Euh, Chef, je ne suis pas bon en transformation, tenta-t-il.

— Pas grave, je vais t'aider.

Le garde, regrettant amèrement de s'être fait remarquer, s'avança à l'endroit que lui désignait Xandiar.

L'instant d'après, il gonflait de partout, son uniforme de la garde impériale craquait pour laisser place à des tentacules et il se mit à zozoter parce que les crocs qui dépassaient de sa bouche l'empêchaient d'articuler. Un magnifique démon rouge se tenait à sa place.

— Zef ! Z'ai horreur de za !

— Fais ce que je te dis ! Bon, maintenant, penche-toi vers moi et menace-moi.

Le garde le dévisagea un instant sans comprendre. Xandiar dut réitérer son ordre. Résigné, son sbire lança mollement vers lui un tentacule, s'attendant à se le faire trancher. Mais Xandiar se contenta de l'éviter et bougonna :

— Ça ne va pas. Si tu m'avais agressé, j'aurais tenté de me défendre, et il n'y avait aucune décharge de magie défensive détectable dans le laboratoire. Donc, ils étaient en train de discuter. Et vu la façon dont le savant est mort, il était incliné, comme si... oui ! Le démon lui a donné un objet. Vas-y, tends-moi quelque chose.

Le garde roula tout autour de lui ses douze yeux, affolé.

— Mais quoi, Zef ?

Il faudrait songer à élever les critères d'embauche pour la garde impériale !

— N'importe quoi ! Ton épée, par exemple.

Docile, l'autre lui tendit son arme.

— Ah, là, je suis obligé de me pencher et si tu m'attaques, je n'ai pas le temps de réagir. Voilà ce que je voulais savoir. Il s'est volontairement approché de celui qui l'a massacré. Mais on n'a rien trouvé sur son corps, du moins, rien de valeur. Et il n'y a aucune trace de ses derniers travaux. Donc, il a effectué des recherches, qu'il a confiées à quelqu'un en échange d'autre chose. Et ce quelqu'un l'a tué, a récupéré sa monnaie d'échange, puis a maquillé le meurtre en accident. Voyons un peu ce que je sais de Vlour Mabri. Il était prudent, méticuleux et attentif. Avec un tempérament pareil, je ne serais pas étonné que...

Il rendit son épée au garde et continua son monologue dans sa barbe, suivi attentivement des yeux par ses subordonnés. Il s'immobilisa, pensif, devant un gros escargot de métal bleu, pourvu d'une ouverture à l'avant de sa coquille. Des tuyaux en sortaient et y entraient. À côté se trouvait une notice.

— Hmmmh, « globinomagicogrammeur », ces savants, n'importe quoi ! Quel nom ! Voyons un peu ce que dit le manuel. *Sert à évaluer la charge magique dans le sang des sortceliers, donc leur puissance magique...* Mmmh, suis curieux de connaître mon taux de magie... Mettre la main dans le testeur... et ne pas bouger. Allons-y.

Joignant le geste à la parole, il glissa sa main dans l'orifice. Il grimaça et la ressortit prestement. Une goutte de sang perlait à son doigt. Le globinomachin se mit à vrombir, à s'agiter et à frémir, puis une languette de papier jaillit sur le côté. Xandiar grogna :

— Hmmm, « charge magique, moyenne : 0,35/g ». Comment ça, « moyenne » ? Fichue machine ! Base haute, 1,00/g, base basse, 0,01/g, suis bien content moi, va m'être très utile. Pfff, et dire qu'on paye ces gens pour inventer des machines stupides !

Et il laissa tomber sur la table le papier, qui glissa entre le meuble et l'armoire qui le flanquait. Il voulut le rattraper et se pencha. Ses doigts le touchaient presque lorsqu'il y eut un scintillement.

Prudent, il recula, puis tressaillit. Un visage venait d'apparaître. Il porta machinalement la main à son épée.

Par la barbe de Crochus ! C'était l'image du savant assassiné ! Fasciné, il se pencha, priant les quelque trois mille dieux d'AutreMonde pour que le savant ait pris ses précautions. Sa prière allait être exaucée.

— Si vous écoutez cet enregistrement, c'est que je suis mort, expliqua calmement la projection en clignant de ses yeux de hibou. C'est dommage, surtout pour moi, mais je vais vous aider à démasquer mon assassin. J'ignore son nom. J'ai dissimulé un dossier dans cette cache qui devait se déclencher vingt-six heures après ma mort. Ce que j'ai fait, je l'ai fait en échange de l'Étoile de Zendra, qu'il m'avait promise et qui devait me permettre de terminer mes expériences sur la fusion ultime de la magie et de la science. Trouvez celui qui possède l'Étoile et vous trouverez mon meurtrier.

Le visage se tut un instant et sa voix froide se colora de chagrin et d'impuissance.

— Si vous récupérez l'Étoile, je désire qu'elle soit léguée en héritage à mon fils, Blour Mabri, qui prendra la suite de mes recherches grâce à elle. Si cet enregistrement est classé « secret-défense » et qu'il ne peut l'écouter, dites-lui que je l'aime et que je sais qu'il portera haut le nom des Mabri.

La voix se tut et un dossier apparut, flottant dans les airs, comportant disquette et analyses sur papier.

Xandiar s'en empara avidement et lut les documents, tout en créant un double du dossier au fur et à mesure. Il y avait là un fatras d'analyses de sang, de tissus humains, et leurs résultats, courbes, graphiques, mesures issus de l'appareil qu'il venait d'essayer : le globinomagicogrammeur. Soudain, il cessa de respirer et se mit à trembler, le visage gris.

— 112/g ! Impossible !

La suite le fit pâlir bien plus. Faisant sursauter les gardes, il fila de la pièce en hurlant :

— L'Impératrice, je dois prévenir tout de suite l'Impératrice. L'Empire est en danger !

Chapitre XIV

LE MONDE DÉTRUIT
ou quand on dit « pas touche »,
vraiment il ne faut pas toucher

Si Xandiar ne vola pas, c'est qu'il n'avait pas d'ailes, mais ce ne fut pas faute d'essayer, le chapelet d'échantillons flottant derrière lui comme la queue d'une comète.

Il fonça à travers la masse des courtisans qui encombrait les couloirs palatins, déclenchant deux crises de hoquet et une salve de cris indignés. Les Portes de Transfert intérieures eurent tout juste le temps de le rematérialiser d'un point à un autre qu'il était déjà dehors, en train de courir comme un fou.

Il fit irruption en salle d'audience, où l'Impératrice officiait.

Elle se tenait sur son trône surmonté de l'emblème du Lancovit, le paon pourpre aux cent yeux d'or. Auprès d'elle, Jar et Mara, ses jeunes neveux, frère et sœur de Tara, apprenaient leur métier de princes. L'Imperator s'était absenté pour travailler sur le site qui avait abrité Magister.

Si Mara était attentive, Jar avait l'air de s'ennuyer, sa mèche blanche, caractéristique des descendants de Demiderus, tombant sur son œil sombre. Dissimulée, comme celle de sa jumelle, par Magister, elle était réapparue lorsque la teinture magique s'était effacée, confirmant, si besoin était, leur statut d'héritiers de l'empire d'Omois.

Jar accueillit Xandiar avec un grand sourire, tout comme Grr'ul, l'énorme troll verte, garde du corps des jumeaux.

Voilà trop longtemps qu'elle n'avait écrasé sa massue sur une tête.

L'Impératrice, éblouissante dans une somptueuse robe jaune sur laquelle se détachait l'emblème d'Omois, écoutait un plaignant. Son extraordinaire chevelure coulait comme un ruisseau sombre jusqu'à ses petits pieds chaussés de sandales. Elle était brune ce jour-là, et la célèbre mèche blanche étincelait comme du givre dans sa chevelure. Ordinairement, le grand chef des Gardes restait sans voix pendant quelques secondes devant la perfection de son visage. Cette fois-ci, il n'en fut rien.

— Votre Majesté impériale ! s'écria-t-il. J'invoque le code 5, état d'urgence !

Tout le monde à la cour connaissait le code 5. Il était rarement utilisé. Mais lorsque c'était le cas, la consigne était de laisser l'impératrice immédiatement seule avec celui qui l'avait demandé. L'agaçant était que, quelques instants plus tôt, maître Chem avait également sollicité une session privée et les audiences avaient pris du retard. Maugréant mais disciplinés, tous évacuèrent la pièce, accompagnés par le tapotement impatient du pied de Xandiar.

Jar et Mara voulurent demeurer, mais Xandiar préféra qu'ils sortent. Jar obtempéra, non sans avoir lancé un regard lourd de reproches à Xandiar, qui l'ignora. Les gardes du corps de l'Impératrice les suivirent à contrecœur et refermèrent les épais battants d'or derrière eux.

— Attends une seconde ! imposa l'Impératrice alors que son chef des Gardes ouvrait la bouche. Séné ?

Une fine silhouette à quatre bras se matérialisa à côté de l'Impératrice, faisant sursauter Xandiar. Grinçant des dents, il reconnut Séné Senssass, la chef des Camouflés, ces espions au service d'Omois qui avaient le pouvoir de se fondre dans le décor comme des caméléons. Une lutte sourde existait depuis longtemps entre Senssass et lui. L'Impératrice s'adressa à sa rivale.

— Tu as entendu le dragon. Il faut que nous sachions qui

a volé cette bombe et comment les harpies l'ont eue en leur possession. Va.

La jeune thug s'inclina, adressa un clin d'œil moqueur de ses yeux gris-vert à Xandiar, puis sortit en balançant des hanches. Xandiar savait reconnaître une provocation et il l'ignora.

— Eh bien, Chef des Gardes, fit l'Impératrice en haussant un sourcil inquisiteur, quelle nouvelle catastrophe t'a poussé à réclamer un code 5 ?

— Ceci, Votre Majesté impériale, répondit Xandiar en brandissant le dossier de Vlour Mabri. Une terrible trahison envers votre lignée a été perpétrée. Votre héritière a été infectée !

— Quoi ?

De saisissement, l'Impératrice descendit les marches du trône. Elle s'empara du dossier et l'ouvrit.

— Tout est là, Votre Majesté impériale. Un mystérieux individu a travaillé sur les gènes de votre jeune héritière afin d'en faire une sortcelière d'une grande puissance. Nous nous en doutions depuis que sa transformation en bébé a révélé qu'elle était capable de faire de la magie avant l'âge normal. Mais ce dossier précise une chose terrible ! Cette personne ne s'est pas rendu compte qu'en agissant ainsi elle mettait la vie de votre héritière en danger. Si la princesse Tara n'est pas soignée, elle mourra ! La magie est en train de la consumer, sa charge par gramme de sang est de 112, alors que le taux maximum est normalement de 1 par gramme ! Les mesures établissent qu'elle va commencer à avoir des crises de plus en plus violentes à des intervalles de plus en plus rapprochés. Une fois à son apothéose, la puissance de notre princesse sera telle qu'elle échappera à son contrôle.

— Et qu'adviendra-t-il ?

— Elle... explosera ! Et la déflagration sera telle qu'elle risque d'anéantir le monde sur lequel elle se trouvera !

L'espace d'un instant, l'Impératrice parut décontenancée. Puis elle se ressaisit.

— C'est inconcevable !

— Non ! Regardez. C'est à cause de ce dossier que le généticien Vlour Mabri a été assassiné !

Il brandit les documents et incanta. Devant l'Impératrice, un fouillis d'étoiles se matérialisa dans les airs.

— Sur ce schéma, notre univers, indiqua Xandiar, créé il y a quinze milliards d'années, lors du Big Bang. Ici se trouve notre galaxie, celle du Pégase, et là, la galaxie terrienne qu'ils appellent Voie Lactée et enfin l'étoile autour de laquelle tournent les planètes du système solaire : en partant de cette étoile, voici Mercure (il désigna un point brillant), Vénus, la Terre, née il y a cinq milliards d'années, Mars, Jupiter, Saturne, Uranus, Neptune, Pluton.

Il reprit sa respiration et désigna une grosse planète entourée d'anneaux multicolores.

— Vlour Mabri a étudié ce qui s'est passé autour de Saturne, dans la Voie Lactée. Il y avait là sept autres planètes, voilà quelque trois milliards et demi d'années. Leurs habitants étaient de puissants sortceliers, bipèdes comme nous, mais dont les gènes s'étaient adaptés au froid car Saturne est loin du Soleil. Grâce au Revelus et au Tempus, nos investigations sur ce qui restait de Léandra, l'une de ces planètes, nous ont appris qu'elle était entrée en guerre contre ses voisines. Pour se défendre, elle a manipulé les gènes de ses habitants afin de les doter de pouvoirs supérieurs.

— Et alors ?

— Le pouvoir a échappé à ses habitants. Il a anéanti la planète et la réaction en chaîne a touché ses six voisines, annihilant toute vie. Les fragments des sept planètes se sont dispersés à travers la galaxie. Une majorité d'entre eux ont été capturés par Saturne, pour composer les anneaux. Une autre partie s'est dispersée dans l'espace et quelques morceaux sont tombés sur Terre. À l'époque, elle était stérile. Les convulsions sismiques et telluriques commençaient à s'apaiser, mais elle était encore composée d'eau et d'un seul continent, la Pangée, entouré d'un unique océan, le Panthalassa. Les morceaux des planètes détruites par la conflagration magique s'enfoncèrent profondément dans l'océan et dans la terre. Les cellules les plus simples, organismes procaryotiques, les bactéries, emprisonnées dans les creux des roches lors de l'explosion, étaient parvenues à survivre au vide et au froid de l'espace. Leur potentiel magique avait été affaibli. Et la Terre n'était pas un environnement favorable. Pendant deux milliards d'années, elles cherchèrent à évoluer, pour finalement se transformer en eucaryotes, cellules à un noyau.

L'Impératrice s'agita, impatiente. Xandiar accéléra.

— Bref, les premiers organismes multicellulaires firent leur apparition, puis la vie sortit de l'océan et se répandit sur la Terre. La Pangée se sépara en deux supercontinents, le Gondwana et la Laurasie, qui se subdivisèrent ensuite, formant les cinq continents que nous connaissons aujourd'hui.

— Merci pour le cours, grommela l'Impératrice. Donc, nos ancêtres et ceux des Terriens viennent probablement de Léandra, sauf que les nôtres ont conservé leur potentiel magique. Alors que les tiens sont originaires de la planète Xonvalur. Que les Elfes proviennent de L'llivaril et les dragons du Dranvouglispenchir. Je suis ravie de l'apprendre.

Son visage figé démentait ses paroles.

— Et ce surcroît de pouvoir qui a été donné à Tara, continua-t-elle, pourrait mettre en danger notre planète, ou toute autre sur laquelle serait Tara, c'est cela ?

— Elle risque d'exploser, précisa Xandiar. C'est effectivement une situation dangereuse.

L'Impératrice le regarda, incapable de savoir s'il faisait de l'ironie ou non.

— Il faut intervenir sur-le-champ afin de guérir Tara, finit-elle par décréter. Je vais contacter Dame Duncan afin qu'elle ramène mon héritière à Tingapour. De votre côté, je désire que vous gardiez rigoureusement pour vous cette histoire. Personne ne doit être au courant, c'est compris ? Personne !

Bien que surpris par la véhémence de l'Impératrice, le grand chef des Gardes s'inclina en signe d'obéissance.

— Il en ira selon vos désirs, Votre Majesté impériale.

— Très bien. Je dois avertir qui de droit. Quelles sont vos intentions à partir de maintenant ?

— Dès que je suis tombé sur ce dossier, je suis venu vous l'apporter sans perdre un instant. Je suis à vos ordres. Que désirez-vous que je fasse ?

À la stupéfaction de Xandiar, l'Impératrice eut une réponse inattendue.

— Rien. Je m'occupe de tout. Vaquez à vos occupations ordinaires.

Le ton était sans réplique. Xandiar songea à protester, mais l'expression du visage de sa souveraine l'en dissuada.

— À vos ordres, Votre Majesté impériale. À présent, je vais donc retourner au laboratoire poursuivre l'enquête sur le meurtre de Vlour Mabri.

— Très bien, Xandiar, fit distraitement l'Impératrice, comme on récompense un toutou fidèle mais encombrant.

Le grand garde fit un impeccable demi-tour et quitta la salle déserte. Derrière lui, il laissait une Lisbeth rigide qui referma le dossier d'un coup sec. La dernière chose qu'il vit avant de repousser le battant de la porte fut ses grands yeux bleu marine.

Ils étaient emplis de désespoir.

Dès qu'il sortit, les courtisans se pressèrent autour de lui, venant aux nouvelles. Grognant, il écrasa des pieds et joua des coudes pour se débarrasser des curieux les plus coriaces.

Plus lentement qu'à l'aller, il revint sur ses pas. Quelque chose, dans l'attitude de l'Impératrice, lui échappait. Mais quoi ?

Confusément inquiet, il rédigea son rapport sur Vlour Mabri, tamponna sur le dossier la mention « Meurtre », remit les échantillons prélevés aux savants et ses conclusions aux Diseurs. Les végétaux télépathes allaient mener leur enquête en fouillant dans les cerveaux. Toutefois, si le coupable était un démon ou un dragon, capable de masquer ses pensées au plus puissant des Diseurs, ils ne pourraient pas faire grand-chose.

Il revint enfin au laboratoire. Celui-ci était loin d'avoir livré tous ses secrets. Il ajusta sur son nez une paire de loupes grossissantes, surmontées d'une lampe capable de déceler les ondes lumineuses comme le moindre microbe, et qui projetait des éclairs bleus, ce qui le fit ressembler à une chouette Disc Jockey sous une boule disco, soupira puis se mit à quatre pattes. Il démasquerait celui qui avait osé tuer dans son palais.

Pendant que son Chef des Gardes rampait dans la poussière, l'Impératrice composait un numéro connu d'elle seule, dans le secret du cabinet où elle s'était réfugiée après avoir annulé les audiences. Le panneau de cristal émit une plainte aiguë, signe que son interlocuteur était en ligne. Mais aucune image ne s'afficha. Ce n'était pas utile. Elle savait qui se cachait derrière le cristal anonyme.

— Vous avez continué, siffla l'Impératrice, hors d'elle. Vous saviez où Tara se trouvait, ce qu'avait fait mon frère et jamais vous ne m'avez avertie qu'il était encore vivant et qu'il avait eu une héritière ! *Mon* héritière !

— Votre relation avec Danviou ne me regardait pas, répondit calmement la voix froide et neutre. Il m'était apparu qu'il vous avait fuis, vous et le palais, ainsi qu'une charge qu'il considérait comme écrasante. J'ai respecté son désir d'anonymat. Cependant, comme sur vous, vos ancêtres, toutes vos générations, j'ai continué les expérimentations sur votre héritière. Ainsi son pouvoir génétiquement amplifié a pu la protéger contre les attaques des démons. Il lui a sauvé la vie à plusieurs reprises. Ai-je eu tort ?

— Vous saviez que j'étais désespérée de n'avoir pas d'enfants, pour une raison mystérieuse. Et vous m'avez caché l'existence de Tara, la seule capable d'hériter de notre empire. C'est impardonnable ! Vous nous manipulez, *dragon*, vous jouez avec nos vies et je doute de plus en plus que ce soit à notre profit. Surtout depuis que je sais que le pouvoir de Tara est devenu si puissant qu'il peut faire exploser la Terre ! Vous devez la soigner !

— Je *dois* ? Est-ce un ultimatum ?

L'Impératrice ne céda pas.

— Vous avez parfaitement saisi, dragon. Ou vous soignez mon héritière et diminuez son pouvoir pour qu'il ne la détruise pas, ou je vous dénonce auprès du conseil des dragons. Cela fait quelque temps que je soupçonne que vous avez agi à son insu. Vous serez banni et toutes vos manigances, tous vos plans, quels qu'ils soient, seront anéantis !

Il y eut un silence chargé de menace et l'Impératrice sentit, chose inhabituelle, la sueur couler dans son dos.

— Très bien, finit par concéder le dragon après une intolérable attente. Je consens à soigner votre héritière. Mais tout ceci doit rester strictement secret. À la moindre fuite, j'annule notre pacte et je me débarrasse des spécimens.

L'Impératrice tressaillit. Connaissant Xandiar et son incorruptible honnêteté, elle savait qu'il ne pouvait garder le silence. Il n'y avait qu'un moyen...

— Je ferai en sorte que personne ne se doute de quoi que ce soit, affirma-t-elle. Je contacte dame Duncan, je fais rapatrier mon héritière au palais et...

— Non ! Je vous interdis d'appeler cette femme. J'ai dit que je me chargeais de votre héritière et je tiendrai parole. Je me rends sur Terre. Je la soignerai là-bas. La faire revenir ici serait trop dangereux avec la concentration de magie qu'il y a sur AutreMonde. Je vous tiens au courant.

Sans lui laisser le temps de réagir, le dragon éteignit le panneau. L'Impératrice s'affaissa. Il la terrifiait. Elle se rendit compte qu'elle avait, dans son angoisse, oublié de lui parler de la bombe. L'instrument permettrait-il de remonter jusqu'à lui ? Cela la mettrait-elle en danger ? Si ses compatriotes apprenaient qu'elle avait accepté qu'un dragon trafique les gènes de la famille impériale, elle n'était pas sûre que sa dynastie se maintienne à la tête de l'État. Surtout que l'attaque de Magister et les problèmes avec Antisort avaient fragilisé l'Empire.

Et, d'une certaine façon, que savait-elle faire, à part gouverner ?

Lisbeth ne pouvait permettre que quiconque élucide ses manigances et celles de sa famille. Elle avait vu que Xandiar s'étonnait de son attitude. Elle avait été désarçonnée en découvrant que le dragon mettait la vie de son héritière en danger, puis inquiète et enfin terrorisée. Le grand garde était loin d'être bête. Il analyserait la moindre nuance de leur entretien et ne tarderait pas à comprendre. Elle n'avait pas le choix.

Elle prit une profonde inspiration et convoqua Xaril, l'ancien chef des Gardes, qui vouait à Xandiar une haine inextinguible depuis que celui-ci l'avait remplacé. Elle donna ses ordres et le garde s'inclina avec une sinistre satisfaction. Ils seraient exécutés.

CHAPITRE XV

UN TRAIN POUR STONEHENGE
ou comment se faire un copain du contrôleur quand on n'a pas de billet

Horrifiés, Isabella et ses compagnons se dévisagèrent. La Porte ne fonctionnait plus !

— Gardien, fit Isabella, avez-vous une explication ?

— Ceci ne peut être qu'un verrou magique, expliqua-t-il après avoir soigneusement étudié la Porte à l'aide d'une loupe capable de montrer toutes les longueurs d'onde. J'en avais entendu parler, mais jamais je ne l'avais vu posé sur une Porte.

Il ne lui manquait plus que la casquette et la pipe pour évoquer un étrange docteur Watson.

— Oui, c'est vrai, un verrou sur une porte, c'est vraiment bizarre, persifla Fabrice. Bon, on fait quoi maintenant ?

— Écartez-vous ! ordonna Isabella, je vais tenter de le forcer. Par le Deverouillus que le transfert se fasse, afin que les voyageurs passent !

Une lueur violette illumina ses mains et le rayon de magie frappa le sceptre de transfert, sans résultat. Rageuse, Isabella allait recommencer lorsque les tapisseries émirent des rais de lumière. Le sceptre se mit à bourdonner.

— Ah ! fit Isabella, satisfaite. Je savais que ce verrou ne résisterait pas à mon pouvoir !

— Sortez ! Sortez immédiatement du cercle de Transfert ! hurla le gardien. Ce n'est pas vous qui avez activé la Porte, c'est une arrivée !

Isabella bondit de côté, au moment où la Porte matérialisait la forme rugueuse d'un grand dragon bleu.

— Maître Chemnashaovirodaintrachivu ! s'exclama le gardien, qui connaissait tous les dragons par leur nom. Bienvenue sur Terre !

Le dragon bleu jeta un regard surpris à la vieille sortcelière qui rajustait son chignon en le jaugeant d'un œil noir.

— Bonjour, Gardien ! répondit poliment maître Chem. Dame Duncan ? Mais que...

— Que faisons-nous ici au lieu d'être à Stonehenge ? termina pour lui Isabella, en plantant une dernière épingle d'un geste précis. Tara a fait une overdose de magie. Elle a failli se détruire. Nous avons réussi à baisser sa température et nous tentions de l'amener sur AutreMonde, mais il est impossible d'activer la Porte à partir de la Terre !

Le dragon fronça ce qui lui servait de sourcils, avisant soudain le cercueil de glace contenant Tara.

— Vous l'avez congelée dans un cocon de magie ? Mais c'est très dangereux !

La vieille sortcelière eut un mouvement d'impatience.

— Apprenez-moi quelque chose que je ne sache pas, Chem ! grogna-t-elle, méprisante. Évidemment, c'est dangereux ! Voilà pourquoi il nous faut retourner d'urgence sur AutreMonde pour la soigner. Chaque minute compte ! Et nous sommes bloqués ici !

Le dragon, perturbé par ce qu'il venait d'apprendre, tenta de recadrer ses idées.

— Vous êtes incapables d'activer la Porte ? Mais je viens de passer !

— Voyez par vous-même ! lança Fafnir. Comme d'habitude, juste au moment où on en a besoin, la fichue magie tombe en panne !

Le dragon émit une petite flamme en expirant, signe qu'il était agacé, et ordonna :

— Porte de Transfert : AutreMonde, Château Vivant du Lancovit à Travia !

Le Sceptre émit un misérable crachotement. Les lumières

tournoyèrent un instant sur les cinq tapisseries puis s'éteignirent. Le grand dragon bleu en resta gueule bée.

— Alors ça, ronchonna-t-il. Ça commence à bien faire !

De plus en plus fébriles à mesure que les secondes s'écoulaient, inexorables, les deux Hauts Mages tentèrent de briser le sort qui les retenait prisonniers sur Terre, en vain. Grâce à sa boule de cristal, Isabella contacta le Lancovit, mais Fleurtimideauborddunruisseaulimpide, le cyclope roux gardien de la Porte d'AutreMonde, fut impuissant à les dépanner.

— Cela ne sert à rien, reconnut enfin le dragon. Il va falloir opérer Tara ici.

— Comment cela, opérer ? s'exclama Fabrice qui trouvait au mot de sinistres inflexions. Avec des trucs genre scalpel ? Sang partout ? Moniteur, bip bip bip et puis biiiiiiiiiiiiiiiiiii-iiiiiiiip ?

Le dragon le regarda comme s'il avait perdu l'esprit.

— Oh, tu fais allusion à la primitive technique des non-sos ? Non, nous allons travailler autrement. Tara est gravement menacée, expliqua-t-il rapidement, après avoir passé une patte écailleuse sur la surface lisse du cercueil. Nous devons ajuster notre magie, pour la sortir de sa transe, mais également pour contenir son pouvoir.

Il se redressa, arquant son dos bardé d'épines, et se frotta les reins.

— Je deviens trop vieux pour toutes ces histoires, grogna-t-il.

Moineau haussa un sourcil surpris mais ne dit rien. Ils avaient appris que le dragon avait l'équivalent humain d'une trentaine d'années. Ce n'était pas vraiment vieux !

— Placez-vous autour du cercueil, ordonna maître Chem. Imaginez une sorte de bulle chaude, accueillante, douce, qui entourerait le corps de Tara. Je la renforcerai afin d'éviter que sa magie ne détruise cet endroit et nous avec. Une fois celle-ci domptée, vous me laisserez une petite ouverture vers le haut, afin que je puisse diriger mon flux de magie à cet endroit. Gardien !

— Maître ? s'empressa ce dernier, qui se penchait avidement au-dessus du cercueil pour recueillir chaque miette de la scène.

— Vous êtes vulnérable. Ne restez pas ici, allez vous réfugier derrière quelque chose.

— Mais... !

— Obéissez, Gardien ! Croyez-moi, ce que nous allons faire est aussi dangereux pour nous que pour cette jeune fille.

Traînant les pieds, le Gardien partit s'abriter dans la salle voisine. Mais, bien décidé à ignorer les conseils des sortceliers, il glissa la tête par l'entrebâillement de la porte.

Plus tard, il fut retrouvé enfermé dans le coffre-fort, derrière un mètre de bon acier solide, tremblant au point qu'il n'arrivait pas à marcher. Il renonça définitivement à la magie et se consacra à la méditation jusqu'à la fin de ses jours.

Car la magie de Tara était terriblement agressive. La bulle créée par ses amis fit fondre la glace et libéra son pouvoir. Rugissant, il se rua hors du corps de la sortcelière, cherchant à frapper le premier qui faiblirait. Craquante, gémissante, la bulle tint bon. En dépit de tous ses efforts, la magie ne put s'échapper. Mais ils en payaient le prix. Le visage des sortceliers, de la Haute Mage et la gueule du dragon étaient figés dans des grimaces éloquentes et la sueur perlait sur les fronts.

— Nous n'allons pas tenir longtemps, grinça Fabrice entre ses dents serrées.

— Vous avez raison, dit le dragon. Mon plan ne fonctionnera pas. Relâchez tout !

Une quadruple interjection jaillit de la bouche des sortceliers et du labrador, stupéfaits.

— Quoi ?

— Je dois l'affronter seul. Obéissez-moi ! Dès que vous aurez relâché la magie, protégez-vous sans oublier ceux qui n'ont pas de pouvoirs. Elle va tenter de vous atteindre, il ne faut lui laisser aucune ouverture. À mon signal : Cinq, quatre, trois, deux, un... Maintenant !

La bulle disparut. D'un même mouvement, les sortceliers et le dragon créèrent six boucliers, incluant le pégase, Fafnir (cramponnée à sa hache et les yeux écarquillés d'appréhension), Sheeba la panthère, Barune et Manitou. Fabrice jeta un regard agacé à Isabella qui avait cru bon de renforcer le sien, et sa soif de pouvoir empoisonna son âme un peu plus.

Libre, la magie de Tara explosa avec un rugissement furieux. Tout ce qui n'était pas à l'abri fut transformé. Les murs commencèrent à fondre, en un magma noir et visqueux, le toit fut soufflé, les poutres redevinrent des arbres ou des glands, les chaises se changèrent en oiseaux immenses et patauds qui déambulèrent dans la salle. La porte derrière laquelle se cachait le Gardien se métamorphosa en une plante innommable. Terrifié, il recula. Les feuilles lancéolées se durcirent en des harpons couverts de sève empoisonnée qui s'efforcèrent de le transpercer, tandis qu'une gueule pleine d'épines venimeuses s'ouvrait en son centre, avide de chair fraîche.

Ce fut à cet instant qu'il craqua, attrapa un masque à oxygène (son père le lui avait légué, car les vapeurs d'Autre-Monde ou de Tadix étaient parfois assez nauséabondes) et fila s'enfermer dans le coffre-fort. Il avait signé pour faire transiter des voyageurs, pas pour se faire dévorer par une plante démente !

Protégés par leurs boucliers, les sortceliers observaient le pandémonium d'un air incrédule.

Le dragon incanta d'une voix furieuse :

— Sss'vler, ssvir kali sssgul vsss telenrsss ekalibussss !

À la grande surprise des sortceliers, la vague bleue de magie hésita, comme si elle reconnaissait la voix du dragon. Puis, comme un animal gigantesque mais docile, elle s'apaisa et réintégra le corps de Tara. Les murs cessèrent de fondre, les chaises-oiseaux s'immobilisèrent et un étrange silence s'abattit sur l'entrepôt.

Moineau dévisagea le dragon, mal à l'aise. Elle ne connaissait pas la langue qu'il avait employée mais les inflexions lui rappelaient quelque chose qu'elle avait lu, il y avait longtemps de cela, dans un des livres que Fabrice utilisait pour devenir un puissant sortcelier. Un livre dangereux. Nocif.

Indéniablement, maître Chem venait d'employer de la magie noire, lui qui n'osait toucher le Livre interdit, créé par les démons, de crainte d'être contaminé ! Il y avait là une anomalie. Ce langage n'était plus en usage depuis des millénaires, elle en aurait juré. Et ceux qui s'en servaient dans le passé étaient les grands dragons guerriers, les Anciens, ainsi que les appelaient avec vénération les sortceliers.

Satisfait, le dragon se redressa et éteignit son bouclier. Il s'approcha prudemment de Tara, prêt à se protéger au cas où la jeune fille ne serait pas tout à fait guérie. Il se pencha, Tara entrouvrit un œil bleu et articula d'une voix pâteuse.

— Maîdre Gem ? Gu'est-ce gue vous faides là ?

Dès qu'elle ouvrit la bouche, un rayon de magie fusa, manquant d'un cheveu le bout du museau du dragon. Ce fut radical. Cela la réveilla instantanément.

— Mais qu'est-ce... !

De nouveau, le rayon bleu jaillit.

— Tara ! cria maître Chem qui l'avait évité de justesse. Ne parle plus ! Surtout, garde la bouche fermée !

Tara loucha, complètement paniquée.

— Wahou, fit Fafnir. Très joli, les illuminations. Qu'est-ce qu'elle a ?

Elle ne prononça pas le « encore », mais on sentait qu'il n'était pas loin.

Le dragon plissa un front soucieux.

— J'ai réussi à contenir la magie, non à la dissiper. Dès que Tara parle, son pouvoir s'échappe.

Les sortceliers regardèrent la jeune fille, embarrassés.

— Mais c'est très ennuyeux, Chem ! s'exclama Isabella. Elle ne peut rester comme ça !

Tara foudroya sa grand-mère du regard. Elle trouvait son problème juste « ennuyeux » ! Elle allait lui montrer à quel point !

— Tout va s'arranger, affirma le dragon après avoir ausculté Tara, dont les yeux bleus roulaient dans leurs orbites. Ce n'est que provisoire.

— Chem ? Tu en es sûr ?

186

— Absolument, confirma le dragon avec une moue agacée parce que Isabella contestait son autorité. Elle va bien. Maintenant, il nous reste à régler le problème des harpies !

Ce fut au tour d'Isabella de faire la moue. Elle pensait avoir réussi à éviter le lieu maudit.

— Tu insistes pour que nous allions tout de même à Stonehenge ?

Le dragon la regarda, ébahi.

— Bien sûr ! La vie de Tara n'est plus menacée, nous devons empêcher les harpies de se faire remarquer sur cette planète !

— Mmmmmhhmmm ! s'indigna Tara, la bouche hermétiquement close.

Elle se fichait des harpies. Ce qu'elle voulait, c'était qu'on la guérisse au plus vite ! Une fois de plus, son pouvoir lui gâchait la vie. Galant, qui s'était réveillé en même temps qu'elle, s'approcha d'un pas vacillant et fourra son museau dans le cou de la jeune fille. Elle se redressa et caressa tendrement le pégase, tout en lançant au dragon un coup d'œil furieux.

— Je crois que Tara n'est pas d'accord, risqua Moineau. Enfin, si je comprends ce qu'elle essaie de dire.

Tara hocha vigoureusement la tête.

Le dragon adopta un ton raisonnable horripilant.

— Écoute, Tara, je compatis à l'inconfort de ta situation. Mais tu sais que la présence d'êtres mythologiques divaguant sur Terre représente un grand danger pour les sortceliers. Sois patiente. Je suis sûr que d'ici quelque temps, ton problème se dissipera de lui-même. Pour l'instant, le principal est de neutraliser les harpies. De plus, nous ne savons pas si ceci n'est pas un piège sournois. Si nous restons près de la Porte de Transfert, elle peut exploser ou nous envoyer là où nous serions incapables de survivre. Tant qu'elle ne sera pas réparée et testée, je ne veux courir aucun risque.

Il y eut un silence et les sortceliers reculèrent un peu, observant les tapisseries avec appréhension.

— Il a raison, concéda Manitou qui voyait bien qu'Isabella n'avait pas plus que Tara envie d'aller à Stonehenge. Notre priorité est de te soigner, ma chérie, mais ces harpies veulent enlever ce sortcelier. Nous devons nous porter à son secours.

Tous avaient oublié cette évidence.

Tara soupira, puis haussa les épaules. Depuis qu'elle était devenue héritière impériale, elle avait appris que ses besoins passaient après ceux de son peuple, si l'on exceptait son devoir pour faire revenir son père. Elle n'avait pas le droit de laisser un crime se perpétrer, alors qu'elle avait la possibilité d'intervenir pour l'éviter.

— Mmmmmmmmmh, s'inclina-t-elle.

— Cela signifie que tu es d'accord ? vérifia Manitou, qui décryptait difficilement les grognements de Tara.

Elle hocha la tête, résignée.

— Alors, pas de temps à perdre ! décréta le dragon. Évitons d'utiliser un Transmitus tant que Tara n'a pas retrouvé son état normal. Inutile d'ajouter de la magie à sa magie, elle a plutôt besoin d'en évacuer. Avez-vous un moyen de transport nonsos pour vous rendre à Stonehenge ?

— Il faut que nous retournions à l'hôtel, affirma Fabrice qui, en tant que Terrien, pouvait prendre les choses en main. Il est onze heures du soir, nous n'aurons pas de train. Stonehenge se trouve dans le comté de Wiltshire, dans la plaine de Salisbury, à une heure de rail de Londres. Le site est à treize kilomètres de la gare de Salisbury. Il faudra demander à l'hôtelier de nous réserver des taxis pour nous amener au village le plus proche.

— Parfait ! approuva le dragon qui se transforma pour retrouver l'image familière du vieux mage qu'il affectionnait. Isabella, peux-tu contacter quelqu'un pour venir nous chercher ?

— Nous devons prévenir Selena ! imposa Manitou. Il faut qu'elle sache ce qui est arrivé à sa fille !

Isabella hésita, puis secoua la tête.

— Ce n'est pas une bonne idée. Elle voudra accourir et je n'ai pas envie qu'elle complique les choses. Laissons-la dans l'ignorance pour le moment. Nous lui dirons tout dès que nous aurons neutralisé les harpies.

Et elle empoigna sa boule de cristal. Rapidement, elle contacta les deux limousines. Pendant ce temps, Fabrice, Fafnir, Manitou, Robin et Moineau entouraient Tara, pleins de sollicitude pour leur amie.

— Maudite magie, grogna la naine. Tu devrais faire comme moi, Tara, et refuser de l'employer !

— C'est idiot, ragea Fabrice. Le pouvoir de Tara lui est très utile ! Il lui a sauvé la vie à de nombreuses reprises. Je donnerais mon bras droit pour en posséder un aussi fort !

La naine le dévisagea, surprise par sa véhémence. Puis elle plissa ses yeux verts et remarqua d'une voix douce :

— Tu n'aimes pas être le moins puissant, hein ? Mais regarde-moi, je ne me sers pas de la magie et cela ne m'empêche pas de vivre !

Ce fut au tour de Fabrice d'être étonné. Il avait tendance à considérer Fafnir comme un monceau de muscles sans cerveau. La naine trapue était plus fine qu'il ne le pensait.

— Ce n'est pas ce que je voulais dire, fit-il, gêné. Mais chez toi, les nains détestent la magie. Alors tu t'en fiches. Tandis qu'au Lancovit ou à Omois, on l'emploie tous les jours. Et à chaque instant, je constate ma faiblesse. Jamais je ne deviendrai un Haut Mage !

La naine ouvrit la bouche pour répliquer qu'être sortcelier était déjà suffisant mais elle croisa le regard suppliant de Moineau. D'accord, elle se tairait ! Toutefois, elle trouvait le jeune humain stupide de s'accrocher à un rêve irréalisable.

— Les limousines sont là ! indiqua Isabella. Allons-y. Tara, n'ouvre pas la bouche tant que tu n'auras pas trouvé comment empêcher ta magie de... de...

— D'allumer tout le monde ? fit Fabrice d'un ton ironique. Dame, nous allons nous occuper de Tara. Hein, ma vieille ? Tu crois que tu vas réussir à marcher ? Non, parce qu'on peut te porter aussi.

Tara plissa les yeux, furieuse. Il savait très bien qu'elle avait horreur qu'il l'appelle ma vieille, et ce depuis qu'ils avaient cinq ans. Très bien. En avant pour les représailles. Prenant bien soin de ne pas trop ouvrir la bouche, elle laissa juste dépasser le bout de sa langue et la tira. Fabrice pâlit et recula, mais elle avait été prudente. Rien ne filtra.

— Euh, Tara, fit très vite Moineau, j'aimerais bien conserver mon petit ami sous une forme approximativement humaine, s'il te plaît. Alors, évite de jouer avec lui, d'accord ?

La pauvre Tara ne pouvait répondre, mais la leçon avait été suffisante. Le garçon évita soigneusement de la provoquer.

Ils s'entassèrent dans les deux véhicules sous le regard perplexe des chauffeurs et regagnèrent prestement l'hôtel. Le dragon qui tenait l'ambassade ne fut pas ravi de voir surgir ceux qui avaient à demi ruiné ses superbes locaux.

Moineau dormit avec Tara pour veiller sur elle et la nuit se passa sans autre incident. Au matin, on leur servit un solide petit déjeuner où Tara dut prendre des précautions en mangeant afin de ne pas griller les convives. Enfin, l'hôtelier leur remit des billets de chemin de fer, tout juste créés, avec une réservation dans le prochain train en partance pour Salisbury.

Leurs bagages avaient été bouclés pendant qu'ils petit-déjeunaient. Ils les récupérèrent. Maître Chem, lui, voyageait léger, comptant visiblement sur la magie pour subvenir à ses besoins. Fabrice le regarda avec envie. Le dragon était si puissant qu'il n'avait besoin de rien, à part sa cuirasse de reptile.

Comme en Angleterre tout le monde parlait anglais et que les sortceliers ne maîtrisaient pas forcément la langue, l'hôtelier les munit d'un sort pour la parler et la comprendre. Ils eurent le plus grand mal à persuader Fafnir, magihophobe au dernier degré, d'y avoir recours.

La gare de Victoria fut une lourde épreuve pour la naine guerrière. Elle n'avait pas l'habitude d'être dévisagée par les gens, ses haches invisibles se prenaient dans tout ce qui dépassait et des milliers d'humains la dominaient comme autant de grands arbres blêmes ou bruns. Bientôt, elle en eut assez de s'excuser et ses bottes de guerre à bout ferré leur ouvrirent un chemin ponctué par des « ouille ! » et des « aïe ! » réjouissants.

Ils trouvèrent leur wagon. Des places leur étaient réservées, ainsi que pour les Familiers. Grâce à la magie, ils eurent la voiture pour eux seuls et les sorts répulsifs, fausses odeurs pestilentielles, découragèrent ceux qui auraient voulu occuper les places encore libres.

Le trajet durait à peine une heure. Isabella se mit à discuter de l'essence de la magie avec Chem. Elle ne comprenait pas comment Magister avait réussi à empêcher ses élèves d'incanter.

— Votre enseignement est-il obsolète ? questionna-t-elle franchement. Depuis des milliers d'années, vous nous avez inculqué qu'il fallait incanter afin de structurer notre pensée et par là notre magie. Or Magister semble avoir franchi une nouvelle étape. D'après ce que nous ont appris ses prisonniers, ils parvenaient à lancer des sorts sans incanter, sans manifestation physique de magie, sans la moindre étincelle ! Comment est-ce possible ?

Le dragon grogna.

— Il a dû employer sa magie démoniaque pour contrôler le pouvoir des élèves. En les infectant, il leur donnait la possibilité d'accéder à un niveau supérieur de magie. D'ailleurs, les effrits, démoniaques par essence, n'ont pas besoin d'incanter pour faire de la magie.

Isabella réfléchit.

— Je ne pense pas. Tara m'a raconté que le duel de magie auquel elle a assisté était mené par deux sortceliers non infectés. Alors, Dragon, qu'en dites-vous ?

Le reptile lui jeta un regard glacé, qu'Isabella affronta sans broncher.

— N'attribuez pas à ce misérable humain plus de pouvoirs qu'il n'en possède. Je sais qu'il manœuvrait ses élèves à l'aide de sa magie noire, qu'ils soient volontairement infectés ou non. J'ai perdu des êtres qui m'étaient plus précieux que mon sang, lors de la Grande Guerre contre les démons. Et j'ai éprouvé dans ma chair à quel point leur magie est pernicieuse et manipulatrice. Croyez-moi, Isabella, l'explication est là.

La sortcelière hocha la tête, peu convaincue. Tara, qui les avait écoutés, plissa les yeux, méfiante. L'explication du dragon n'en était pas une. Elle avait bien vu, elle, que les deux sortceliers utilisaient leurs dons d'une façon différente, sans que Magister intervienne. Elle-même n'était-elle pas un exemple ? Souvent sa magie lui obéissait... ou lui désobéissait, sans qu'elle ait à incanter.

Du fond de son esprit remonta l'instinctive méfiance qu'elle ressentait pour les gros reptiles. Que cachaient-ils ? Enseigner la magie aux sortceliers n'était-il pas le meilleur moyen de les garder sous leur emprise, de briser leurs dons ?

— Ceci ne sent pas bon, dit Fafnir, détournant son attention de la conversation des deux adultes.

— Ehhh, protesta Fabrice en se reniflant, ce n'est pas moi, j'ai lavé les runes et pris une douche !

— Quoi ? Mais non, je ne parlais pas de toi ! Tout est bizarre dans cette histoire, précisa la naine en se demandant de quelles runes il s'agissait. D'un seul coup, nous ne pouvons retourner sur notre planète. Alors je pose la question : les harpies ne nous ont-elles pas révélé le but de leur mission pour nous attirer à Stonehenge ? Sinon, pour quelle idiote raison porteraient-elles toutes leurs instructions par écrit dans un sachet autour de leur cou ?

— Parce qu'elles sont stupides ?

— Elles sont grossières, dangereuses et agressives. Mais elles ne sont pas stupides, loin de là.

Fabrice ouvrit de grands yeux. Le Terrien n'avait pas encore acquis les raisonnements tortueux des AutreMondiens.

— Ce serait un peu compliqué comme chausse-trappe, non ? objecta Moineau.

— Mais quel meilleur moyen pour nous attirer ici ? Un garçon mystérieux en danger, des harpies lâchées dans la nature. C'est un beau scénario.

— Tu penses à un piège ?

— Mmmmmhhhh ! opina Tara, tout à fait d'accord.

— Oui, confirma la naine d'un air sombre. Mais tendu par qui ? Et pourquoi ?

Soudain elle s'interrompit et eut un sourire radieux.

— Hé, mais pourquoi je m'en fais, moi, j'adore me battre ! Si c'est un traquenard, c'est super ! Un mystérieux inconnu va essayer de tuer Tara, on va lui sauver la vie, taper sur un tas de gens et tout va se terminer par un banquet sur Autre-Monde !

Fabrice se mit à rire.

— Fafnir, j'ai l'impression d'entendre Obélix, parfois ! Si tout pouvait être aussi simple, ce serait fantastique ! Mais c'est dangereux ! Nous avons déjà été vaincus, et pas qu'une fois !

— Ah, mais Tara possède quelque chose que n'ont pas ses adversaires !

— Quoi donc ?

— De la chance... et nous !

Devant l'enthousiasme de la naine, Fabrice ne put que s'incliner.

Robin, lui, dévorait des yeux Tara. Ils s'étaient quittés sur une terrible blessure et il ignorait ce que ressentait la jeune fille à présent. Il nota qu'elle évitait son regard et son cœur se serra. Le naouldiar ne lui permettait pas de lire ses pensées, hélas. Quel imbécile il avait été de s'amouracher de l'héritière impériale ! Amer, il détourna son attention vers l'extérieur, fixant sans les voir les verts pâturages de l'Angleterre profonde.

Tara en profita pour le regarder. Elle devinait les sentiments du demi-elfe, mais était incapable d'y répondre. Quelque chose l'en empêchait. Elle sentait qu'une terrible douleur taraudait l'esprit et le cœur du jeune homme, sans la partager.

Perplexe, elle s'interrogea. Mais le sort de l'homme-qui-n'en-était-pas-un gomma ses idées, fixant son attention sur Stonehenge, où elle devait affronter son destin.

Dans l'ensemble, le voyage se passa plutôt bien. Excepté pour le contrôleur qui, à défaut de changer de train, changea de forme. Il devait avoir le nez bouché car il fit irruption dans le wagon en clamant un joyeux : « Vos billets, M'sieurs-Dames, s'iouplaît ! »

La magie sur terre était fluctuante et, pour une mystérieuse raison, dans la région de Stonehenge plus qu'ailleurs. Les billets de train et les sorts répulsifs en subirent l'influence. Ils s'éteignirent au moment où le contrôleur vérifiait les billets, qui, entre-temps, avaient repris leur apparence initiale de feuilles blanches.

— Ça va pas être bon, ma p'tite Dame, grasseya-t-il en coulant un regard amusé à Isabella. C'est une feuille blanche, pas un billet de train ! Va falloir payer une amende !

Isabella plissa les yeux et répondit d'une voix hautaine.

— J'ai dû l'égarer. Veuillez patienter un instant, je vous prie.

Elle se pencha sur le sac à main dont elle avait dû se munir, incanta discrètement puis exhiba un autre billet.

L'homme repoussa sa casquette sur son crâne et étudia attentivement le faux billet. Il y eut une nouvelle saute de magie et il se retrouva avec une nouvelle feuille blanche entre les mains.

— Ça, par exemple, sursauta-t-il. Qu'est-ce que cette diablerie ?

Tara, qui observait sa grand-mère avec attention, lui découvrit soudain un air maléfique. Elle psalmodia quelque chose et le malheureux contrôleur se retrouva beaucoup plus gros et couvert de poils, avec une seyante corne sur le front. Isabella venait de le transformer en licorne ! Les sortceliers ouvrirent de grands yeux. Manitou, qui s'était endormi, ne broncha pas.

— Bon sang, Isabella, tu ne peux pas métamorphoser les humains qui t'ennuient en animaux toutes les cinq minutes ! grommela maître Chem. Cela ne se fait pas !

— La barbe ! grommela Isabella. Je voulais en faire un dindon. Fichue planète : la magie se comporte n'importe comment.

Les licornes ont très mauvais caractère. Ce devait être également le cas du contrôleur, car il se mit à souffler d'un air furieux et baissa la tête, visant Isabella. Il prit son élan, et la

194

vieille sortcelière n'eut que le temps de s'écarter avant que la licorne embroche le dossier du siège, piquant le flanc de Manitou qui dormait juste derrière.

Le labrador sauta en l'air en poussant un « kaï » de surprise et de douleur. Coincée, la licorne secoua le siège avec rage.

— Par mes ancêtres ! hurla Manitou après avoir inspecté ses côtés, heureusement indemnes. Qu'est-ce qu'il y a encore !

— Cet humain est un imbécile, maugréa Isabella. Alors j'ai voulu le changer en dindon, mais j'ai échoué. En attendant, il va rester ainsi jusqu'à ce que j'en aie décidé autrement.

— Tu sais, Isabella, grogna Manitou en se rapprochant d'elle, je crois que je ne t'ai pas administré assez de fessées lorsque tu étais petite et tu as un caractère épouvantable. Je vais donc te donner le choix. Soit tu rends sa forme normale à cet individu avant qu'il fasse de nous des brochettes, soit je te mords !

— Tu ne ferais pas ça ! s'indigna la sortcelière.

— Je vais me gêner, tiens ! répondit Manitou en retroussant ses babines sur un magnifique râtelier. Voilà un bout de temps que cela me démange !

— Bon, bon, je m'en occupe ! Il faut d'abord lui dévisser la corne pour la dégager.

Robin opéra en douceur. Tous les palais imposaient le dévissage de cornes de licorne avant d'admettre les ombrageux animaux dans les salles d'audience. En quelques minutes, il eut délivré la licorne que Moineau paralysa avec un Raidus. Isabella lui rendit alors son apparence normale et, prudente, s'écarta.

— ... ! fit le contrôleur.

— Vous avez eu un léger malaise, indiqua gentiment Fabrice. Comment vous sentez-vous ?

Pendant quelques secondes, l'homme ne parvint pas à faire le point correctement, ses yeux roulant follement dans ses orbites.

— C'est bizarre, finit-il par répondre, j'ai envie de foin !

Personne ne dit mot. Il se releva, vacillant. Robin cacha

vivement la corne qu'il avait dans la main. Curieusement, au lieu de se retransformer, elle était restée telle quelle.

— Z'avez pas vu ma casquette, par hasard ? demanda le contrôleur.

Tout le monde fit non de la tête et il ressortit du wagon, l'œil vitreux.

— J'ai sa casquette, dit Robin d'un ton surpris. Enfin, ça ne ressemble pas à une casquette, mais ça l'était il n'y a pas longtemps.

— Montre-moi ça, ordonna Isabella.

Robin lui tendit la corne.

— Elle peut reprendre sa forme originelle à tout moment, alors ne compte pas trop dessus. Mais garde-la, on ne sait jamais.

— Mmmmmmh ? interrogea Tara.

Moineau comprit qu'elle posait une question et expliqua :

— Une corne de licorne est un objet magique de forte puissance, tant que la licorne est vivante. Si elle meurt, ce n'est plus qu'une corne sans valeur. Mais on ne peut savoir à quoi elle va servir avant de l'utiliser. Et elle ne sert qu'en cas de danger imminent ou de grand besoin.

Tara eut un sourire crispé. Dans ce cas, la corne ne serait pas de trop !

Une heure et dix minutes après leur départ, ils débarquèrent à Salisbury, tout près de l'endroit où ils devaient trouver le mystérieux sortcelier.

Chapitre XVI

Le château des nonsos
ou comment recréer le mythe de Frankenstein

Trois taxis les attendaient. À voir la façon dont ils furent traités, Tara songea que le dragon de l'ambassade avait dû insister sur l'importance d'Isabella, genre : « Attention ! Riche et excentrique touriste, limite dangereuse ! » Le trajet jusqu'à Amesbury, l'endroit où leurs chambres étaient réservées, ne prit qu'une dizaine de minutes, qu'ils passèrent à guetter la moindre trace de plume. Mais les harpies ne se montrèrent pas et le voyage se déroula sans incident excepté les zigzags des taxis pour éviter les grenouilles sur la route.

Fafnir, qui n'appréciait ni la technologie ni les voitures, devint verdâtre après le troisième virage. Fabrice ouvrit vivement la glace et poussa la tête de la naine dehors. Celle-ci était trop mal pour protester, d'autant qu'il ne faisait pas chaud, mais l'air frais lui rendit sa vigueur habituelle. Ses tresses volaient au vent et elle préféra rester ainsi. Les nains étaient bien trop dignes pour vomir !

Maître Chem, lui, couvait du regard les vaches. On sentait qu'il se retenait pour ne pas aller en croquer une ou deux. Tara faillit en rire, tant sa convoitise était évidente, mais se retint avant de faire exploser bêtement le toit du taxi.

L'auberge où leurs chambres étaient réservées se trouvait à l'écart du village. Lorsque les taxis pénétrèrent dans la propriété, encerclée d'un épais mur de pierre, Tara frissonna, prise d'un soudain malaise. Sous un ciel bas, le bâtiment se détachait, noir et menaçant.

— Z'auriez dû réserver au Manoir de Lansdry, fit remarquer le chauffeur avec un fort accent. Il y a plus de monde et c'est bien plus classe qu'ici !

— Vous connaissez les propriétaires de ce lieu ? questionna Moineau, curieuse.

— De drôles de gens, répondit le taxi. Pas causants, font leurs petites affaires... On ne sait pas bien lesquelles, d'ailleurs. Prennent des clients parce qu'y peuvent pas faire autrement. C'était un ancien château, c't'auberge-là. Mais y z'avaient pas assez d'argent pour l'entretenir, alors y z'en ont fait un hôtel.

Il paraissait tenir les hôteliers en piètre estime. Isabella le régla, indifférente à sa suggestion de choisir un autre hôtel, plus luxueux. Elle-même approuvait le choix du dragon de l'ambassade. Moins il y avait de gens pour les voir, mieux c'était.

Ils passèrent la porte qui grinça comme dans un film de série B. Le genre de grincement dont on sent qu'il a été travaillé pour produire le maximum d'effet.

À l'intérieur, une foule de têtes empaillées dardèrent sur eux leur regard mort. L'un des habitants devait aimer massacrer les animaux parce que le nombre de trophées aurait suffi à orner une demi-douzaine de châteaux. Des armures entières, en pied, des meubles lourds et disgracieux faisaient régner une atmosphère moyenâgeuse, et les rideaux de velours vert qui masquaient la faible lueur du jour contribuaient à l'ambiance sourde du hall. Un nouveau grincement, aussi sinistre, les fit sursauter. Une porte latérale venait de s'ouvrir sur un homme si bossu et contrefait que Fafnir ne put retenir une exclamation :

— Ça par exemple ! Il existe des trolls miniatures sur cette planète ?

Moineau lui envoya un coup de coude dans les côtes et grimaça parce qu'elle se fit mal sur les muscles d'acier de la naine.

— Chuuut, ce n'est pas un troll, il n'est pas vert, c'est un humain !

198

Fort heureusement, l'homme n'avait pas entendu. Il se glissa par une ouverture dans le comptoir d'accueil, grimpa sur un tabouret :

— Bonvour, ve m'appelle Igor. Bienvenue au Fhâteau des Fantômes !

Tara écarquilla les yeux et se plaqua une main sur la bouche, endiguant de justesse le fou rire qui menaçait de déborder. C'était trop ! Le château sinistre, Igor, il ne manquait plus que Frankenstein.

Fabrice craqua le premier.

— Vous ne vous appelez pas *vraiment* Igor ? fit-il.

Il n'y avait pas une once d'humour dans les yeux d'Igor.

— Fi. F'est bien mon prénom. Avez-vous une revervafion ?

— Comment ?

— Des fambres, répéta patiemment Igor qui devait avoir l'habitude qu'on ne le comprenne pas. Vous avez des fambres révervées ?

— Nous avons réservé tout votre hôtel, répondit sèchement Isabella. J'ai cru comprendre que vous n'aviez pas d'autres clients ?

— Non, répondit Igor. Nous n'accueillons pas fouvent d'étranvers. Fe font furtout des habitués qui viennent ifi. Pour l'ambianfe, vous comprenez ? Notre fâteau a été réaménavé en hommave à Mary Shelley... Mais rafurez-vous, nous ne reffufitons pas les morts !

Fabrice eut un sourire satisfait. Ah, il ne s'était pas trompé !

Isabella recula. Igor postillonnait tant qu'il fallait quasiment un parapluie pour l'affronter.

— Mouais, gromela Manitou, oubliant que les chiens n'étaient pas censés parler. Voilà qui ne m'étonne guère !

L'attention d'Igor se fixa brusquement sur lui et il déglutit.

— Ouah ! ouah ! fit-il en remuant la queue.

Igor se mit un doigt sale dans l'oreille et le remua brutalement en disant :

— Fa f'est curieux, v'aurais vuré...

— Nous aimerions nous rafraîchir après ce voyage, l'interrompit Isabella après avoir incendié Manitou du regard.

— Ve vais appeler quelqu'un pour prendre vos bagaves. Vous avez les fambres trois, quatre, finq, fix, fept, huit, neuf, dif et onve. Fi vous avez des invités, il y a encore d'autres fambres à votre difpovition.

Il leur donna leurs clefs et appuya sur une sonnette qui laissa échapper un « ding » cristallin.

— J'arrive, Igor ! fit une voix joyeuse. Aurions-nous des clients ? J'ai vu des taxis qui s'en allaient. Bonjour ! Bienvenue au Château des Fantômes !

Le propriétaire de la voix déboula au milieu des sortceliers. Si Igor ressemblait à une gargouille mal cuite, le garçon, lui, aurait pu poser comme modèle pour Michel-Ange. D'une radieuse blondeur, il éclatait de beauté au milieu du sinistre hall. Les mâchoires de Moineau et de Tara se décrochèrent, et Fabrice comme Robin froncèrent les sourcils. Mais le nouveau venu semblait tout à fait inconscient de l'effet qu'il produisait sur les demoiselles. Il s'empara sans effort des bagages les plus proches, faisant rouler des muscles puissants qui firent l'admiration de la coriace Fafnir elle-même, puis leur fit signe de le suivre. Dociles, à la queue leu leu comme des canetons suivant un cygne majestueux, ils montèrent.

— Wahou, chuchota Moineau, il est trop beau !

Elle intercepta le regard de Fabrice et rajouta à toute vitesse :

— Bien moins que toi, bien sûr, Fabrice.

Fabrice lui sourit. Pfff ! Ce que c'était compliqué d'être amoureuse !

— Qui est-ce, à ton avis ? reprit Moineau, soulagée d'avoir rassuré son petit ami.

— Mmmmmmh, répondit Tara avec véhémence, maudissant sa magie. Mmmmmhhh !

— Oups, pardon, j'avais oublié que tu ne pouvais parler ! Euh, excusez-moi, Monsieur !

— Appelez-moi Jordan, Mademoiselle, fit le garçon, amusé.

— Ah, euh, merci ! répondit Moineau, toute rouge. Je... waaaaah, c'est magnifique !

Devant eux étincelait un curieux objet, posé sur un piédestal au bout du couloir desservant les chambres.

Jordan la dévisagea d'un regard perçant.

— Vous voyez quelque chose ? articula-t-il d'une voix étranglée.

Tous les sortceliers hochèrent la tête avec un bel ensemble.

— On dirait un énorme diamant lumineux, commenta Fabrice. Comment faites-vous cela ? Avec une ampoule à l'intérieur ?

Sa prosaïque remarque rompit l'émerveillement des sortceliers.

— Non, pas du tout, biaisa Jordan, le visage fermé. Voici vos chambres, je vais chercher les autres bagages.

Et sans leur laisser le temps de réagir, il fila.

— C'est curieux, observa Robin. Il était tout sourire, tout charme et d'un coup, il nous fuit.

— Oui, renchérit Fabrice. Cela s'est produit au moment précis où nous avons vu la pierre lumineuse.

— Bah, sourit Fafnir en s'étirant, ces nonsos sont bizarres de toute façon. Bon, on fait quoi maintenant ?

Isabella soupira.

— Nous devons intercepter les harpies avant qu'elles ne s'attaquent au fameux Jeremy. Réunion dans ma chambre dans vingt minutes.

— Mmmmh, marmonna Tara avec véhémence en désignant sa bouche.

— Ah, j'avais oublié ton problème, Tara. Chem, saurais-tu accélérer le processus de guérison, de sorte que Tara puisse parler normalement ?

Le dragon secoua la tête.

— Pour le moment, rien de plus que ce que j'ai déjà fait. Comme je l'ai déjà dit, c'est une question de temps. En attendant, réglons notre problème de harpies. Je propose de trouver ce sortcelier avant les femmes-oiseaux. Puisque nous connaissons son patronyme...

— 'Lenvire est un nom autreMondien, intervint Fabrice. Sur Terre, cela m'étonnerait qu'il porte le même !

Le dragon fronça les sourcils, goûtant peu de se faire rabrouer.

— Ah ! je n'y avais pas pensé... Et son prénom, Jeremy ? Est-il commun sur votre planète ?

— Oui, répondit Fabrice. Je vais interroger notre hôte ou plutôt Jordan, je n'ai pas envie de prendre une douche de postillons. S'il connaît un Jeremy, nous pourrons nous rendre chez lui.

Dès que Jordan les eut montés, ils déposèrent leurs bagages dans les chambres dont la décoration était identique à celle de l'entrée, lourde, pompeuse, sombre. Les murs étaient imbibés d'humidité et des quantités d'araignées avaient élu domicile dans les poutres, ce qui déplut fort à Moineau. Elle invoqua un Sechus, afin d'assainir l'atmosphère, et un discret Repulsus sur les araignées qui filèrent par la fenêtre qu'elle venait d'ouvrir. Elle referma en frissonnant. Certains spécimens étaient énormes ! Bon, un petit Chauffus et la température de la pièce serait tout à fait correcte.

Elle rejoignit Tara dans sa chambre après avoir enfilé un second pull sur le premier. Dire que c'était censé être l'été sur cette planète !

Robin avait procédé aux mêmes incantations pour Tara, et il régnait chez elle une douce chaleur. Fabrice et Manitou arrivèrent peu de temps après, suivis de Fafnir.

— J'ai demandé à Jordan, pour notre mystérieux sortcelier, indiqua Fabrice, mais il a grommelé qu'il ne connaissait aucun Jeremy dans le coin et il a filé. Il est bizarre, ce garçon ! Bref, il va falloir que nous le dénichions d'une autre façon.

— Je propose que Tara reste là, par prudence, suggéra Moineau. Elle ne peut invoquer sa magie sans se mettre en danger.

— Mmoonnnmmmnnnnn ! protesta Tara, les yeux étincelant d'indignation.

— Sois raisonnable, Tara, opina Robin, tu n'es pas en état

de te battre, nous devrons te protéger, ce sera aussi dangereux pour toi que pour nous !

Robin, qui s'attendait à une explosion de rage, fut surpris du délicieux... et, on peut le dire, tout à fait sournois... sourire qu'elle lui décocha. Comme d'habitude et en dépit du fait qu'elle l'avait rejeté, cela lui mit les genoux en marmelade et le cœur à l'envers. Il n'en comprit la raison que quelques minutes plus tard, lorsque le dragon déclara fermement qu'il n'était pas question de la laisser à l'hôtel et qu'elle devait les accompagner. Puisque les harpies avaient pour consigne de venir à Stonehenge, autant commencer leur enquête par le célèbre site. Le regard triomphant qu'elle lui envoya valait tous les na na na na nère du monde.

Ils quittèrent le sombre édifice et se dirigèrent vers Stonehenge.

— Soyez prudents et regardez bien autour de vous, ordonna le dragon. Les harpies ne feront pas de cadeaux, il ne faut pas qu'elles nous blessent !

À pied, moins d'un quart d'heure de marche suffisait pour franchir la colline qui menait au site mégalithique.

La première vision qu'eut Tara de l'endroit fut saisissante. Le soleil, filtrant à travers les nuages, se couchait et les mégalithes dominaient la plaine de Salisbury de toute leur splendeur barbare. Elle compta une trentaine de pierres. Plusieurs étaient coiffées de pierres plates, formant des trilithes. Elles étaient gigantesques, mesurant quatre à sept mètres de hauteur. Deux cercles se succédaient, l'un à l'intérieur de l'autre.

Fafnir regarda, puis eut un grognement.

— Les nonsos ont bâti ce truc-là pour quoi faire ?

Maître Chem répondit :

— Nul ne le sait au juste. C'était peut-être censé servir de calendrier.

— Tiens, c'est curieux, remarqua Moineau. Je croyais avoir lu dans un livre autreMondien que c'étaient les dragons qui l'avaient construit. La roue n'existait pas voilà cinq mille ans, date du début de la construction du site. Or il y a eu ici jusqu'à deux cent mille tonnes de pierres, dont certaines, les

« pierres bleues », pèsent plus de cinquante tonnes, tirées d'une carrière se trouvant à trois cent quatre-vingts kilomètres de distance. Jamais les autochtones n'auraient pu acheminer et dresser les mégalithes sans l'aide d'une technologie magique.

Maître Chem eut un sourire gêné.

— Nous nous battions contre les démons à l'époque, nous étions en pleine guerre. J'ignore ce qu'ont accompli mes congénères. Il est possible que Stonehenge soit une construction dragonienne. Mais je n'en jurerais pas. À quoi des monceaux de pierres dressées pourraient-ils bien servir ?

Moineau adressa au dragon un regard soupçonneux.

Soudain Fafnir cria, les faisant sursauter.

— Par mes ancêtres Forgeafeux ! Les harpies !

Isabella, qui sentait son malaise grandir au fur et à mesure de leur progression vers les cromlechs, s'arrêta, alertée.

— Où ça ?

— De l'autre côté ! Au-dessus du village !

Les yeux perçants de la naine ne l'avaient pas trompée.

— Par les mânes de Llilandril ! jura Robin en plissant ses yeux de cristal, provisoirement humains. Elles sont là-bas !

À part le dragon qui n'en avait pas besoin, ils durent incanter afin d'accroître leur vision et bientôt les silhouettes furent tout à fait reconnaissables, tourbillonnant au-dessus d'un point, à plusieurs kilomètres de l'endroit où ils se tenaient.

— Nous n'avons pas le choix, décréta Isabella. Tout le monde peut les voir. Il faut que nous activions un Transmitus !

— Mais, et Tara ?

— Mmmmmmmh ! fit Tara, indiquant qu'il était plus urgent d'intervenir que de se soucier d'elle.

— Je vais l'entourer d'un champ particulier, dit le dragon. Touchez Isabella, tous, vite !

Ils obéirent, y compris Manitou et les Familiers, très conscients des risques qu'ils prenaient. La magie sur Terre étant affaiblie et capricieuse, ceux qui rataient leur incantation lors de Transmitus arrivaient en plusieurs morceaux, impossibles à recoller dans la plupart des cas.

— Je vais joindre ma magie à la tienne, précisa maître Chem après avoir protégé Tara d'un champ scintillant. Vas-y !

— Par le Transmitus, incanta Isabella, qu'à l'instant nous allions à l'endroit où les harpies sont !

Ils n'eurent pas le temps d'avoir peur qu'ils se rematérialisaient devant une jolie ferme. Un peu en train de brûler. Dans le ciel, une dizaine de harpies piquaient sur une silhouette isolée qui se défendait en dardant de redoutables rayons de magie brute.

Les sortceliers activèrent leur pouvoir et quatre harpies tombèrent comme des pierres, carbonisées. La cinquième fut très surprise par la hache qui s'envola et lui traversa la poitrine.

Les harpies ne se méfièrent pas de Tara. Elles eurent tort. La jeune fille sourit. Et ouvrit la bouche.

L'assaillante qui se croyait à l'abri, bien haut dans le ciel, fut déplumée d'un seul coup et s'écrasa au sol.

Un instant décontenancée par cette aide inattendue, la silhouette qui se battait furieusement fit un geste et il se passa quelque chose d'incroyable. Au lieu de partir en ligne droite, comme elle le faisait en temps normal, guidée par la pensée du sortcelier, sa magie se propagea en cercle ! Les harpies n'avaient aucune chance devant une telle puissance de frappe. Celles qui restaient dans le ciel furent effacées comme un mauvais dessin.

La silhouette s'écroula alors, avec des sanglots, sur des formes au sol. En s'approchant, ils s'aperçurent que le sortcelier était un jeune adolescent, à peu près du même âge que Tara. Et que ce qu'il tentait de ranimer était les corps sans vie de deux adultes.

Le cœur de Tara se serra de pitié.

Ils étaient arrivés trop tard.

Chapitre XVII

Jeremy
ou comment posséder des pouvoirs magiques
sans le savoir

— Papa, maman ! Je vous en prie ! Réveillez-vous ! Parlez-moi, je vous en supplie !

Moineau s'approcha et tendit une main compatissante. Un seul coup d'œil sur les corps lui avait suffi. Il n'y avait plus rien à faire pour les deux humains. Ils avaient la gorge atrocement déchiquetée et étaient morts avant même que le venin des harpies ne commence à faire effet.

— Je suis désolée, dit-elle doucement. Ce sont tes parents, n'est-ce pas ?

Le garçon leva vers elle un visage ravagé. Il était brun, assez grand. Ses yeux noirs étaient affolés.

— Je ne comprends pas. Ces bêtes ont surgi de nulle part. Elles nous ont agressés tandis que nous rentrions nos vaches. Elles ont blessé papa. Maman s'est approchée pour l'aider. Elles s'en sont prises à elle et elle s'est écroulée ! Je me suis précipité, elles m'ont attaqué et un feu bleu est sorti de mes mains. Ça en a tué une et les autres se sont écartées. Mais elles ont continué à essayer de me tuer !

— Elles ne voulaient pas te tuer, expliqua lentement la jeune fille, sans quoi tu serais déjà mort. Elles tentaient de s'emparer de toi.

Le garçon la dévisagea, incapable d'assimiler ses paroles.

— Quelle est cette folie ? Qui êtes-vous ? Il faut sauver mes parents !

Aucun Reparus ne pouvait les ressusciter. Mais ils devaient vérifier un point. Isabella se pencha et passa une main experte sur les deux corps.

— Alors ? questionna maître Chem.

Isabella secoua la tête.

— Ce ne sont pas des sortceliers. Il n'y a aucune magie en eux, ce qui explique qu'ils aient été tués si facilement. Ce sont de parfaits nonsos. Tout ceci est étrange ! Pourquoi s'en prendre à des nonsos ?

Le garçon devint plus pâle encore.

— Tués ! C'est impossible !

Isabella ne connaissait ni le mot « compassion » ni l'expression « choc psychologique ».

— Si, ils sont morts, précisa-t-elle froidement. Les harpies voulaient te capturer. Elles se sont débarrassées des gêneurs. Tu t'appelles Jeremy et nous étions à ta recherche. Nous sommes arrivés à temps pour te sauver.

Puis elle ajouta :

— Navrée de n'avoir pas été plus rapide.

Ayant sacrifié à la politesse, elle continua :

— Tu peux faire de la magie. Tu es un sortcelier, « celui-qui-sait-lier-les-sorts ». Un sortcelier non déclaré. Cela arrive, quoique rarement. La magie s'affaiblit sur Terre et bientôt tous les sortceliers seront sur AutreMonde. Il n'en naîtra plus ici, où les conditions sont défavorables. Bien, maintenant que nous avons rempli notre mission, nous pouvons rentrer. Du moins, en espérant que les Portes de Transfert fonctionnent correctement !

L'indifférence d'Isabella fut comme une douche glacée pour le garçon. Sa rage se tourna contre elle. Il se releva d'un bond.

— Vous mentez ! Mes parents ne sont pas morts ! Il faut les soigner ! Vous dites que je fais de la magie, c'est ça ? Comme Harry Potter ? Alors montrez-moi comment les guérir ! Je sais que c'est possible ! Je l'ai vu dans les films !

— Mais ceci n'est pas un film, répliqua gentiment Fabrice, ému par sa détresse. Nous ne pouvons rien pour tes parents, nous en sommes profondément désolés. Les harpies sont mortelles. Ils n'avaient aucune chance. Dame Isabella a raison, ils sont morts.

— Noooooooooooooonnnnnnn ! hurla le garçon.

Il leva la tête vers le ciel, tendit ses bras minces et sa magie fusa, crevant les nuages comme un couteau chauffé à blanc. Inconscient de ce qu'il faisait, il abaissa les bras et sa magie bondit en direction du village. Moineau recula, épouvantée. La puissance qu'elle ressentait chez lui était la même que celle de Tara, lors de son overdose de magie !

Isabella et le dragon réagirent en même temps. Leurs pouvoirs conjugués frappèrent le garçon avant qu'il ne détruise la moitié des maisons. Il s'écroula, terrassé.

— Moineau ! ordonna Isabella après avoir vérifié qu'il se portait bien, va éteindre le feu, ce n'est pas le moment que les pompiers viennent fourrer le nez dans nos affaires. Chem, réduis les corps des harpies. Nous les emporterons avec nous. Fabrice, va aider Moineau, rends à cette maison son aspect initial. Seconde-moi, Tara, nous allons porter cet individu à l'intérieur. J'ai quelques questions à lui poser. Je m'occupe du Levitus, dirige juste le corps. Robin, tu prendras soin des deux autres.

Son ton ne souffrait pas de réplique et tous obéirent, y compris le dragon.

Isabella incanta et le corps inconscient se mit à flotter dans les airs, à un mètre du sol. Elle incanta une seconde fois et les corps des deux adultes retrouvèrent leur aspect habituel, à défaut de leur vie. Tara ne fut pas surprise. Si son implacable grand-mère avait du mal avec les sentiments humains, il lui arrivait de se révéler pleine de tact. Elle voulait rendre au garçon ses parents tels qu'il les avait connus, et non déchiquetés et défigurés par la mort.

Ils firent entrer les trois humains dans la ferme dès que celle-ci fut restaurée. Le salon était divisé en deux grandes pièces aux murs ocre, avec une cheminée à chaque extrémité, et possédait plusieurs confortables sofas, recouverts de plaids rouges et moelleux. Ils y placèrent les cadavres des adultes.

Tara installa le mystérieux garçon, toujours inconscient, sur un canapé.

Robin derrière elle, elle se penchait lorsque l'inconnu ouvrit les yeux. Il lui toucha la main. Il y eut une sorte d'étincelle entre les deux épidermes et elle sursauta. Ce fut comme si un marteau lui tapait dans le cœur. Comme une massue qui lui tombait sur la tête. Les yeux noirs du garçon s'adoucirent en rencontrant les yeux bleus de Tara et ils se perdirent dans un monde merveilleux et féérique.

— Qui êtes-vous ? finit-il par demander, subjugué.

— Je m'appelle Tara, répondit la jeune fille, oubliant qu'elle ne devait surtout pas ouvrir la bouche.

— Tara, non ! cria Robin, alors que celle-ci mettait précipitamment sa main sur sa bouche, les yeux écarquillés d'angoisse.

À la grande surprise de chacun, le garçon ne fut pas désintégré. Ils se regardèrent. Rien, pas le moindre iota de magie.

— Tara, dit enfin Robin, je vais créer un bouclier sur le plafond, lève la tête et ouvre la bouche dès que je te donne le top.

Tara opina.

Interloqué, le garçon se rencogna dans le sofa lorsque le feu magique de Robin enveloppa les vénérables poutres de la ferme. Le demi-elfe, crispé, fit signe à Tara, prêt à résister à un déferlement de magie surpuissante.

Tara lui sourit pour le rassurer, puis leva son visage vers la voûte et ouvrit la bouche.

Il ne se passa... strictement rien.

— Parle un peu, pour voir ? ordonna Robin.

— Les chaussettes de l'archiduchesse sont-elles sèches, archi-sèches ?

— Eh bien, tu m'as l'air guérie ! Pourtant tu as abattu une harpie tout à l'heure. C'est incompréhensible.

— Il s'est passé quelque chose, avoua Tara, troublée. Lorsque j'ai touché la main de Jeremy, il y a eu une étincelle.

Le demi-elfe plissa les yeux.

— Tu veux dire que le contact de la peau de Jeremy a atténué ta magie et t'en a rendu le contrôle ?

Il eut beau faire, il ne parvint pas à gommer la brusque jalousie dans sa voix.

— Je l'ignore, répondit franchement Tara, je ne connais pas suffisamment mon pouvoir pour risquer des pronostics. Je fais de la magie et tout à coup je n'en fais plus. Pouf ! Profitons-en pendant que je peux parler sans transformer tout le monde en grillades.

Robin ne répliqua pas mais fronça les sourcils. Tara avait tort de traiter l'incident à la légère. La magie n'était pas un instrument anodin. Comme un couteau, mal employée, elle pouvait blesser et même tuer.

Tout aussi méfiante, Isabella l'ausculta rapidement puis rendit son verdict. La magie était toujours là mais semblait jugulée. Une fois l'examen terminé, Tara se tourna vers le garçon qui n'avait pas réagi.

— Je disais donc que je m'appelle Tara Duncan.

Il l'observa, toujours aussi fasciné.

— Bonjour, Tara Duncan. Je m'appelle Jeremy Blacksmith. Que s'est-il passé ?

Il portait bel et bien un faux nom terrien.

— Le chagrin vous a submergé. Votre magie vous a échappé et ma grand-mère a dû vous assommer pour vous empêcher de causer de graves accidents.

Avec la mémoire, les souvenirs revinrent et le regard du garçon se voila de larmes.

— Mes parents sont morts, n'est-ce pas ? Tués par ces créatures ?

— Oui. Je suis désolée.

Étrangement, alors qu'elle s'était endurcie pour survivre sur AutreMonde, la peine du garçon la touchait tant qu'elle avait envie de pleurer.

— Ils sont là, fit-elle en bougeant afin qu'il puisse voir ses parents dans l'autre partie de la pièce.

Il se leva pesamment, puis s'affala à côté des deux corps, les pleurs ruisselant sur ses joues.

— Je ne peux le croire. Pourquoi ont-ils été tués ?

— Nous l'ignorons, murmura maître Chem avec douceur. Nous savons seulement que les harpies ont été envoyées contre vous, et également contre Robin (il désigna le demi-elfe afin que Jeremy l'identifie). Le commanditaire vous visait, lui et vous, personnellement. Vos parents ont été les victimes innocentes de ce complot.

Dans les yeux du garçon, la rage remplaça le chagrin. Et le niveau de magie augmenta considérablement, au point de mettre les sorceliers mal à l'aise et de hérisser le poil des Familiers et de Manitou. Galant se rapprocha de Tara, prêt à la protéger. Sheeba sortit ses griffes imposantes et fit de même pour Moineau.

— Il a des fuites, fit remarquer Isabella, comme si Jeremy portait une couche-culotte, ce qui le fit rougir. C'est très désagréable. Allons, petit, il faut te maîtriser, laisser échapper son pouvoir ainsi, franchement, cela ne se fait pas.

Ainsi rabroué, le garçon perdit le contact avec sa magie et le niveau de celle-ci baissa sensiblement.

— Bizarre, observa Moineau. C'est la même chose qu'avec Tara, à chaque fois qu'elle active sa magie. La puissance est telle que j'en suis affectée. Je viens d'avoir une sensation identique.

Le dragon se mordit les lèvres puis déclara d'un ton étonnamment satisfait :

— Oui, j'ai constaté que le pouvoir de ce garçon avait eu un comportement remarquable tout à l'heure. C'est la première fois que je vois de la magie se diffuser en cercle pour détruire plusieurs adversaires en même temps. Ce fut très brutal, très efficace.

Isabella regarda Moineau avec une curieuse expression sur le visage.

— Moineau, tu penses que Tara et ce garçon seraient aussi puissants l'un que l'autre ?

— Mon hypothèse est qu'ils ont tous deux été génétiquement manipulés.

Cette affirmation audacieuse laissa les autres sans voix. Le dragon, curieusement, eut un grondement agacé.

— Et le coupable voudrait couvrir ses traces ! conjectura Robin. C'est... ignoble !

— Je ne comprends rien à ce que vous racontez, se plaignit Jeremy, de nouveau perdu. Mes parents sont morts parce que quelqu'un a peur de moi ? C'est insensé !

Maître Chem lui confia ce qu'ils savaient de l'état de Tara, et lui expliqua les similitudes entre son pouvoir et celui de la jeune fille.

Les yeux du garçon s'écarquillèrent lorsqu'il prit conscience de ce que signifiait être un sortcelier, et qu'il devait partir avec eux pour une planète magique dirigée ou, en termes diplomatiques, « conseillée », par des dragons.

— C'est hors de question, protesta-t-il. Je ne veux aller nulle part ! Ma maison est ici !

— Mais sur Terre, nous ne pourrons pas te protéger, argumenta amicalement Moineau. Les harpies ont fait une tentative, sans doute y en aura-t-il d'autres. Tant que nous n'aurons pas identifié celui ou celle qui te veut du mal, tu seras en danger !

— D'autant que ton cas est passionnant, ajouta le dragon, alors que Jeremy commençait à fléchir. C'est pourquoi j'aimerais... t'étudier.

Sa voix baissa sur le dernier mot, et l'ultime syllabe roula presque comme un ronronnement de chat. Intense, menaçant, définitif.

Le garçon recula, effrayé, des visions de grenouilles disséquées sur des paillasses flottant devant ses yeux. Tara fronça les sourcils, furieuse contre le dragon. Il aurait voulu braquer le garçon qu'il n'aurait pas mieux choisi ses mots. Après sa maladroite intervention, rien n'y fit. Jeremy refusa obstinément de quitter sa maison, bien décidé à ne pas se laisser enlever par ces êtres bizarres. La seule qu'il trouvait à son goût était la jeune fille blonde qui s'appelait Tara. Elle, il voulait bien la suivre où elle voulait ! Elle paraissait aussi douce qu'adorable, avec son beau sourire et ses magnifiques yeux bleu marine.

Il alla se planter devant l'entrée de la maison, prêt à filer si les sortcemachins voulaient l'attraper, au bord de la crise de nerfs.

Il vit que les intrus, dans le salon, se raidissaient, regardant derrière lui. Croyant à un piège, il ne se retourna pas et assena, furieux que ces inconnus insistent :

— C'est ma vie, c'est mon choix ! Je suis un humain, vivant sur Terre. J'ai des responsabilités ici, des devoirs, la ferme à faire marcher. Il est hors de question que je quitte cette planète, mes parents et mon frère !

Soudain, la voix d'un nouveau venu, dans son dos, fit sursauter Jeremy :

— Oh, mais si. Tu peux partir ! Tu n'es pas mon frère !

Chapitre XVIII

Jordan
ou comment essayer de sauver les meubles...
et se prendre toute la maison sur la figure

Jordan, le beau garçon qui s'était occupé de leurs bagages à l'hôtel, se tenait derrière lui. Jeremy laissa échapper un sanglot et, toute dignité oubliée, le prit dans ses bras. Insensible à l'étreinte, le jeune homme resta de marbre. Il vit d'un coup d'œil ses parents immobiles, les sortceliers embarrassés et se dégagea.

— Cela a fini par arriver, n'est-ce pas ? Je savais que cela se produirait. Je savais qu'ils avaient tort d'accepter.

Une immense amertume perçait sous chaque mot. Il traversa le salon et s'agenouilla devant ses parents, comme pour une prière ou un pardon.

Jeremy était effrayé, désorienté. Son grand frère avait toujours été là, fort comme un roc, solide comme la terre qu'il labourait pour leurs parents. À l'école, c'était lui qui le défendait contre les autres enfants lorsque ceux-ci le chahutaient trop. Et voilà qu'il devait faire face à un étranger, qui caressait doucement le visage de leurs parents, impassible, glacé. À travers sa confusion lui parvint ce qu'avait affirmé Jordan.

— Pourquoi as-tu dit que je n'étais pas ton frère ? balbutia-t-il d'une voix étranglée.

Jordan se retourna d'un mouvement vif et le toisa.

— C'est la vérité. Tu as été adopté. Enfin, confié serait plus juste. Caché même. Et nous nous doutions qu'un jour nous allions payer le prix de notre lâcheté. Ce jour est venu.

— Je ne comprends pas, intervint Fabrice, car Jeremy, suffoqué par l'émotion, n'arrivait plus à parler. Quel prix ?

— Nous avons à parler, répondit Jordan. Asseyez-vous.

Le dragon comme la puissante sortcelière obéirent au jeune homme qu'ils auraient pu pulvériser d'une simple pensée. En dépit de son jeune âge, il émanait de lui une autorité rare.

Jordan commença son récit, adoptant sans effort le rythme fluide des bons conteurs.

— Tout ceci est arrivé il y a quatorze ans. J'avais quatre ans. Mes parents ne parvenaient pas à joindre les deux bouts. Nous avions besoin d'argent pour acheter les nouvelles trayeuses imposées par les services d'hygiène. Notre exploitation menaçait de faire faillite. Mes parents avaient passé une annonce pour louer une partie de la ferme et des pâturages. C'est alors qu'ils se sont présentés, traqués, menacés, à bout : deux Hauts Mages d'AutreMonde !

Maître Chem et Isabella tressaillirent de conserve. Ce nonsos connaissait l'existence de la planète magique ! Jeremy, lui, était suspendu aux lèvres de son frère.

— Menacés ? Mais par qui ?

— Leur nom ? questionnèrent en même temps le dragon et la vieille sortcelière.

— Nous n'avons jamais su qui les traquait, ni pourquoi. Ils s'appelaient Alia et Del'lenvire Bal Dregus. Leur bébé, âgé de quelques mois, se prénommait Jeremy.

— Par mes ancêtres Forgeafeux ! murmura Fafnir dont les yeux brillaient d'intérêt. Quelle histoire ! 'lenvire Bal Dregus, c'est un nom omoisien, n'est-ce pas ?

— Les Bal Dregus font partie de la petite noblesse d'Omois, confirma Moineau, la spécialiste des pays d'Autre-Monde. Il s'agit d'une ancienne famille. Toutefois, je n'ai jamais eu vent d'une disparition ou d'un scandale. Pourquoi donc Alia et Del ont-ils éprouvé le besoin de se réfugier sur Terre ?

— Je l'ignore. Ils avaient beaucoup d'or, continua Jordan. Ils ont payé au-delà de ce que mes parents demandaient. Ils ont aussi précisé que nous devions faire comme s'ils n'étaient pas là et ne jamais mentionner leur nom ou leur présence. Ils ont réglé d'avance deux années de loyer, plus deux années d'approvisionnement, auxquelles s'ajoutèrent quatre années de bonus. Ils se fichaient de la valeur des choses comme s'ils n'en avaient pas vraiment conscience. Nous avions deviné qu'ils fuyaient quelqu'un et qu'ils étaient étranges. Ce n'est que quelques mois plus tard que nous avons compris à quel point, au moment où Jeremy fit quelque chose d'impensable. Nous étions dans le salon et une mouche agaçait le bébé. Il a agité la main et un rayon bleu en a surgi, foudroyant l'insecte et un bout du toit par la même occasion !

Maître Chem sauta sur ses pieds.

— Impossible ! rugit-il. Les bébés ne font pas de magie !

— Pourtant, fit observer Fabrice, lorsque Tara a été transformée en bébé, elle en a fait ! Si Jeremy a été modifié génétiquement de la même façon, il en est également capable !

Le dragon foudroya Fabrice du regard, mais le jeune Terrien avait raison. Il se rassit, ébranlé.

— Par toutes les vaches de la Terre ! grogna-t-il. Continuez votre récit, jeune nonsos !

— Del et Alia étaient horrifiés. Ils ont voulu nous lancer ce que vous appelez un « Mintus » afin de nous faire oublier la scène. Mais pour une mystérieuse raison, cela n'a pas fonctionné.

— Allons bon ! grinça Isabella qui avait envisagé d'appliquer le même traitement à Jordan. Des NM !

— Des quoi ? interrogea Tara, qui n'avait jamais entendu ce terme.

— Des Non-Manipulables ou NM. Ce sont des sortceliers ou des nonsos qui sont insensibles à la magie d'autrui. On ne peut modifier leurs souvenirs avec nos pouvoirs. Sophie Audouin-Mamikonian qui écrit ta biographie est une NM. Il n'y en a fort heureusement pas beaucoup sur Terre comme sur AutreMonde, mais suffisamment pour que ce soit ennuyeux.

— Ils avaient trois options, reprit gravement Jordan. Nous tuer. Tout nous révéler et s'enfuir. Ou nous acheter. C'est ce qu'ils ont choisi : gagner notre silence en échange de plus d'or et de joyaux que nous n'en avions jamais vu. Mes parents voulaient la meilleure éducation pour moi, le confort, les médecins les plus réputés. Tout ce qu'ils ont fait, ils l'ont fait pour moi, à cause de moi. Ce jour-là, ils ont juré de garder le secret des deux mages. Pendant un an, rien de notable n'est advenu. Jeremy et moi avons grandi et la peur que mes parents éprouvaient a fini par se diluer dans la routine de la ferme. Alia, qui était une puissante sortcelière, avait réussi à mettre des verrous sur le pouvoir de Jeremy. Il ne fit plus jamais de magie.

— Jusqu'à ce jour, rectifia Fafnir. La maudite magie finit toujours par revenir. C'est lui qui a vaincu la majorité des harpies. Nous n'avons fait que lui donner un coup de main.

Jordan contempla Jeremy avec une expression de dégoût qui blessa le garçon plus sûrement que tous les reproches.

— Je dois admettre que leur magie nous fut utile et mes parents s'entendaient bien avec les deux sortceliers. Puis ces derniers reçurent un appel sur leurs curieuses boules de cristal. Mes parents comprirent que la traque avait repris. L'ennemi de nos hôtes les avait retrouvés. Ils devaient s'en aller le lendemain, avec Jeremy. Lorsque nous nous éveillâmes, ils étaient partis, mais sans le bébé. Nous avons trouvé un mot expliquant qu'ils nous le confiaient et qu'ils reviendraient bientôt le chercher. Depuis, nous n'avons eu aucune nouvelle. Le message était accompagné de plusieurs pierres que nous devions placer dans les hôtels des environs. Seuls des sortceliers les verraient comme des pierres radieuses et illuminées, ce qui nous permettrait de repérer les AutreMondiens présents dans la région. C'est ainsi que j'ai deviné que vous étiez des sortceliers. Je vous ai suivis, mais vous avez utilisé vos pouvoirs pour disparaître. Le temps que je comprenne qu'il y avait un problème à la ferme, je suis arrivé trop tard.

Jeremy était assommé par le choc.

— Mes parents n'étaient pas mes parents et ils ne sont pas morts ! Je ne comprends plus rien.

— C'est pourtant simple, répondit Jordan, toujours aussi froid. Tu n'es pas mon frère, même si j'ai veillé sur toi pour respecter la parole de mes parents, qui m'ont chargé de ta protection alors que j'étais très jeune. Ils savaient qu'un jour ou l'autre tes parents ou ton ennemi réapparaîtraient. Tu avais besoin de quelqu'un de fort avec toi.

La révélation illumina le visage de Jeremy.

— C'était donc pour ça ! Les arts martiaux, les exercices, le travail avec les armes !

— En dehors du mot et des pierres magiques, tes parents avaient laissé encore plus d'or et de joyaux afin de subvenir aux besoins de toute la famille. Mes parents ont décidé qu'ils ne pouvaient se contenter d'en vivre. Ils voulaient le mériter. Ils ont fait de moi une sorte de garde du corps. Et juste au moment où ils ont eu besoin de moi, je n'étais pas là !

Sous l'armure de glace, ils perçurent la faille béante du chagrin. Mais le garçon reprit très vite son masque et ses larmes ne coulèrent pas.

Manitou renifla, ému, et secoua la tête.

— Vous avez mérité la moindre pièce d'or, le moindre rubis. Vos parents et vous-même fûtes des gens honnêtes, jeune Jordan, et au nom des sortceliers d'AutreMonde je vous en remercie. Ne vous accablez pas. Même si vous aviez été ici, armé de toutes les mitraillettes de ce monde, vous n'auriez pas empêché vos parents de se faire tuer. Ce qui était écrit était écrit. À présent, Jeremy, il faut que vous entendiez votre frère, même s'il ne l'est pas par le sang, il l'est par le cœur. Vous devez nous écouter et nous suivre sur AutreMonde. Vous n'avez pas le choix, mon jeune ami, malheureusement.

Jeremy avisa le chien, bouche bée.

— Vous parlez ?

— Et je suis un chien, oui, cela surprend. Une petite erreur de manipulation. Bref, que choisissez-vous ?

Jeremy contempla le garçon qui n'était plus son frère, les corps inanimés de ceux qu'il avait choyés comme ses propres parents et eut un soupir navré.

— Vous avez raison, Maître chien. Je dois retrouver mes vrais parents. Je suppose qu'ils sont quelque part sur Autre-

Monde. S'ils étaient sur Terre, ils seraient venus me chercher depuis longtemps.

— Nous devrions rester encore un peu ici, intervint le dragon. Il se passe des choses curieuses sur ce site, j'aimerais enquêter sur les sautes de magie qui se produisent autour des mégalithes.

Isabella le regarda comme s'il lui avait poussé une seconde tête.

— Mais qu'est-ce que tu racontes, Chem ? Il est hors de question de demeurer dans cet endroit plus longtemps ! C'est décidé, nous partons.

À leur grande surprise, le dragon protesta. Isabella fut intraitable. L'affrontement produisit des étincelles mais l'implacable grand-mère de Tara l'emporta. Maître Chem capitula, non sans lui avoir jeté un regard agacé.

— Puisque vous êtes décidés, allez-y sans perdre de temps, fit Jordan en se levant. J'appelle des taxis, ils viendront vous chercher pour vous accompagner à l'hôtel. Dès que vous aurez quitté ma ferme, je m'occuperai de mes parents. Jeremy ! Prends tout ce dont tu as besoin. Tu ne reviendras sans doute jamais ici.

— Mais... !

— Ne discute pas ! Je n'ai pas la patience de mes parents. Et ce serait stupide de te faire tuer alors qu'ils viennent de donner leur vie pour toi. Va-t'en, c'est tout ce que je veux.

Et le grand garçon sortit de la pièce, sans un regard pour celui qu'il venait de rejeter.

Jeremy le suivit des yeux. Puis son visage se durcit.

— Je reviens tout de suite, dit-il. J'ai juste besoin de quelques vêtements.

Tara posa sa main sur son bras, le stoppant juste avant qu'il ne sorte de la pièce.

— Ne lui en veux pas, dit-elle doucement. Il est encore sous le choc. D'ici quelques jours, il regrettera de ne pas t'avoir dit au revoir. Tu le reverras. Laisse passer du temps et cela cicatrisera, je te le promets.

— Qu'en sais-tu ? marmonna le garçon en se dégageant.

Je vois bien qu'il me déteste ! Je suis un fardeau dont il a hâte de se débarrasser. Comme si je n'avais pas aimé mes parents autant que lui ! C'est injuste !

Et avant que Tara ne puisse continuer, il se précipita dans les escaliers. Robin, le cœur rongé de jalousie, avait bien noté l'attitude étrange de Tara avec Jeremy. De toute son âme, il espérait qu'il ne s'agissait pas d'un autre sentiment que la compassion !

Tara se retourna. Il voulut aller vers elle, mais elle passa, préoccupée, sans lui prêter attention. Il serra les dents. Depuis qu'elle l'avait embrassé, il s'était produit deux choses : il avait perdu son âme, qui appartenait dorénavant à Tara, et celle-ci avait adopté une attitude déconcertante. Il fallait qu'il parle à Fabrice, qui connaissait les Terriennes mieux que lui. Peut-être saurait-il expliquer l'étrange comportement de la jeune fille ?

Jeremy revint vite, traînant une lourde valise.

— Je suis prêt, dit-il.

— Les taxis sont là, cria Jordan de l'extérieur de la maison.

Sans regarder celui qui avait été son frère, Jeremy s'engouffra dans la voiture. Tara vit Isabella parler un moment avec Jordan et lui remettre quelque chose, puis la vieille sortcelière les rejoignit. Pendant tout le trajet, Jeremy garda le silence, contemplant le paysage de son enfance. Il faisait ses adieux, et tous le laissèrent tranquille. Quelques minutes après, ils rejoignirent leur hôtel.

Lorsqu'ils pénétrèrent dans le hall, ils firent la connaissance de la femme d'Igor. Une géante, aussi poilue que son époux était glabre, aussi immense qu'il était minuscule, aussi droite qu'il était bossu. Son visage, ni laid ni beau, n'avait rien de remarquable. Seule sa taille était phénoménale, elle devait atteindre les deux mètres.

— Par mes ancêtres ! grogna Fafnir en se tordant le cou, cessez de prétendre qu'il n'y a ni trolls, ni géants sur cette planète !

— Bonjour ! fit gracieusement la géante. Je suis Esmeralda. Igor m'a parlé de vous. Bienvenue au Château des Fantômes, nous sommes ravis de vous accueillir. Que puis-je pour votre confort ?

Fabrice écarquilla les yeux. Super, après *Frankenstein*, ils avaient droit à *Notre-Dame de Paris*. Qu'y aurait-il ensuite ? La Reine de Cœur ? Cet endroit n'avait décidément rien de banal.

— Nous dire au revoir ! intima calmement Isabella, interrompant la rêverie de Fabrice. Nous quittons votre hôtel.

— Comment ? Mais vous aviez réservé pour une semaine !

— Nous allons vous régler, bien évidemment ! rétorqua Isabella. Allons faire nos bagages, nous n'avons plus rien à faire ici.

Tara se demanda pourquoi la femme avait l'air aussi ennuyée. Pourtant ils allaient lui payer la totalité de leur séjour !

Ils n'avaient pas eu le temps de déballer leurs affaires, aussi les ranger ne fut-il pas long. Ils descendirent. Esmeralda et Igor les attendaient.

— Vous pouvez mettre les bagaves dans le grand falon, leur indiqua Igor. Ve vais vous préparer la note tout de fuite.

Ils obéirent. Le grand salon était à l'image du reste de l'hôtel, humide et sombre. Les photos de clients posant à côté d'Igor et d'Esmeralda trônaient à côté de la cheminée, recouvrant tout le mur du fond. Isabella se penchait pour poser un sac, lorsqu'elle pâlit. Juste devant elle, sur l'un des clichés, un groupe d'inconnus la dévisageait en souriant.

Bousculant Tara, elle se précipita comme une folle sur la photo et l'arracha du mur.

— Grand-Mère ? interrogea Tara. Qu'y a-t-il ?

Isabella arrêta sur elle un regard aveugle, en murmurant :

— Par tous les démons de l'enfer ! C'est impossible !

Elle sortit du salon et attrapa Igor par le col, le soulevant de terre.

— Qui êtes-vous ? C'est un piège, n'est-ce pas ? Qu'avez-vous fait de lui ?

Terrorisé, Igor postillonna :

— Ve fuis Igor Bordure, ve n'ai pové aucun piève et ve ne comprends pas, lâfez-moi !

Sa femme surplomba Isabella de toute sa masse.

— Je vous prie de cesser de molester mon mari, dit-elle posément. Je n'aime pas qu'on l'agresse.

Isabella laissa le petit homme retomber sur ses pieds.

— Et moi, siffla-t-elle, ses yeux lançant des éclairs, je n'apprécie guère qu'on essaye de me manipuler. Alors vous allez m'expliquer ce que c'est que ceci (elle brandit la photo sous le nez de la géante), et vite, avant que nous le regrettions tous. Surtout vous.

— Quel est le problème ? répliqua l'hôtesse, en levant un sourcil étonné.

— Je vois sur cette photo qu'elle a été prise l'année dernière, répliqua Isabella. Et ce n'est pas possible !

— Mais enfin, s'exclama Igor qui perdait patience, de quoi voulez-vous parler ?

— Cet homme, désigna Isabella en pointant le doigt vers un bel homme à la conquérante moustache de mousquetaire, a disparu depuis vingt et un ans. C'est mon mari !

Chapitre XIX

L'ÉNIGME DE L'ARAGNE
ou comment éviter de jouer au plus malin
avec une araignée géante

Cal se débattit. Les monstrueuses mandibules s'abaissèrent, l'emprisonnant, l'aragne extruda une soie épaisse et collante et ligota étroitement son prisonnier. C'était fini. La gigantesque bête velue agita sa queue de scorpion d'un air menaçant lorsqu'il tenta de s'échapper.

— Tranquille il faut te tenir, si tu ne veux pas mourir, gronda-t-elle d'une voix mélodieuse. Une énigme tu dois trouver, et ainsi te libérer. Srr est le nom auquel je réponds.

Cal hocha la tête. L'aragne l'avait à demi assommé alors qu'il cheminait dans la forêt en direction du village où se trouvait probablement Eleanora.

Profondément concentré sur le discours qu'il préparait à l'intention de la belle Voleuse, il n'avait pas prêté attention aux frémissements de la voûte des Géants d'acier rouges au-dessus de lui. Il maudit sa distraction.

Dans les forêts magiques et sauvages d'AutreMonde, c'était l'erreur à ne pas commettre. Pourtant Blondin, son Familier, avait glapi un avertissement, évitant de justesse le premier flot de toile gluante. Incapable d'affronter l'énorme aragne, il avait déguerpi, sur l'ordre de Cal. Et maintenant, Cal était prisonnier, ficelé comme un rôti, prêt à être dégusté en amuse-gueule par un croisement entre une araignée géante intelligente et un scorpion. Soudain, ce qu'avait dit Srr le fit tiquer.

— Ehhhh ! Normalement ce sont des charades qu'il faut trouver, non des énigmes ! C'est de la triche !

L'aragne agita ses gigantesques mandibules et son dard de queue cliqueta.

— Ainsi dans la modernité, les aragnes se sont plongées !

C'était vrai. Profitant de leur voix merveilleuse, digne des sirènes de l'océan des Brumes, certaines aragnes avaient même monté des groupes de R&B, de soul ou de rock qui faisaient un tabac sur AutreMonde. Les « Volubiles Velues » en particulier déchaînaient les foules. Mais en cet instant, Cal aurait préféré que l'aragne soit moins dans le coup. Il aurait dû se douter qu'elle était spéciale rien qu'à voir le plaid tissé d'un rouge cru et d'un vert aveuglant qui ceignait son abdomen. Sur son dos lisse et soigneusement rasé, les deux couleurs juraient affreusement. Les autres aragnes ne s'habillaient pas, même si elles aimaient les bijoux.

— Super, marmonna Cal, une originale ! Il ne manquait que ça pour que ma vie devienne *vraiment* intéressante (il soupira). Bon, vas-y, puisque je n'ai pas le choix !

Srr cligna ses huit yeux verts.

— Jusqu'à cent je vais compter, le temps qu'il faut pour trouver, l'énigme est facile, si tu n'es pas débile : Je suis le blé et le sel de la terre, Je suis aussi poussière, À la folie je prétends, En décomptant le temps. Qui suis-je ?

Cal regretta amèrement de ne pas avoir Fabrice sous la main. Bon sang, le spécialiste des charades, énigmes et autres devinettes, c'était le Terrien, pas lui ! Il se tortura l'esprit, tandis que l'aragne, ses mandibules claquant d'excitation, comptait lentement.

— Le blé et le sel de la terre, les êtres humains ? non. Le sel de la Terre, ça veut dire quelqu'un de précieux, qui tombe en poussière, une momie ? Une momie folle qui sème du blé avec une montre ?

L'aragne émit un petit ricanement et poursuivit son méthodique décompte. Le chiffre effarant de 63 fut atteint et tout ce que Cal avait proposé avait été rejeté. Ni lapin géant, ni insecte mangeur de poussière, ni plante mutante ne trouvèrent grâce aux huit yeux verts de l'aragne. Tout en cherchant, Cal gigotait pour récupérer la lame qu'il portait attachée à son avant-bras, mais l'aragne, maligne, l'avait étroitement ligoté. Le cœur battant, il refusa de s'avouer vaincu. Le chiffre fatidique arriva à son terme. Il n'avait pas deviné la solution.

— Ainsi l'énigme n'est pas solutionnée, je vais pouvoir te déguster !

— Attends, attends, cria Cal, j'y suis !

Les mandibules s'immobilisèrent à un petit millimètre de son corps.

— Tu dis avoir trouvé ? Je suis vraiment étonnée !

— Oui, oui, c'est... c'est Drrr !

L'aragne secoua sa tête.

— La réponse n'est pas là, et cette faute te tuera !

Cal désigna du menton quelqu'un derrière l'aragne et s'exclama :

— Non, je voulais dire : « Bonjour, Drrr ! ».

Trop occupée à faire suer d'angoisse sa proie, l'aragne ne s'était pas aperçue de l'arrivée d'une nouvelle venue, escortée par Blondin. Elle se retourna vivement, mandibules et dard dressés, en posture d'attaque.

— Ici est mon territoire ! Ceci est ma mangeoire !

Drrr, l'alliée de Cal au sein du peuple arachnéen, imposante et digne, s'inclina, faisant cliqueter les nombreux bijoux qui ornaient son torse et ses longues pattes :

— Cal est un ami, ton dîner ici se finit !

— Certainement pas, ton allié est mon repas !

— J'en appelle à nos lois, bats-toi contre moi !

L'aragne prit la mesure de son adversaire et recula.

— Sa place tu dois prendre, et le mystère comprendre ! Me battre je ne peux, mais ta vie je veux !

— Drrr ! hurla Cal. Que fais-tu ?

— Pour t'expliquer, je dois changer mon langage, et m'adapter à ton idiome sauvage !

Drrr s'éclaircit la gorge, marmonna quelque chose, puis reprit la parole, évitant autant que possible les rimes.

— En clair, elle a faim, décrypta-t-elle pour Cal, et je vais prendre ta place pour trouver sa solution. Nos lois sont claires, je peux me battre contre elle, mais si à la place elle propose un concours de charades, je n'ai pas le choix. Pour te sauver, il me faut accepter !

— C'est hors de question ! s'écria Cal en se débattant de plus belle, je ne te laisserai pas faire !

— Tu es mon ami et mon frère de sang. Sans toi, je ne serais plus vivante, mon allergie m'aurait tuée. Je te dois ma vie, Cal, ceci est une bonne occasion de payer ma dette.

En dépit des hurlements de protestation de Cal, Drrr le délivra, tranchant aisément ses liens, et se laissa ligoter par l'aragne satisfaite. Cal, fou de rage, allait carboniser son adversaire mais Drrr l'en empêcha, revenant aux rimes.

— Cal, retiens ton feu vengeur, sache que je n'ai pas peur. Mais si tu me sauvais, paria parjure je serais, rejetée par les miens, honnie par les tiens. À toutes ses charades, je saurai trouver parade !

— Mais c'est bien ça, le problème ! protesta Cal, elle ne fait pas de charades, elle m'a imposé une énigme !

Drrr s'ébroua dans ses liens, surprise.

— Ceci est déloyal ! Tricher, c'est mal !

— Ceci n'est point tricher, l'énigme il faut trouver ! Est-elle intelligente ou simplement démente ?

Cette fois, elle parvint à énerver Drrr. La grosse aragne faillit bien faire sauter les liens qui la retenaient et l'autre recula, apeurée.

— Le Conseil sera informé, feula Drrr, de ton indignité ! Donne-moi ton énigme, ce nouveau paradigme ! Et si je suis vainqueur...

— Crois-moi je n'ai pas peur !

— Je croquerai ton cœur ! termina Drrr avec une sombre satisfaction.

Ce fut une Srr beaucoup moins sûre d'elle qui psalmodia l'énigme.

— Jusqu'à cent je vais compter, le temps qu'il faut pour trouver, l'énigme est facile, si tu n'es pas débile : Je suis le blé et le sel de la terre, Je suis aussi poussière, À la folie je prétends, En décomptant le temps. Qui suis-je ?

Drrr ferma ses huit yeux, méditant l'étrange devinette. L'autre aragne entama son décompte et Cal nota qu'elle allait nettement plus vite que pour lui. Le chiffre cent approchait à une vitesse vertigineuse lorsque Drrr rouvrit ses yeux et fixa l'aragne.

— De compter tu peux arrêter. Ta petite énigme j'ai élucidée.

— C'est aussi ce qu'a dit, ton si cher ami ! ricana, moqueuse, la seconde aragne.

— De poussière ou de blé, de folie, de sel ou de sable, il est l'indispensable, le grain, sans qui nous ne sommes rien !

L'aragne tressaillit, puis répondit, maussade.

— Je le regrette, c'est trop bête, tu as trouvé, et l'énigme solutionnée !

Cal se mit à sauter de joie.

— Ouuuuiiii ! Elle l'a fait, elle est la meilleure, elle est la plus forte c'est D, c'est R, c'est R, c'est R, c'est DRRR !

Les deux aragnes regardèrent sa danse de la victoire avec une égale curiosité.

— J'ai bien fait de ne pas le croquer, ton ami semble sérieusement dérangé ! observa la seconde aragne en délivrant Drrr puis en reculant prudemment. Brisons là nos chemins, tu ne me dois plus rien.

Drrr se débarrassa délicatement de la toile qui maculait encore son thorax, puis se rapprocha de l'aragne.

— Mais il me faut tenir ma promesse, et qu'ici ta vie cesse !

Et avant que l'aragne ne puisse esquisser un geste, Drrr bondit et lui trancha proprement la tête.

Le sang gicla, le corps fut agité de soubresauts, puis s'affaissa lentement, les pattes battant encore alors que l'aragne était déjà morte. Ce spectacle arrêta net Cal dans sa danse. Il resta un instant un pied en l'air, puis le reposa doucement.

— Eh bien ! Tu étais en colère, Drrr, rappelle-moi d'éviter de t'offenser à l'avenir.

— Celle-ci n'a pas respecté les règles de notre communauté. En vérité j'étais en mission, pour notre dominion.

— Euh, oui, certes, si tu pouvais parler comme nous, les sauvages, crois-moi, ce serait plus facile à comprendre.

La grosse aragne eut l'air dégoûté, mais obéit.

— Beaucoup d'êtres conscients sont capturés par les aragnes, expliqua-t-elle. Les charades sont une résurgence d'ancien temps, où nous faisions la guerre aux humains, qui tentaient d'envahir notre territoire. Nous posions des questions, vous ne pouviez répondre, nous vous mangions. Puis nous avons signé un traité. Nous conservons le droit de vous soumettre des charades, mais nous devons éviter de vous dévorer, même si vous ne trouvez pas la solution. C'est... une sorte de jeu.

Cal frissonna.

— Un jeu ? Je ne crois pas qu'elle voulait jouer avec moi, Drrr, elle avait la ferme intention de me manger !

— C'est exact. Celle-ci avait enfreint les règles, elle proposait des énigmes et des charades trop difficiles à résoudre en si peu de temps, surtout pour les humains fragiles et émotifs. Elle a donc tué beaucoup des vôtres, des plaintes ont été adressées à mon gouvernement. Nous avons décidé d'enquêter. J'étais à sa poursuite lorsque je suis tombée sur Blondin qui glapissait dans la forêt. Il m'a reconnue et m'a fait signe de le suivre. Mais que venais-tu faire dans notre contrée, Eleanora tu cherchais ?

— Absolument. Depuis que tu m'as indiqué qu'Eleanora, la jeune Voleuse Patentée qui a essayé de m'assassiner, se trouvait à Smallcountry, j'ai décidé de la retrouver.

— Oh ! Et donc, tu la traquais ?

Cal décida d'être franc avec celle qui venait de lui sauver la vie.

— En fait, j'envisage plutôt d'en faire ma petite copine... enfin, après lui avoir fait passer cette envie de me tuer.

— Explicite « petite copine », s'il te plaît, ami Cal.

Aïe. Il aurait mieux fait de se taire !

— Je veux sortir avec, dit-il avec embarras, l'embrasser, je suis amoureux d'elle, quoi !

L'aragne ne paraissait pas plus avancée. Laborieusement, Cal entreprit de lui décrire les arcanes de l'amour humain. L'aragne finit par adopter un air proche de la perplexité.

— Tu veux dire que vous ne disposez d'aucun signe vous permettant de savoir si c'est la bonne ara... femelle ? Pas de phéromones, pas de poils dressés, rien ? Mais c'est de la folie ! comment votre espèce a-t-elle survécu ?

— Crois-moi, on se pose tous la question ! Bon, je n'ai pas envie de servir d'apéritif à une autre de tes copines, pourrais-tu m'accompagner jusqu'à la lisière de la forêt, s'il te plaît, Drrr ?

— Avec plaisir mon ami, j'en serais ravie ! Alors, maintenant, parle-moi de ta mission et de cette « petite copine ».

Cal ne se fit pas prier et Drrr eut droit aux plus infimes détails. L'aragne fut impressionnée par les scénarios que Cal avait imaginés pour conquérir sa belle... et éviter de se faire tuer.

Les forêts bleu et rouge d'AutreMonde défilèrent pendant qu'il lui racontait sa vie. Ils évitèrent une colonie de blurps, les plantes carnivores, souvent utilisées comme poubelles sur AutreMonde, et contournèrent un champ d'astophèles, pour ne pas perdre pendant quelques jours l'usage de leur odorat. Deux chatrix dévisagèrent Cal d'un air gourmand avant de détaler en apercevant Drrr. Ils entendirent le rugissement d'un draco-tyrannosaure, mais l'énorme carnivore vert taché de pourpre les laissa tranquilles. Une prrout d'un jaune morveux sentit leur approche et exhala une forte odeur de viande pourrie afin de les attirer mais, n'étant pas des charognards, ses proies favorites, ils l'ignorèrent.

Ils arrivèrent enfin en bordure du village où Eleanora s'était peut-être réfugiée et Drrr dit au revoir à Cal, avec la promesse de revenir le voir. Il entra dans la première auberge qu'il rencontra... Rectification, dans la seule auberge du coin.

Smallcountry n'était pas un territoire aussi considérable qu'Omois, qui couvrait un continent, mais sa taille était suffisante pour accueillir d'autres races que les gnomes, les lutins et les fées, en plus d'innombrables insectes géants, le plus souvent carnivores. Dans la salle de l'auberge, deux nains et un elfe éclusaient des boissons inidentifiables, une demi-douzaine de gnomes sautaient autour d'une table éclairée par des fées multicolores. La paille au sol était souillée, mais les assiettes étaient propres. Le propriétaire de l'auberge, un salterens corpulent à la crinière emmêlée, essuya le comptoir et demanda à Cal :

— Que ta magie illumine, sortcelier, qu'est-ce que je peux te servir à boire ?

— Et qu'elle protège le monde. Je ne cherche pas du liquide, mais du solide. Des renseignements, plus précisément.

Aïe ! Deux heures avec une aragne rimeuse, et il était contaminé !

Le grand félin plissa ses yeux ambrés et dévoila un magnifique râtelier de dents jaunes.

— Ça aussi, c'est payant. Que veux-tu savoir ?

— Je cherche une Voleuse, approximativement de ma taille et de mon âge.

— La seule étrangère au village est une vieille femme, qui s'est installée dans l'une des chambres, au premier. Elle a payé une semaine d'avance.

— Ça ne doit pas être elle.

— Montre-moi tes crédits-muts et je te donnerai une information supplémentaire.

Cal activa sa magie, prudent, et sortit un crédit-mut d'argent, de quoi se payer la moitié de l'auberge.

Le salterens l'attrapa, mordit dedans, puis se pencha, soufflant son haleine puante dans le nez de Cal.

— Je croyais que c'était une petite vieille. Mais il y a eu une bagarre hier soir et des poivrots ont cru qu'elle ferait une proie facile. Le temps que je sorte mon marteau de combat, elle en avait assommé deux et le troisième s'enfuyait. Je me suis dit qu'elle était drôlement forte et agile, pour une vieille femme.

Cal recula, puis lui fit un clin d'œil.

— Si c'est elle, tu auras le jumeau de ce crédit-mut. Je reviens.

Et il monta l'escalier à toute vitesse. Sans frapper, il fit irruption dans la chambre. Il y eut un mouvement flou devant lui, il vit Eleanora, qui s'était débarrassée de son déguisement de vieille femme, bondir, puis... se retrouva nez à nez avec un revolver. C'était assez désagréable, à la fois parce que cela le faisait loucher, ensuite parce qu'il allait lui arriver quelque chose de définitif si l'index sur la détente appuyait encore d'un dixième de gramme.

Il avait été menacé par des armes blanches de toutes les formes, par des sorts, visqueux, fatals, bizarres, par des objets contondants, voire tout à fait létaux. Des êtres de toutes tailles et de toutes couleurs avaient tenté de se débarrasser de lui. Mais c'était la première fois qu'il était tenu en joue par une arme forgée sur la Terre... et brandie par une fille dont il était désespérément amoureux.

Très distraitement, il se demanda si sa magie pouvait être plus rapide qu'une balle. Un coup d'œil au visage glacial lui indiqua que non.

Il disposait d'une petite dizaine de secondes avant qu'Eleanora lui explose la tête. Ce serait (enfin, il l'espérait très fort) suffisant.

— Je t'ai pardonné, fit-il très vite. Je ne t'en veux pas.

Cela fonctionna parfaitement. Les magnifiques yeux gris de la sortcelière s'arrondirent d'étonnement et le doigt s'écarta légèrement de la détente.

— Comment ça ? Tu n'as rien à me pardonner, Voleur ! Tu as assassiné mon cousin !

Cal l'observa attentivement, frappé par le manque de conviction de la jeune fille. Une semaine plus tôt, elle l'aurait tué sans hésiter un instant. Là, elle se tenait devant lui, au milieu d'une chambre pouilleuse, braquant son revolver vers lui, mais sans la morgue et l'audace qui la caractérisaient. Elle avait profondément changé depuis leur dernière rencontre. Son visage était marqué, fatigué. Elle avait mauvaise mine et des cernes noirs marbraient ses pommettes hautes.

Derrière elle, un panneau de cristal transmettait les nouvelles, ce qui avait probablement sauvé la vie du jeune Voleur. Car, au prix d'immenses risques, il s'était lancé dans une entreprise démentielle pour sauver Eleanora.

Il avait fait chanter l'impératrice d'Omois.

Enfin, chanter, c'était un bien grand mot. Il avait très respectueusement requis une audience, qui lui avait été accordée en sa qualité d'ami proche de l'héritière impériale.

Au palais d'Omois, Cal et ses compagnons étaient considérés comme persona grata du plus haut grade. Kali, la gouvernante, vouait au Voleur une adoration éperdue pour avoir, à plusieurs reprises, sauvé la vie de Tara.

Une fois franchi le demi-kilomètre de marbre glissant de la salle d'audience, Cal avait pu constater à quel point l'Impératrice paraissait lasse. Il avait perçu aussi le désappointement de la jeune femme à l'idée que Tara ne soit pas sur le chemin du retour.

Elle avait été surprise par sa requête.

— J'ai été victime d'une tentative de meurtre, fomentée par Eleanora, avait-il expliqué. D'autres personnes sont peut-être persuadées que je suis responsable de la disparition de Brandis. J'ai appris par mes contacts (en fait, c'était le Château Vivant qui lui avait montré la bande, en comité privé) qu'il existait un enregistrement de scoops[1] de l'affrontement entre Tara et dame Boudiou, tout spécialement un passage où celle-ci avoue avoir tenté de tuer Tara grâce au vortex qui a causé la mort de Brandis. Je désire que cet enregistrement soit diffusé sur toutes les chaînes de télécristal afin de me laver définitivement de l'accusation. De plus, je souhaite que l'enregistrement de mon procès soit également rendu public, avec

---

1. Les petites caméras ailées, prêtes à tout pour filmer la bonne image sous le bon angle, se trouvaient par hasard sur les lieux de la bagarre entre Tara et dame Boudiou. Elles sont détestées par les courtisans, parce qu'elles sont toujours là lorsqu'ils essaient de fomenter des affaires rémunératrices et illégales.

démonstration du sort qui m'a été jeté et qui a empêché les Diseurs de Vérité de confirmer mon innocence, ce qui a entraîné mon emprisonnement. Dans vos prisons.

Il jouait gros. Toute l'histoire avait été manigancée par l'Impératrice, pour qu'il finisse par tuer l'oncle de celle-ci, traître à la couronne.

La sentant hésiter, il avait sorti son joker.

— Je ne parlerai pas, bien sûr, de feu votre oncle Bandiou, Votre Majesté impériale, avait-il ajouté. Toutefois, j'ai grandement pâti de cette affaire et veux en être lavé.

Le sous-entendu était clair : « Je tais le fait que tu nous as manipulés pour te débarrasser d'un traître, que nous avons involontairement tué pour ton compte, mais en échange, tu nous blanchis. »

L'Impératrice avait posé sur lui un regard spéculateur et un frisson froid avait couru dans son dos. Les geôles d'Omois étaient profondes et des accidents frappaient ceux qui menaçaient la sécurité de l'empire. Mais Lisbeth savait à quel point Tara aimait Cal et n'avait pas envie d'ébranler le fragile statu quo entre elle et sa nièce. Elle avait gracieusement obtempéré.

Le Lancovit avait prêté la bande vidéo à Omois et, depuis, tous les panneaux et les boules de cristal montraient les images, avec toutefois une modification de taille. Dans le film qui passait sur les écrans, c'était Magister qui avait tout manigancé, non Lisbeth. Elle voulait bien rendre service, pas s'accuser devant tout le monde !

Voilà pourquoi Eleanora n'avait pas appuyé sur la gâchette. Elle s'était rendu compte de son erreur et avait appris que la véritable meurtrière de son cousin était déjà punie, d'une façon plus atroce que tout ce qu'elle-même aurait pu imaginer : vidée de son sang par une vampyr !

— Tu sais aussi bien que moi que je ne suis pas responsable de la mort de Brandis, martela Cal. La preuve, j'ai encore une bouche pour me défendre. Alors, si tu posais cet engin, je me sentirais beaucoup mieux.

Il lui dédia son plus beau sourire, espérant une lueur d'humour dans l'œil implacable, mais en vain. La jeune fille aux cheveux et vêtements noirs le regardait comme s'il était un cancrelat... ou pire.

— Je connais toutes les ruses des Voleurs Patentés, fit-elle remarquer, je te rappelle que j'en suis une aussi. Et tes discours de beau parleur ne me feront pas changer d'avis.

— Merci pour le « beau », sourit Cal, et ce n'est ni une ruse, ni un piège. Voyons, Eleanora, pourquoi refuses-tu de faire la paix avec moi ?

Ébranlée, la jeune fille soupira.

— Voleur, admettons que tu sois innocent, ce dont je ne suis pas convaincue. Quoi que je fasse, avoir attenté à la vie de l'héritière impériale est passible de mort. À l'heure qu'il est, toutes les polices d'AutreMonde doivent être à ma recherche. D'ailleurs, comment m'as-tu retrouvée ?

Cal eut un ricanement.

— Ce ne fut pas difficile. La fête des mères tombait hier. Ta maman est une Paci, qui souffre du fait que sa fille est devenue une Voleuse Patentée. Je me suis douté que tu enverrais un cadeau. Tu as employé quantité de Transmitus pour qu'on ne retrouve pas l'endroit d'expédition. C'était malin, mais pas suffisamment. Grâce à un contact chez les aragnes, j'ai localisé ta présence dans ce village de Smallcountry. En bas, il m'a suffi de préciser que je cherchais une Voleuse Patentée comme moi, et hop ! on m'a indiqué la chambre où tu te cachais. Évidemment, je n'avais pas prévu l'arme à feu. Ce n'est pas interdit, sur AutreMonde, ces trucs-là ?

Eleanora eut un rictus.

— Plus ou moins. Tu as bien failli y passer tout de même, ce n'était pas très malin de ta part de faire irruption dans ma chambre !

— Oui, soupira Cal. J'ai vu. Tu es drôlement rapide, dis donc !

La jeune fille redressa fièrement la tête.

— Je suis aussi bonne que toi.

Cal écarta les mains.

— C'est probable. Je ne suis pas en concurrence avec toi.

Je veux juste que tu me considères comme un ami, pas comme un ennemi !

— Pourquoi ?

Cal rougit et, pour la première fois de sa vie, ne sut que répondre. « Parce que je suis dingue de toi » lui paraissait un tantinet prématuré. « Parce que je veux te sauver et te protéger jusqu'à la fin des temps » était prétentieux... d'autant qu'elle était parfaitement capable de se protéger seule. Bon, va pour un juste milieu.

— Euh, parce que je t'aime bien ?

Eleanora eut un regard incrédule.

— Tu m'as suivie jusqu'ici, remarqua-t-elle, tu as fait passer l'histoire de dame Boudiou sur toutes les chaînes d'Autre-Monde, ce qui, je suppose, a manqué déclencher un incident diplomatique entre le Lancovit et Omois, enfin tu as risqué ta vie, juste parce que « tu m'aimes bien » ? Je ne te crois pas une seconde. Qu'attends-tu de moi ?

— J'attends bien quelque chose, en effet, répondit Cal.

— Ah, ah ! Je m'en doutais ! Allez, Voleur, annonce tes conditions.

— Premièrement, je veux que tu ranges cette arme, tu vas finir par blesser quelqu'un, et comme ce sera probablement moi, on va le regretter tous les deux. Ensuite, je voudrais que tu m'appelles Cal. Voleur fait péjoratif. Enfin, je veux que tu rentres chez toi t'excuser auprès de ta mère de l'avoir fait souffrir en devenant soudain l'ennemie publique numéro 1 d'Omois.

Elle le dévisagea, stupéfaite.

— C'est tout ?

— Absolument, confirma Cal en se retenant pour ne pas ajouter : « Et si tu pouvais m'embrasser aussi, ce serait bien. » Il n'avait pas envie de se prendre une baffe... ou une balle !

Pendant une seconde, des vagues d'émotions diverses, doute, crainte, espoir, jouèrent sur le visage de la jeune Voleuse. La fatigue l'emporta. Elle baissa son revolver (au grand soulagement de Cal) puis s'assit sur son lit.

— J'ignore si je peux te faire confiance. Il y a peut-être

une escouade d'elfes policiers en train d'attendre derrière la porte, mais j'en ai assez de cette affaire. Si tu avais vraiment été coupable, rien ni personne n'aurait pu te protéger de ma fureur. Mais j'ai bien vu que l'attitude de Brandis n'était pas normale et j'ai constaté la présence du sort sur les films. D'ailleurs, tu n'as pas le niveau requis pour résister à la télépathie des Diseurs de Vérité. J'en ai conclu que tu avais été manipulé, tout comme moi.

Le regard du garçon se fit aigu.

— Comment cela ?

— Je ne suis pas parvenue toute seule à la conclusion de ta culpabilité. On m'y a aidée !

Cal s'assit sur le lit à son tour.

— Qu'est-ce que c'est encore que cette histoire ?

— Un paquet est parvenu à la maison, à mon intention. Je venais de rentrer de l'université des Voleurs Patentés d'Omois. À l'intérieur se trouvait un document te désignant comme un manipulateur sournois qui avait échappé à la justice. J'étais tellement triste de la mort de Brandis ! J'ai avalé l'hameçon, l'appât et la canne d'un coup. Je ne sais ce qui m'a pris. Je me suis sentie envahie d'une terrible colère, d'un désir de vengeance fanatique. J'ai emménagé chez mon oncle et ma tante et j'ai mis au point mon plan pour te tuer.

Cal réfléchit.

— Notre formation de Voleur nous pousse à analyser froidement toutes nos actions. Ta réaction était excessive. Il devait probablement y avoir un sort dans le paquet, un sort de rage ou un truc dans le genre. Tu as toujours ce document ?

— Il était précisé que je devais le détruire, ce que j'ai fait.

Cal n'en revenait pas qu'on essaye de l'assassiner, lui.

— D'habitude, c'est plutôt Tara qu'on essaye d'éliminer, fit-il remarquer, pourquoi quelqu'un s'en prendrait-il à moi ?

— Tu n'as pas d'ennemis ?

Le garçon se tortilla, embarrassé.

— Euh, j'ai barboté deux-trois babioles ici ou là, quelques gouvernements m'en veulent peut-être, mais pas au point de machiner quelque chose d'aussi compliqué ! Même Magister n'a pas l'esprit si tordu. Il va falloir que j'enquête.

— Il n'en est pas question, rétorqua Eleanora en se relevant brusquement. C'est moi qui ai été bernée, c'est moi qui vais m'en charger. Et celui ou celle qui a manigancé ceci va s'en repentir. Amèrement.

Cal voulait bien la croire. Elle était incroyablement maligne et dangereuse. Ah oui, et belle aussi. Belle à en mourir. Il déglutit. Bon, il fallait qu'il se sorte ces idées de la tête avant de la perdre totalement.

— Mais ce sera dangereux, protesta-t-il. Si tu tentes de démasquer le comploteur, il devra t'éliminer !

— Certes. Il me faudra me montrer plus rapide que lui. Et je dois te dire quelque chose.

Le cœur du garçon faillit cesser de battre. Elle se pencha vers lui, se rapprochant à le toucher. Et plongea ses magnifiques yeux gris dans les yeux tout aussi gris de Cal.

— Je regrette, murmura-t-elle.

Cal déglutit.

— Tu regrettes quoi ?

— D'avoir tué le snuffy. Tout est allé trop vite. Je n'en voulais qu'à toi. Je suis désolée.

Cal hocha la tête, toute envie de l'embrasser envolée.

— Oui, dit-il tristement, c'était un brave snuffy, courageux et fidèle. Il a été victime de Magister, puis de celui qui t'a piégée. Moi aussi, je suis désolé.

Elle se redressa, le regard insondable.

— Cette mort sera vengée. Puis-je sortir sans me faire arrêter ?

— La grâce impériale t'a été accordée. J'ai sur moi un document l'attestant. Je dois juste envoyer un signal...

— À qui ? s'inquiéta Eleanora. Pourquoi ?

— Un signal indiquant que tout va bien et qu'ils doivent diffuser l'annonce de ton pardon sur les chaînes. Je ne veux pas que tous les chasseurs de prime d'AutreMonde te courent après !

Méfiante, la jeune fille préféra masquer sa sombre beauté

sous l'apparence d'une vieille femme. Elle régla l'aubergiste, Cal rajouta le crédit-mut promis et ils partirent ensemble pour Omois. La traversée de la forêt sauvage ne fut pas difficile, Drrr ayant fait passer la consigne. Nulle aragne ne s'amusa avec eux. Une fois à Smallville, la capitale de Smallcountry, le pays des gnomes bleus, des lutins verts et des fées, ils rejoignirent la Porte de Transfert de l'ambassade du Lancovit et, quelques instants plus tard, ils étaient au palais impérial d'Omois.

Le cercle des gardiens resserra ses lances autour d'eux dès qu'ils se rematérialisèrent. La jeune fille déglutit lorsque les pointes acérées s'immobilisèrent à un millimètre de son nombril. Dame Kali, la gouvernante du palais, la toisa, méprisante, ses six mains sur les hanches.

— Tiens, tiens ! fit-elle. N'est-ce pas la traîtresse qui a essayé d'assassiner l'héritière impériale ?

Cal était intrigué. Eleanora portait son déguisement.

— C'est bien elle. Comment le savez-vous ?

— Notre service gadgets et espionnage nous a munis de lentilles de détection de sorts. Il perce spécialement les sorts de déguisements. C'est bien utile aux gardiens des Portes.

Évitant tout geste brusque, Cal présenta la grâce impériale.

— Eleanora Manticore a été manipulée. Voici le document l'attestant. J'ai également envoyé le signal la blanchissant de toute accusation. Vous ne l'avez pas reçu ?

— Non, ou peut-être que si, je n'ai pas regardé les panneaux de cristal ces dernières minutes.

— Eleanora est revenue au palais pour mener une enquête, expliqua Cal. Il semble que quelqu'un ait tenté de la manœuvrer, et moi aussi par la même occasion.

Eleanora le foudroya du regard. Ce n'était pas le moment de donner des indices à qui que ce soit ! Ils ignoraient encore qui étaient les coupables. Kali, gouvernante du palais sous les ordres de dame Auxia, était suffisamment puissante pour avoir monté cette machination. En fait, tout le palais était suspect. À quoi jouait donc Cal ? Celui-ci évita ses yeux et continua :

— C'est une excellente Voleuse Patentée, je lui fais confiance. Elle ne faillira pas.

Eleanora fut aussi surprise que dame Kali. La jeune fille regarda Cal avec perplexité. Si elle comprenait bien ce qu'elle venait d'entendre, il la désignait comme cible, ou plutôt comme appât à un assassin potentiel, ce qui était une grande marque de confiance de sa part. Cela signifiait qu'il l'estimait assez forte pour s'en sortir. Parfait. Elle ferait honneur à sa stratégie.

— Bien, laissa tomber dame Kali après avoir lu attentivement le document. Je vois que tout est en ordre. Gardes, rompez !

Les lances se relevèrent dans un impeccable ensemble. Les gardes, magnifiques dans leur uniforme rouge et or décoré de l'emblème impérial d'Omois, le paon pourpre, reculèrent d'un pas et les deux adolescents sortirent du cercle des tapisseries de transfert.

Cal avait le cœur crevé de la laisser partir, surtout après ce qu'il venait de faire. Mais il avait compris qu'elle ne lui accorderait sa confiance que s'il lui offrait pleinement la sienne, sans réserve ni a priori. Ce qu'il pouvait réussir, elle en était elle-même capable, peut-être même plus que lui. *Alea jacta est* !

— Maintenant que les choses sont claires entre toi et moi, dit Cal en donnant un morceau de papier à Eleanora, voici mon numéro de boule de cristal. Appelle-moi dès que tu as des nouvelles.

Il n'ajouta rien de plus. Les murs avaient des oreilles sur AutreMonde, et pas toujours de manière métaphorique.

— Je vais chez mes parents, dit simplement la jeune fille. J'ai besoin d'y récupérer des choses, ensuite je reviendrai au palais. Je te tiendrai au courant de mon enquête. Au revoir.

Sans plus se préoccuper de lui, elle s'éloigna d'un pas décidé. Cal bougonna :

— Par mes ancêtres ! J'ai sauvé la peau de cette fille, un petit merci n'aurait pas été de trop. Voire un petit baiser ! pffff ! Ah, les filles !

En se retournant, il se heurta au regard sévère de Kali.

— Vous disiez, jeune Voleur ?

— Oh, rien de particulier, balbutia Cal en rougissant, il faut juste que...

Il n'eut pas le temps de terminer sa phrase. Il y eut comme une explosion, quelqu'un le bouscula, les lumières s'éteignirent, il ressentit une écœurante sensation de translation et se retrouva... ailleurs.

Chapitre XX

Tentative de meurtre
ou comment tenter de se débarrasser
d'un témoin gênant en six leçons

Xandiar était au lit lorsque tout avait commencé. En fait, il rêvait de Séné Senssass. La terrifiante caméléon, chef des services secrets d'Omois, lui faisait l'effet d'un poison. Délicieux au goût, mais absolument fatal. Il rêvait qu'il lui courait après et que, mutine, la belle Séné se cachait dans les bois. Un arbre lui indiquait où elle se trouvait et relevait les branches qui la dissimulaient, un sourire malicieux sur son visage de bois. Il tendait les bras pour l'attraper, elle lui lançait des feuilles dans la figure, il se penchait... et se cassa la figure. Il ouvrit les yeux. Sa chambre avait cru qu'il se réveillait et la lumière venait de s'allumer. Il venait de choir de son lit et seul l'épais tapis avait empêché qu'il ne se fasse mal. Empêtré dans ses draps, il se contorsionna pour se relever, se prit les pieds dans l'enchevêtrement de tissu et retomba. Cela lui sauva la vie. Le Carbonus, sort de feu mortel, le manqua et passa au-dessus de sa tête.

Il se redressa. Une silhouette masquée incantait devant lui, prête à lui lancer un second sort.

On n'estime jamais assez l'intérêt de dormir avec un couteau sous son matelas. Xandiar bondit, attrapa son arme, la lança d'un mouvement fluide et la lame alla se planter dans le cœur de son assaillant. Celui-ci baissa la tête avec stupeur, laissa échapper son sort qui le carbonisa sans permettre à Xandiar d'intervenir. S'abritant le visage de la main tant la chaleur était intense, Xandiar ordonna :

— Chambre, incendie déclaré, tornade d'eau !

La chambre obéit et le plafond s'ouvrit, libérant des litres d'eau qui eurent tôt fait d'éteindre les flammes.

Sans le savoir, il eut la même phrase que Cal.

— Par mes ancêtres ! bougonna-t-il. D'habitude c'est l'héritière impériale qu'on essaye d'assassiner. Qui peut bien s'en prendre à moi ? Et pourquoi ?

Il appuya sur un bouton rouge et l'alerte retentit dans tout le palais. Les gardes de réserve bondirent de leurs couchettes, prêts à intervenir, le palais ferma instantanément ses portes, emprisonnant les courtisans à l'intérieur et empêchant les gens d'entrer, les Portes de Transfert s'éteignirent et l'Impératrice, toute sa famille, et les responsables du gouvernement présents furent mis en sécurité.

L'impératrice apparut sur l'écran de contrôle de la chambre de Xandiar.

— Par mes ancêtres ! fulmina-t-elle. Qu'est-ce qui vous a pris de déclencher l'alerte générale au milieu de la nuit ?

Xandiar désigna la silhouette fumante derrière lui.

— Quelqu'un a essayé de m'assassiner, Votre Majesté impériale. Étant le chef de votre garde, j'en ai déduit que je n'étais pas la personne visée, mais que cette attaque était destinée à déstabiliser votre protection, afin de vous atteindre, vous. J'ai préféré pendre les précautions nécessaires.

La jeune femme écarquilla les yeux en détaillant ce qui restait de l'assassin.

— Oui, je vois.

Xandiar s'inclina.

— Merci, Votre Majesté impériale.

— Levez immédiatement l'alerte.

— Oui, Votre... quoi ?

Il se redressa, n'en croyant pas ses oreilles.

— Vous m'avez bien entendue. Je peux me défendre et je n'ai pas envie de passer le reste de la nuit dans ce bunker humide. Renforcez la garde autour de ma famille et de ma suite, et laissez-moi aller me recoucher. Ah, et Xandiar ?

— Votre Majesté impériale ?

— Cela fait une éternité que vous n'avez pas pris de vacances. Partez donc quelque temps.

Xandiar resta interdit.

— Comment ? balbutia-t-il enfin en oubliant de donner son titre à l'Impératrice.

Le visage de sa souveraine se durcit, devenant un masque implacable.

— Dois-je me répéter, Xandiar ?

Le grand chef des Gardes se mit au garde à vous devant sa console.

— Non, Votre Majesté impériale. J'ai compris, Votre Majesté impériale. D'ici deux ou trois jours, dès que l'alerte sera terminée, je partirai en vac...

— *Maintenant*, Xandiar. À partir de cet instant, vous n'êtes plus en service. Je veux que demain matin, à la première heure, vous quittiez le palais, est-ce clair ? Vous remettrez les insignes de votre fonction à Xilar Xaril.

Le visage de Xandiar devint aussi rouge que son uniforme.

— Xaril n'est pas mon second, Votre Majesté impériale. C'est X'éorul qui doit prendre ma place lors de toute absence du chef de vos Gardes.

— C'est pourtant Xaril qui vous remplacera, en attendant que cette histoire d'attentat soit éclaircie. Rompez !

Fou de rage, il obéit et coupa la communication sans même saluer, ce qui, pour lui, était à la limite du crime de lèse-majesté.

En dépit des ordres de l'Impératrice, il passa le reste de la nuit à patrouiller. La souveraine ne prenait pas la mesure de la menace et avait levé l'alerte, ce qui signifiait que le palais rouvrait ses portes, permettant à d'éventuels complices de s'échapper. Il en venait presque à espérer que la suite impériale soit attaquée, pour être justifié, mais rien ne fut tenté contre l'Impératrice.

Le médecin légiste, un cahmboum à tentacules argentés, lui rendit son rapport dans la matinée.

— Joli coup ! le congratula-t-il. J'ignorais que vous étiez si bon au lancer !

— Je m'entraîne chaque jour, expliqua Xandiar. Je dois savoir manier parfaitement toutes les armes pour le service de Sa Majesté.

— Certes. Ce gars-là en a fait l'expérience. En dehors du fait qu'il est de la race des thugs, qu'il n'a pas de fiches dentaires, qu'il avait mangé du poulpe violet à crête rouge de Tadix, qui est un mets assez coûteux, vous l'admettrez, et qu'il a grillé comme une entrecôte, eh bien ! je ne peux pas vous révéler grand-chose. Nous avons essayé d'appeler ses mânes mais il est protégé contre ce genre de sortilège. Et sous cette couche bien brûlée, j'ai remarqué qu'il avait des cals sur ses mains.

— Vous pensez que c'était un guerrier ?

— Un guerrier, mais pas un mercenaire. Ces derniers, en dépit des Reparus, ont le corps couturé et lui n'avait pas de cicatrices. Quelqu'un vous en veut, Xandiar, mon ami, et pas qu'un peu.

— Je m'inquiète pour l'Impératrice.

— Si j'étais vous, je m'inquiéterais pour moi-même. L'Impératrice est bien protégée, est-ce votre cas ?

— Je suis un garde ! répondit sèchement Xandiar. On ne s'attend pas à ce que les gardes gardent les gardes, que je sache ! Merci, Docteur Flllmml, je suis heureux de constater que votre science est toujours aussi... exacte.

— Je vous en prie. Ah, un conseil encore.

— Oui ?

— Faites en sorte de ne pas vous retrouver sur ma table d'autopsie, voulez-vous ?

Et il sortit de la salle avant que Xandiar ait pu réagir. Quelques instants plus tard, ce fut un Xaril jubilant qui vint prendre les insignes et les clefs de son nouveau poste de chef des Gardes.

Xandiar s'arrangea pour lui gâcher sa joie.

— Ce n'est que pour quelques jours, souligna-t-il, tendant à contrecœur les précieux objets. Ne t'y habitue pas trop.

— On ne sait jamais ! répliqua Xaril, goguenard. Peut-être que l'Impératrice trouvera mon service plus efficace que le tien et me nommera définitivement !

— C'est bien, de rêver, mon gars, observa Xandiar, sérieux comme la mort. Mais cela n'arrivera pas.

Et il tourna les talons. Il n'était pas vraiment inquiet. Xaril était bien moins bon que lui. Et X'éorul, son véritable second, en fidèle soldat, l'informerait du moindre événement.

Il rentra dans sa chambre et se mit à faire les cent pas, tirant sur son col d'officier, tripotant la garde de ses épées, incapable de se calmer.

Si Xandiar était devenu le chef des Gardes de l'Impératrice, ce n'était pas uniquement parce qu'il était un excellent guerrier, probablement le meilleur après l'Imperator, mais parce qu'il avait un cerveau et qu'il lui arrivait de s'en servir.

Il récapitula tout ce qu'il avait fait dans la journée qui aurait pu déclencher une tentative de meurtre. À part l'enquête sur le savant, il n'y avait que la manipulation génétique autour de l'héritière impériale. Ce secret brûlant que l'Impératrice lui avait demandé de garder. Les murs du palais n'étaient pas toujours étanches. Lorsqu'ils avaient présenté l'affaire à l'Impératrice, quelqu'un avait dû entendre ses révélations. Quelqu'un qui était impliqué, à un degré ou un autre, dans cette entreprise illégale, qui ne voulait pas que cela se sache, était déterminé à l'assassiner, lui, afin qu'il se taise. Il était bien plus facile d'accès que l'Impératrice, gardée jour et nuit.

Il grinça des dents. L'Impératrice n'avait pas tort après tout, même si c'était pour de mauvaises raisons. En restant ici, il la mettait en danger !

Il n'y avait qu'une solution. Il devait retrouver l'Héritière et parler avec elle. Mais avant, il lui fallait se rendre au Lancovit et enquêter à l'endroit où Tara était née, essayer de retracer ce qui s'y était déroulé.

Dès que la manipulation serait dévoilée à tous, preuves à l'appui, le manipulateur n'aurait plus de raison de les tuer, lui et l'Impératrice. Il se dépouilla de son uniforme et s'habilla en civil, costume sombre, cape de sortcelier aux couleurs de l'empire, bottes confortables. Le maintien militaire était une seconde nature chez lui et, rapidement, le costume prit des allures d'uniforme.

Il miniaturisa ses épées, organisa un paquetage et fila vers la Porte de Transfert.

Il n'avait pas bien mesuré à quel point ses ennemis le connaissaient.

Ils lui avaient tendu un piège. Deux cents mètres avant la salle de transfert principale.

Ils étaient trois. Vêtus de tenues caméléon, le visage masqué, quasiment invisibles. Leur attaque le prit totalement au dépourvu.

Il n'échappa à une mort instantanée que grâce à son prodigieux instinct. Il entrevit une forme se détachant des murs dorés incrustés de pierres précieuses et, sans réfléchir, plongea. Un couteau tinta juste au-dessus de sa tête, lui tranchant quelques mèches au passage.

Aucun garde ne se trouvait dans les parages et, pour éviter de les alerter et de déclencher les défenses magiques du palais, ses assaillants dégainèrent leurs armes. Des sabres, l'arme favorite de Xandiar.

Il fut blessé à l'un de ses quatre bras avant de pouvoir ordonner à ses armes de reprendre leur taille habituelle. D'un bond, il esquiva une autre attaque, sautant dans une salle pleine de courtisans. Xandiar espérait que l'un d'eux aurait l'intelligence d'attaquer ses assaillants à l'aide de sa magie, alertant ainsi le service de sécurité mais, piaillant d'effroi, ils s'enfuirent.

Raté. Il ne restait plus qu'à prier pour qu'ils préviennent la Garde. Il évita deux sabres et sauta agilement en arrière.

Il ferraillait avec deux des assassins, massacrant les meubles qui ne parvenaient pas à s'écarter à temps, tandis que le troisième attendait l'ouverture qui lui permettrait de tuer le chef des Gardes. Une question cruciale lui traversa l'esprit.

Par quel maléfice ces assassins avaient-ils pénétré dans le palais ?

Il laissa échapper un gémissement, son flanc venait d'être lacéré. Il répliqua, vif comme l'éclair et l'un des assaillants tomba, le cœur transpercé. Rendus prudents par la mort de leur complice, les deux autres se rapprochèrent, leurs sabres formant en l'air des motifs étourdissants.

Xandiar répliqua si sauvagement qu'il trancha le cou du deuxième agresseur. Mais le dernier était le meilleur et Xandiar était blessé. Il se vit tout proche de la salle de transfert, déclencha une attaque brutale qui fit reculer l'assassin, puis ouvrit la porte de la salle et lança l'un de ses sabres sur le globe de lumière. Celui-ci s'éteignit brusquement, faisant l'obscurité dans la pièce. Les gardes n'eurent pas le temps de réagir et Xandiar ne pouvait pas attendre qu'ils lui viennent en aide. Il plongea, espérant de tout son cœur ne pas laisser de morceau dépasser, heurta quelque chose de mou et vivant et hurla :

— Château Vivant royal de Travia, Lancovit !

Quelques secondes après, il se retrouvait à Travia, indemne, à côté de Cal, ahuri, qui avait été transféré en même temps.

— Par mes ancêtres ! s'exclama le jeune garçon en se dégageant, furieux. Qu'est-ce qui vous a pris ?

Il vit que Xandiar saignait de partout et changea de ton :

— Mais vous êtes blessé ?

Xandiar regarda le sang qui coulait et remarqua en grimaçant de douleur :

— Oui, ils ne m'ont pas raté, mais ne pourront pas s'en vanter !

— C'est trop profond pour un simple Reparus. J'appelle tout de suite un chaman, fit une voix calme au-dessus de lui. Ne bougez pas.

Fleurtimideauborddunruisseaulimpide, le cyclope roux gardien de la Porte du Château vivant de Travia, le surplombait de toute sa hauteur.

— Là ! compressez la plaie avec ceci.

Et il fit apparaître un pansement compressif qui stoppa instantanément le flot de sang.

— Des traîtres m'ont agressé à Omois, précisa Xandiar d'une voix qui s'efforçait d'être ferme, je n'ai pas eu le choix. Soyez prudents, ils sont peut-être derrière moi.

— C'est exact, fit une voix sarcastique. Ils étaient tellement derrière vous qu'ils en ont laissé un bout.

Cal se raidit. Il avait reconnu cette voix. Maître Dragosh, le vampyr, robe bleue si foncée qu'elle en paraissait noire parsemée de glyphes argentés, yeux rouges et canines blanches, se tenait devant lui, observant quelque chose au sol. Il regarda aussi et le regretta instantanément.

Xandiar, lui, était satisfait. Il contempla les jambes sanglantes qui reposaient par terre.

— L'imbécile a dû vouloir me suivre lors de la translation, une partie de son corps était dans le cercle de transfert, mais pas la totalité. Dommage, j'aurais voulu savoir pour qui il travaillait !

— Des petits problèmes d'intendance, Chef des Gardes d'Omois ? s'enquit le vampyr de sa voix de velours.

— On pourrait dire ça, oui, problèmes que j'ai l'intention de résoudre rapidement. Si quelqu'un voulait bien m'appliquer un Reparus un peu plus costaud que les sorts habituels, je pourrais repartir.

— Êtes-vous ici officiellement et dois-je organiser une audience avec Leurs Majestés ? demanda Fleurtimideauborddunruisseaulimpide.

— Non, répondit Xandiar en se relevant avec difficulté. Je suis en *vacances*.

Il y eut un silence.

— Je... vois, fit le cyclope. Eh bien, bonnes vacances, Maître Xandiar, je vous laisse entre les mains de notre chaman.

Puis, plein de tact, le cyclope s'occupa de faire envoyer le reste du corps de l'assassin au laboratoire afin de déterminer qui il était.

Xandiar fit un signe de tête à Cal puis suivit le chaman

qui venait d'arriver. L'adolescent soupira. Il était de retour au Lancovit plus vite qu'il ne l'avait prévu. De toute façon, il devait rentrer chez lui pour prendre quelques accessoires de Voleur avant de retrouver Tara et les autres à Stonehenge. Et s'il avait réglé à peu près tous les détails de ses examens de l'université des Voleurs Patentés, grâce à une intervention de l'Impératrice, il n'avait pas encore récupéré certains cours dont il pourrait avoir besoin.

Si Cal pensait s'en sortir aussi facilement, il fut déçu. Maître Sardoin avait un tas de points à régler avec son Premier Sortcelier et le lui fit vigoureusement comprendre. La fin de son entrevue avec l'éminent spécialiste ne fut pas agréable. Son maître n'appréciait guère que Cal consacre plus d'énergie à de mystérieuses affaires un peu partout sur AutreMonde qu'à l'assister dans ses travaux.

— Ce n'est pas ainsi que vous deviendrez Haut Mage, jeune Premier. Je suis déçu de voir que mon assistant le plus prometteur n'a pas de temps à m'accorder.

— Oui, marmonna Cal. C'est aussi ce que disent mes maîtres à l'université. Et mes copains et mes parents !

Maître Sardoin ne s'attendait pas à ce que Cal réplique.

— Pardon ? demanda-t-il en levant très haut un sourcil.

— Non, rien ! répondit vivement le jeune Voleur.

Il dut subir une demi-heure supplémentaire de remontrances avant qu'enfin maître Sardoin le libère. Le Château Vivant, qui avait assisté à la conversation, vit bien que son jeune ami était mécontent et en informa le Haut Mage en assombrissant la pièce, dans laquelle se mit à souffler un vent de tempête. Des nuages gris chargés de pluie s'amoncelèrent au-dessus de la tête du petit homme. Celui-ci leva le visage vers la voûte et grommela :

— Oh, ça va, hein ! Je ne l'ai pas torturé, ton cher Cal. Réaffiche du soleil et plus vite que ça !

Le Château hésita, mais le mage n'avait pas l'air de plaisanter et un riant paysage parsemé de licornes et de fées ravissantes remplaça la tempête.

— Mmmh, c'est mieux ! le gratifia maître Sardoin. Allez, ouste ! Va donc embêter quelqu'un d'autre !

Le Château aurait pu répliquer qu'étant une entité consciente il n'avait pas d'autre endroit où aller que dans son propre corps de pierre. Il se contenta de matérialiser un pégase qui s'inclina devant maître Sardoin, puis disparut.

Cal retint un petit rire. Il s'entendait bien avec le Château Vivant qui l'aidait dans ses frasques et dissimulait ses bêtises. Il devinait que le Château s'ennuyait et que ses propres aventures le distrayaient. Il quitta le château pour se rendre chez lui.

Trop occupé à réfléchir à Eleanora, il ne vit pas la silhouette qui se faufila derrière lui, le suivant discrètement. À la maison, Toto, son hydre à sept têtes, vingt tonnes d'affection dégoulinante, lui fit la fête. Il prit les accessoires dont il avait besoin.

Ses parents étaient là tous les deux pour une fois. Comme il en avait l'habitude, il leur raconta honnêtement ce qu'il avait fait et son aventure avec Eleanora.

Le rire plissa les yeux gris de Léandrine Dal Salan. Elle serra son fils dans ses bras. Et son père, Déor, lui tapa sur l'épaule, amusé.

— Tu me ressembles plus que je ne le pensais, remarqua-t-il. Moi aussi, je suis tombé amoureux d'une femme qui a failli me tuer !

Cal ouvrit des yeux surpris.

— Tu veux dire, avant maman ?

— Non, je te parle de maman !

— Quoi ? Elle a tenté de te tuer ?

Sa mère rougit, embarrassée.

— Il avait compromis une de mes missions.

— J'ai bien fait ! Si tu avais continué, cet elfe t'aurait éliminée !

— Peut-être, ou peut-être pas. Quoi qu'il en soit, j'ai pensé que ton père était un traître.

— Wahou ! Et alors ?

— Elle m'a dénoncé, sourit joyeusement son père.

— J'étais respectueuse de la hiérarchie ! tint à préciser Léandrine. Et j'avais des preuves solides !

Cal tomba des nues. Il ouvrit des yeux ronds.

— Non, Papa ? Tu n'es pas professeur de littérature ? C'est une couverture ? Mais pourquoi ne m'as-tu jamais rien dit ?

— Parce que ce n'est pas une couverture. Se retrouver avec un couteau sur la gorge aide à apprécier la valeur de l'existence. J'ai décidé de changer de métier.

— Maman ! Tu n'as pas fait ça ? Tu as voulu lui trancher la gorge ? Et qu'est-ce qui t'en a empêchée ?

Sa mère sourit tendrement à son père et l'enlaça.

— Heureusement, ton père est capable de parler très vite et d'être très convaincant. Il m'a prouvé qu'il n'était pas le traître et m'a demandée en mariage dans la foulée ! Nous avons démasqué le véritable renégat, qui, hélas, est parvenu à nous échapper. Cette personne m'était proche et avait utilisé l'amour que j'avais pour lui pour me trahir. J'ai mis du temps à faire confiance à ton père, mais finalement, comme il est têtu, il a réussi à me persuader qu'il était l'homme de ma vie.

Cal les observa, pensif.

— Je ne vais peut-être pas tout de suite épouser Eleanora, mais merci pour l'info. C'est bon à savoir.

— Tu es assez âgé à présent pour comprendre. Et je suis heureuse que tu puisses évaluer à quel point Déor est un homme exceptionnel, qui, contrairement à ce qu'il dit, a changé de carrière uniquement pour s'occuper de toi pendant mes missions.

Cal les embrassa. Il n'avait pas besoin de la vérité pour admirer son père, mais était content de la connaître.

Il leur expliqua ce qu'il allait faire, puis repartit au Château Vivant. Comme un parasite, l'ombre le suivit.

Il se rendit directement à la Porte de Transfert. Le gardien lui indiqua que les Portes fonctionnaient en sens unique, ce qui l'inquiéta vivement. La dernière fois que cela s'était produit, Magister en avait profité pour tenter d'envahir la planète avec une armée de démons. Il n'hésita pas et demanda son transfert à Londres. Tara était probablement en danger. Une fois dans la capitale anglaise, il apprit que son amie se trouvait déjà à Stonehenge. L'hôtelier de l'ambassade lui indiqua les coordonnées de l'auberge où il avait réservé pour les sortce-liers. Au mépris des ordres, Cal utilisa plusieurs Transmitus pour arriver plus vite, regrettant de tout son cœur d'avoir perdu autant de temps. Et si, en son absence, Tara avait été blessée, ou pire ? Enfin il activa le dernier Transmitus, prêt à se rematérialiser à Stonehenge.

Le chevalier Cal était prêt à sauver la princesse en danger !

CHAPITRE XXI

LE ROUCOULEMENT DES PIGEONS
ou l'art de séduire les filles
par le professeur Fabrice de Besois-Giron

La princesse en danger l'était surtout de se faire réduire en steak haché par sa propre grand-mère. Igor, une fois reposé à terre, avait eu une remarque malheureuse.

— Vu la fafon dont vous traitez les vhommes, avait-il grommelé en se frottant le cou, fa ne m'étonne pas que votre mari ait préféré difparaître !

Tara s'interposa entre les deux belligérants et maître Chem arrêta Isabella juste avant qu'elle ne pulvérise Igor.

— Par mes ancêtres, Isabella ! maugréa-t-il. Rappelle-toi où nous sommes !

— Je me fiche de cette planète, de ces nonsos puants. Je veux qu'on m'explique ce que mon mari fait sur cette photo !

— Êtes-vous sûre qu'il s'agit bien de lui ? interrogea Esmeralda après avoir étudié le cliché. Je ne me souviens pas de cet homme, pour être franche. Peut-être êtes-vous trompée par une ressemblance ?

Isabella regarda attentivement l'image, puis hocha la tête.

— Non. C'est bien Menelas. Il n'y a aucun doute.

— En vingt et un ans, les gens changent, objecta l'hôtesse.

Isabella allait répliquer que les sortceliers ne changeaient pas, du moins pas avant une bonne centaine d'années, mais se contint. Elle savait sans l'ombre d'un doute que l'homme sur la photo était Menelas. Rien ni personne ne la ferait changer d'avis.

En conséquence, elle ajourna leur départ. Elle proposa à Tara de repartir avec maître Chem et les autres sur Autre-Monde, mais sa petite-fille refusa fermement. Elle avait déjà perdu son grand-père à Stonehenge, il était hors de question qu'elle y laisse aussi sa grand-mère.

Isabella commença son enquête en s'enfermant dans le salon, décidée à découvrir qui avait placé le cliché à cet endroit et, surtout, pourquoi. Les autres retournèrent dans les chambres, pour défaire à nouveau les bagages. Robin eut l'idée de profiter du contretemps pour clarifier la situation entre Tara et lui, maintenant qu'elle pouvait parler à nouveau. Cependant, avant d'affronter Tara, il était prudent de préparer un plan. Fabrice, le meilleur ami de Tara, pourrait l'aider.

Robin le trouva chez Moineau. La jeune fille, pelotonnée sur le canapé de sa chambre, regardait, les yeux tristes, Fabrice en train d'exécuter une danse rituelle, couvert de runes pestilentielles.

— Par mes ancêtres ! s'exclama Robin. Que fais-tu ?

Le grand garçon blond s'immobilisa, une jambe en l'air.

— C'est un rituel de puissance, expliqua-t-il, gêné. Tara aura besoin de toute l'aide qu'on pourra lui apporter.

Robin observa attentivement les runes et le cercle tracé sur le parquet de la chambre. Une lueur naquit dans son œil.

— Dis-moi, Fabrice, qui t'a fourni ce rituel ?

— Un marchand, au Lancovit, me l'a vendu. Cher. Pourquoi ?

— Il ne s'agissait pas d'une boutique, près du marché aux fleurs, tenue par un gros sortcelier à la peau violette ?

Fabrice reposa son pied nu au sol.

— C'est tout à fait ça. Il a un tas de potions, filtres et autres sorts. Il est génial.

— Mmmh, il t'a expliqué à quoi servait ce sort au juste ?

— Il va me donner un surcroît de puissance, augmenter mon potentiel.

— En fait, déclara Robin dont les yeux pétillaient, c'est censé augmenter le potentiel, oui, mais pas dans le sens que tu crois.

Fabrice se raidit, prêt au pire. Il ne fut pas déçu.

— Oui, continua Robin, dont le sourire menaçait désormais de faire le tour de son visage, ce que tu es en train de danser, c'est le rite de fertilité des tribus tatris !

— QUOI !

La double question fusa. Moineau et Fabrice s'étaient exclamés en même temps.

— Ne t'inquiète pas, rit Robin en s'adressant à Moineau, il ne fonctionne qu'avec les tatris. Tu ne risques pas d'accoucher dans les dix minutes qui suivent d'une demi-douzaine de petits tatris... enfin, je suppose !

Moineau hésitait entre le rire et la colère. La colère et surtout la peur de ce qui aurait pu se produire l'emportèrent.

Elle se leva et jeta la courtepointe qui la protégeait du froid.

— Ça suffit, maintenant. Un rite de fertilité ! Tout ceci est ridicule. Là, ce n'est pas grave, mais un jour tu risques de blesser quelqu'un. Je te préviens, Fabrice, si tu continues à rechercher le pouvoir, ne compte pas sur moi pour rester ta petite amie !

Et elle sortit de sa chambre en claquant la porte.

— Ouille, grimaça Fabrice. Elle n'a pas l'air contente.

Robin respira profondément pour maîtriser son fou rire. Se moquer de son ami n'était pas une bonne idée, surtout alors qu'il avait besoin de son aide pour décrypter les humeurs de Tara.

Les elfes ont un odorat spécialement développé et le fait d'inspirer profondément le fit hoqueter. La puanteur qui se dégageait du corps de Fabrice était terrassante.

— Euh, fit-il, les larmes aux yeux, je crois que tu ferais bien de prendre une douche, là, un traduc sentirait meilleur que toi !

Fabrice lui jeta un regard furibond, puis, d'un pas digne, se rendit dans la salle de bain. Dont il claqua la porte. S'assurant que le Terrien ne l'entendait pas, Robin se plia en deux en murmurant, la main sur la bouche.

— Par mes aïeux, il dansait un rite de fertilité !

Pendant deux bonnes minutes, il ne put respirer (ce qui

n'était pas plus mal) tant il riait. Barune s'approcha de lui, quêtant une caresse, et il se reprit, frottant les oreilles velues.

— Pauvre petit mammouth, ton maître fait des choses bien étranges ! Je suis content de ne pas avoir de Familier. Je n'aimerais pas avoir à partager toutes mes émotions.

— Eh bien, tu as tort, fit dans son dos Fabrice qui achevait de se sécher le torse, vêtu d'un jean. C'est un grand réconfort que d'avoir Barune comme compagnon. Bon, à part te moquer de moi, tu avais quelque chose à me dire ?

— Je suis venu te parler de Tara, répondit le demi-elfe en s'asseyant à la place de Moineau. Tu es son plus vieil ami. J'ai besoin de ton avis de Terrien.

Fabrice enfila un tee-shirt et se laissa tomber à côté de lui.

— Tu l'as embrassée, m'a dit Gloria, puis elle t'a jeté, c'est ça ?

— C'est un peu elliptique, mais en gros, oui. Qu'en penses-tu ?

— Écoute Robin, les filles, c'est un peu comme les fleurs. C'est joli, ça sent bon, ça coûte très cher, mais c'est une espèce étrangère. Essayer de les comprendre, c'est comme déchiffrer des mathématiques de haut niveau. Ardu, complexe et souvent inabordable.

Robin eut une moue dubitative.

— Tu ne m'aides pas beaucoup, là.

— Si tu saisis que ce n'est pas nous qui les choisissons, mais elles qui nous choisissent, alors tu as tout compris.

— Tu veux dire que ma déclaration était une mauvaise idée ? Que j'aurais dû attendre qu'elle se déclare, elle ?

— Non, tu as bien fait ! Elles ne sont pas télépathes et nous non plus. Si nous ne nous parlons pas, la race humaine est mal barrée. Tu as bien fait de lui avouer ton amour. Normalement, c'est là qu'on voit si on plaît ou non. Si elle refuse de t'embrasser, c'est mort. Mais toi, tu l'as embrassée, et...

— Et elle s'est enfuie.

— Mmmhoui, ce n'est pas la réaction escomptée, je te l'accorde. Tu as bavé, pété, fait quelque chose d'inattendu ?

— Enfin, non ! s'exclama le demi-elfe, indigné, je l'ai juste embrassée.

— Donc, elle aurait dû roucouler dans tes bras et te dire combien elle t'aimait.

— Roucouler ?

— En quelque sorte. Comment t'y es-tu pris ? Montre-moi.

— Tu veux que je t'embrasse ?

Fabrice recula.

— Woooooh, ça va pas ? Montre-moi juste comment tu as fait.

Robin avança la bouche comme pour embrasser quelqu'un dans le vide et dit :

— J'ai posé mes lèvres sur les siennes, c'est tout !

— Avec ou sans la langue ?

— Tu sais, fit Robin pensivement, dit ainsi, c'est franchement dégoûtant.

— On s'en fiche. Réponds-moi.

— Sans. Enfin, c'était notre premier baiser. Et de toute façon...

— Oui ?

— Je n'ai pas eu le temps, répondit le demi-elfe de mauvaise grâce. Elle a reculé avant.

— Ho ho !

— Quoi, ho ho ?

— Ce n'est pas bon signe.

— Vu qu'elle s'est enfuie à peu près à ce moment, oui, j'avais compris !

— Je ne vois qu'une solution, dit Fabrice d'un ton docte.

Robin se pencha avidement.

— Vas-y, laquelle ?

— Il faut que tu ailles l'interroger.

Robin le dévisagea, incrédule.

— Et... c'est tout ?

— Oui.

— Super, ton aide est inappréciable.

— Je t'en prie. N'hésite pas si tu as besoin de quoi que ce soit.

Robin le dévisagea, mais Fabrice était sérieux. Le demi-elfe secoua la tête puis se leva. Il sortit en martelant le sol d'un pas rageur. Dans le couloir, manque de chance pour elle, il croisa Tara. Bon, autant se lancer pendant qu'il était dans cet état d'esprit, fureur et agacement mêlés.

— Tara ! lança-t-il d'une voix ferme, il faut qu'on parle !

Tara le regarda, surprise.

— Euh, oui, si tu veux.

Il n'y avait personne autour d'eux, le moment était idéal.

— Nous nous sommes embrassés. Et tu n'as pas roucoulé. Pourquoi ?

Tara ouvrit de grands yeux.

— Roucoulé ?

— Oui, Fabrice m'a dit que quand on embrasse une Terrienne, elle roucoule.

Il n'apprécia pas du tout le grand sourire qui s'afficha sur le visage de la jeune fille. Celle-ci laissa fuser un éclat de rire.

— Il t'a dit ça ? Roucouler, genre « rrrrhhhou rrrrhhhouuu », comme un pigeon ?

— Comme un pigeon, comme un spatchoune, si tu veux. Alors ?

Tara tenta d'assimiler l'image d'elle-même en train de glousser, mais fut prise d'hilarité. Ce qui n'arrangea pas les affaires du demi-elfe. Il attendit patiemment. Tara essuya les larmes qui coulaient de ses yeux et essaya de se calmer.

— Au lieu de rou...

Il s'interrompit en voyant les traits de Tara se plisser et se reprit.

— Au lieu de m'embrasser, tu es partie, après m'avoir lancé des horreurs au visage. Je veux savoir pourquoi.

Hou, il avait l'air sérieux. Et à sa grande surprise, Tara était incapable de lui répondre.

— Je ne sais pas. Je... je croyais que... et puis ! pouf ! plus rien.

Le demi-elfe n'était pas plus avancé. Fabrice avait raison, il ne comprenait pas du tout.

— Plus rien ?

Elle s'énerva, gênée de ne pouvoir expliquer ce qu'elle ressentait.

— Non, d'un seul coup, au lieu de te considérer comme un petit ami, tu es devenu juste un ami.

— Juste un ami !

— Écoute, arrête de répéter chacune de mes paroles, c'est agaçant.

La meilleure défense, c'est l'attaque, c'est bien connu. Le demi-elfe resta sans voix. Tara l'acheva d'un « Et cesse de me poser des questions auxquelles je n'ai pas de réponse ! » définitif.

Sans attendre sa réaction, elle entra dans sa propre chambre.

Mâchoire décrochée, Robin regarda sa porte close. Fabrice passa la tête à travers l'entrebâillement de la sienne. Il n'avait pas perdu une miette de la scène.

— Rappelle-moi de ne pas t'imiter si j'ai besoin de faire une déclaration d'amour ! Bien, faisons le point : je rêve ou nous avons perdu nos petites copines tous les deux ? Enfin, surtout toi, parce que moi, hein, j'ai encore l'espoir de garder la mienne !

— Pour tout l'or, les joyaux et la magie d'AutreMonde, je ne renoncerai pas à Tara ! grommela Robin, imperméable à toute tentative d'humour.

Et, cédant au tempérament bouillant des elfes, il frappa de toutes ses forces le panneau de bois qui ne lui avait rien fait. Docilement, celui-ci se fendit sous le choc. Robin examina son poing endolori puis, secouant la tête, il partit.

Derrière sa porte, Tara l'entendit et son cœur lui fit mal. Pourquoi était-elle incapable d'aimer Robin, alors que celui-ci l'aimait tant ? Elle inspira profondément. Elle devait d'abord aider sa grand-mère. Ensuite elle s'interrogerait sur son avenir et celui de Robin. Prudemment, elle jeta un œil dans le couloir, mais le demi-elfe avait disparu.

Elle descendit au salon, où son grand-père, immobile pour l'éternité, lui rendit un regard vert. La fameuse photo arrachée par Isabella avait regagné son emplacement sur le mur. Le salon était vide. Après avoir, en vain, tenté de démasquer celui qui avait placé la photo, Isabella avait réussi à visualiser une ligne magique marquant le déplacement de l'image dans l'espace et dans le temps. Elle était partie avec maître Chem, suivant la ligne comme un poisson accroché à un hameçon.

Tara était donc seule avec Galant, pour une fois. Soudain, le pégase sursauta. Il sortit ses griffes.

Sur ses gardes, Tara identifia le Pppchhhhuiuuuiit ! qu'elle venait de percevoir. Quelqu'un s'était rematérialisé dans la pièce voisine à l'aide d'un Transmitus ! Elle faillit activer sa magie, se retint, ouvrit la porte prudemment et se retrouva nez à nez avec Cal ! Le jeune garçon se tâtait, étonné d'être entier, son renard, tout ébouriffé par la translation, à ses côtés.

— Je déteste ces Transmitus, grogna-t-il. J'ai toujours l'impression qu'il va me manquer un bout à l'arrivée. Salut, Tara !

— Cal ! Comment... que fais-tu ici ?

Le garçon eut un rictus qui découvrit ses dents. Il décida de raconter une partie de la vérité.

— J'ai appris que les Portes de Transfert étaient de nouveau bloquées. La dernière fois, on s'est pris une armée de démons sur le poil. Je me suis dit que tu allais peut-être avoir besoin de mon aide.

Tara sourit... puis fronça les sourcils.

— Mais je croyais que tu ne pouvais pas nous accompagner à cause de tes examens ?

Le petit Voleur contempla ses ongles d'un air blasé.

— J'ai passé mes exams en avance, j'ai fait jouer le principe de « sécurité nationale ».

— Comment ça ?

— J'ai affirmé à l'Impératrice que, sans moi, tu n'avais aucune chance de t'en sortir, vu que je passe mon temps à te sauver ou à te dépêtrer des situations démentielles dans lesquelles tu t'obstines à te jeter. Elle a fait part de son vif sentiment d'inquiétude aux souverains du Lancovit qui ont transmis le message aux Hauts Mages de l'université des Voleurs Patentés. Ils m'ont fait passer les partiels, et hop ! me voilà !

— Tu as osé aller voir ma tante ! Wahou, tu es courageux ! admira Tara. Mais tu as eu très peu de temps pour étudier, tu sais déjà si tu es reçu ? Bon sang, Cal, si tu as bâclé tes examens à cause de moi, je ne me le pardonnerai jamais !

— C'était un peu juste, mais je suis admissible en classe supérieure, la rassura le jeune Voleur, même si maîtres Vrégrir et Trougrav m'en ont fait baver, et si maître Sardoin m'a passé un savon. Comment se fait-il que vous soyez encore ici ? Vous n'avez pas dégommé les harpies ? Je savais bien que vous aviez besoin de moi !

— On les a éliminées et, pour le moment nous n'avons pas besoin de toi même si je suis ravie de te voir. Nous sommes encore ici parce qu'il y a un problème.

Elle lui expliqua son overdose de magie, l'histoire de Jeremy et de Jordan, les faux parents et les vrais sortceliers, et enfin l'apparition inattendue de Menelas, le mari d'Isabella, sur une photo.

— Wohoo, souffla Cal, c'est délirant ! Qu'allez-vous faire ?

— À l'heure qu'il est, grand-mère a perdu la tête. Elle arpente l'endroit où la photo a été prise comme si grand-père allait sortir du sol, près de Stonehenge. Elle refuse de rentrer tant qu'elle ne l'aura pas retrouvé.

— Même en sachant que tu as eu une nouvelle crise de magie, et non des moindres ?

— Elle n'y pense plus. Cela dit, à sa place, je suppose que j'agirais de même. Et puis, maître Chem semble m'avoir guérie. Bref, tu vois, nous ne sommes pas sortis de l'auberge.

Elle revint sur ce que lui avait affirmé le petit Voleur.

— Tu m'as dit que tu avais passé tes examens ?

— Oui, sourit Cal, très fier. Et j'ai même mon di...

Il n'acheva pas. Un Pccchhuuuuuuiiiit ! familier retentit derrière lui. Une forme sombre atterrit dans la pièce près d'une immense statue de plâtre, assez laide, représentant Zeus, le dieu de l'Olympe. La forme vacilla et heurta la statue, qui, sous les yeux horrifiés de Tara, se renversa et se brisa en mille morceaux.

Lorsqu'elle releva les yeux, la surprise lui coupa la parole. Mais pas celle de Cal.

— Par mes ancêtres ! s'exclama-t-il. Mais c'est cette peste d'Angelica !

Chapitre XXII

ANGELICA
ou comment rêver de réduire ses ennemis en bouillie par tous les moyens

La grande Lancovienne brune, ennemie de Tara, se redressa et épousseta son élégant costume bleu d'un air dégoûté.

— J'en étais sûre ! fit-elle méchamment. Lorsque j'ai vu que tu t'éclipsais en douce, je t'ai suivi et j'ai eu raison ! Je vais dire à maître Sardoin que tu as quitté le Château du Lancovit sans permission !

Tara allait innocenter Cal, mais il la prit de vitesse.

— Ah, supplia-t-il, ne fais pas ça !

— Et pourquoi pas ? rétorqua Angelica, jouissant de son triomphe. Depuis le temps que tu empoisonnes ma vie, le moment est venu de me venger.

— Que raconteras-tu à mon maître ? gémit Cal, la tête basse et se mordant les lèvres, apparemment plongé dans le désespoir le plus profond.

— Que tu dois être renvoyé ! Que tu passes ton temps à désobéir et à n'en faire qu'à ta tête et que ce n'est pas normal que tu aies des passe-droits, et pas nous. Enfin, que tu es dangereux. Tu as utilisé les deux Portes de Transfert sans autorisation et tu as employé des Transmitus sur Terre, alors que c'est interdit !

Cal capitula.

— Que veux-tu en échange de ton silence ?

La grande fille réfléchit un instant puis eut un mauvais sourire.

— Disons que pendant un an, tu seras mon esclave. Tu feras mes corvées et tu t'occuperas de mes appartements... sans magie !

Tara ne savait pas si elle préférait changer Angelica en crapaud pour son horrible chantage ou Cal en ver de terre pour lui avoir menti !

— Attends ! proposa Cal, faisons un pari, après tout, j'ai droit à une chance de m'en sortir. Je suis libéré si j'arrive à obtenir de mon maître Sardoin qu'il me permette d'aller et venir à ma guise. Et c'est toi qui prends ma place et deviens mon esclave.

La grande jeune fille plissa les yeux, soupçonneuse.

— Et si tu n'y parviens pas ?

— Disons que je resterai ton esclave pendant *deux* ans, ajouta très vite Cal.

— Deux ans ? Mmmh, maître Sardoin est implacable. Jamais il ne t'autorisera à partir tant que tu n'auras pas réussi tes examens. Et vu que tu occupes ton temps à te balader je ne sais où avec la Pimbêche, tu ne risques pas de les avoir, ces examens, ex-Voleur ! Alors, nous avons un deal !

Ils se serrèrent la main avec méfiance et le marché fut conclu.

Cal permit à Angelica de savourer son triomphe pendant une minute. La chute n'en serait que plus dure.

— Tara, j'étais donc sur le point de te dire, lorsque Angelica est apparue, que j'avais même mon diplôme de cette année avec moi.

Et sous les yeux horrifiés de la peste, il exhiba un parchemin couvert de signatures et de tampons.

— Non ! s'exclama celle-ci d'une voix étranglée, c'est un faux, c'est impossible !

— Si, jubila Cal. Il m'a laissé partir ! J'ai toutes les autorisations et je viens de passer mon diplôme de cette année avec deux mois d'avance. Ça me fait cinq diplômes. Plus que six et hop ! je serai Voleur Patenté.

— Tu as triché ! hurla la grande fille.

— Absolument pas, ricana le Voleur. Tu n'avais pas à me menacer. Tu es mon esclave pour un an et...

La suite dégénéra en une succession de hurlements furieux.

Tara se garda d'intervenir. Un sourire aux lèvres, elle les laissa se chamailler et se concentra sur la statue qui gisait en pièces. Leur logeuse allait piquer une crise. C'était l'occasion de tester, par mesure de précaution, sa magie... en cas de danger.

— Par le Reparus, psalmodia-t-elle, que le tout soit collé et que rien ne puisse le séparer !

Sa magie frappa la statue et celle-ci se reconstitua instantanément.

— Ahhhhhhhhhhh !

Le cri de rage derrière elle la fit sursauter. Angelica et Cal se tenaient dans une curieuse position, le nez du petit Voleur dans le généreux décolleté de la peste !

Celle-ci tentait vainement de repousser le garçon, qui en faisait autant. Soudain, Tara eut un terrible fou rire.

Elle venait de coller Cal et Angelica !

La surprise passée, et voyant qu'il ne pouvait se dégager, Cal s'intéressa à ce qu'il avait sous le nez.

— Dis donc, Angelica, fit-il d'un ton innocent, je rêve ou tu portes un soutien-gorge rembourré ? Je me disais aussi que ta poitrine avait singulièrement gonflé depuis deux mois !

— Tara ! rugit Angelica, folle de rage, si tu ne me débarrasses pas de cette... sangsue, je te jure que je le tue sur place !

— Mais je ne sais comment faire, balbutia Tara, ennuyée, je risque de décoller vos bras et vos jambes en vous séparant !

— Si on pouvait éviter, ce serait bien, précisa très vite Cal.

— Démembre ce parasite, si tu veux ! piailla Angelica. D'ailleurs, je vais m'en charger tout de suite à ta place !

Ouille, elle était tellement en colère qu'elle était capable de passer à l'acte. Prudente, Tara les décolla, veillant à ne pas casser la statue en même temps. À leur grand soulagement, sa magie ne fit pas des siennes, et ils retrouvèrent leur liberté.

— Bon, fit le garçon avec un sourire carnassier, tu me

fiches la paix avec mon maître, et je ne révèle à personne que tu portes un soutien-gorge rembourré...

Angelica le dévisagea d'un regard flamboyant. Ses yeux auraient été des revolvers que Cal aurait promptement péri. Mais elle n'avait pas le choix.

— Très bien, déclara-t-elle d'une voix glaciale. De toute façon, je n'ai rien à faire ici. Je retourne sur AutreMonde.

— Je ne crois pas, susurra Tara d'une voix douce. Apparemment, tu n'es pas au courant, mais les Portes ne fonctionnent plus en direction d'AutreMonde. Nous sommes coincés ici !

— Quoi ? s'exclama Angelica, affolée. Tu plaisantes ! Je ne vais pas rester sur cette planète de pouilleux !

— Ce n'est pas très gentil pour nous, ça, dites donc, Mademoiselle !

Angelica fit volte-face, prête à pulvériser celui qui venait de parler, et s'arrêta net, bouche bée. La ravageuse beauté de Jordan venait encore de frapper. Le jeune fermier s'avança, auréolé de son charme viril, inconscient de l'effet qu'il produisait.

— Gui... hrrrmm, je veux dire, qui... êtes-vous ?

— Un pouilleux, répondit gravement Jordan, et vous ?

— Gui, moi ? fit Angelica qui n'arrivait pas à enchaîner deux idées cohérentes. Euh, je suis enchantée.

— C'est logique, pour une sortcelière, remarqua Jordan, imperturbable. Allez-vous repartir rapidement ? Je n'ai pas envie qu'il y ait d'autres victimes. Jeremy ne doit pas rester ici.

La sortcelière le fixa comme s'il avait deux têtes.

— Repartir ? Pourquoi, repartir ? Où, repartir ? Qui est Jeremy ?

Tara se retint de rire. Wahou, Angelica venait de subir un sérieux coup de foudre !

— L'un des vôtres, que vous allez emmener sur votre monde maléfique, plein de magie et de démons. Nous ne voulons plus de vous chez nous, rétorqua sévèrement Jordan. Partez !

— Mais je ne veux pas m'en aller ! protesta Angelica, en totale contradiction avec ce qu'elle avait affirmé une minute plus tôt. Et puis, qui êtes-vous ?

— Pratiquer la magie rend sourd, sortcelière ? cracha Jordan, méprisant. Je suis ce que vous appelez un nonsos, un humain normal, pas un monstre comme vous !

Et il tourna les talons avant qu'Angelica puisse réagir.

Stupéfaite, celle-ci regarda Tara. Forte de sa beauté, elle l'utilisait comme une arme. Mortelle, précise. Acérée. Habituellement, les sortceliers se roulaient à ses pieds, quémandant ses faveurs. Être traitée de monstre, surtout par un garçon aussi séduisant, était une expérience inédite, qu'elle n'était pas sûre d'apprécier.

Les yeux étincelants, elle plaça ses poings sur ses hanches.

— Qu'est-ce qu'il a contre les sortceliers ?

— Les harpies ont tué ses parents, répondit Tara, lui exposant rapidement ce qu'elle avait expliqué à Cal.

Angelica eut une moue agacée.

— Mais c'est terrible. Je ne comprends pas pourquoi il me déteste, moi, mais toi, il a toutes les raisons. Il y a eu d'autres dommages parmi les nonsos ?

— On dirait un militaire : « Et les dommages collatéraux, ça va ? » remarqua Cal, railleur. Si tu veux savoir si d'autres personnes sont mortes, sois franche, demande !

La grande fille brune lui jeta un regard foudroyant et l'ignora.

— Non, la ferme était suffisamment isolée pour que personne ne se rende compte de rien, répondit Tara, qu'Angelica commençait à fatiguer. Mais ça a été très juste, ce coup-là. D'autant que Jordan fait partie des NM.

— Ouille ! fit Cal, autant pour notre secret. Tu crois qu'il va le garder pour lui ?

— Je ne sais pas.

— À sa place, moi, je voudrais vous faire payer très cher la mort de mes parents si vous en étiez responsables, plaça Angelica. Là, il reste froid et calme, c'est étrange.

— Parce que Tara n'est pas responsable, justement, fit une voix dans son dos. Il est peut-être fou de chagrin, mais pas idiot.

Jeremy s'était isolé pour pleurer ses parents. Puis il s'était ressaisi et descendait juste pour entendre la fin de l'échange.

Tara se retourna et plongea dans les merveilleux yeux noirs du garçon. Quelque chose, dans son cœur, cria qu'elle préférait des yeux de cristal, emplis d'espérance et de tristesse, mais le sort étouffa son instinct. Elle lui présenta Cal et Angelica, puis se rapprocha.

Avant qu'elle puisse réagir, Jeremy lui prit la main. Elle fut incapable de le lâcher, le sort ne le lui permit pas. Il la fit asseoir.

— Je suis désolé de t'avoir parlé brutalement à la ferme. Je sais que tu essayais de m'aider. Jordan comprend que vous n'êtes pas les auteurs de cette attaque. Il n'aura de cesse de retrouver ceux qui ont assassiné nos parents. Pour le moment, il est choqué. Mais d'ici quelques jours, je suis sûr qu'il cherchera le moyen de traquer les coupables.

Robin surgit dans la pièce à ce moment et blêmit à la vue de Tara main dans la main avec Jeremy. Cal nota sa réaction et murmura :

— Moi qui croyais ma vie compliquée !

Tara perçut la consternation du demi-elfe, mais ne s'écarta pas.

— Tara ? interrogea ce dernier d'une voix hésitante.

— Robin ? répondit Tara d'un ton neutre. Qu'y a-t-il ?

— J'étais en train de marcher dehors (en fait, il décapitait rageusement des fleurs qui ne lui avaient rien fait) lorsque ta grand-mère est revenue. Elle a reçu une communication par boule de cristal. Elle me l'a confiée parce que je cours plus vite qu'elle, mais elle sera là dans quelques secondes. Il semble qu'il y a eu un problème.

Affolée, Tara lâcha la main de Jeremy, au grand soulagement du demi-elfe.

— Quoi ? Que se passe-t-il ? Maman ?

Robin dit doucement :

— C'est à propos de ta mère, justement. Il s'est passé quelque chose au manoir !

Chapitre XXIII

Combat de gardes
ou comment éviter de se faire planter bêtement
un couteau dans le cœur

Xandiar avait mal, et cela le mettait de mauvaise humeur. Un Reparus efficace avait été appliqué par le chaman lancovien mais les blessures reçues par le grand garde lors de son combat étaient profondes et le tirailleraient pendant de longs jours. Il soupira. Il n'avait pas le choix. Il devait aller sur Terre. Décision difficile, car il craignait d'entraîner ses mystérieux assassins avec lui.

Il était vital qu'il rencontre Selena, la mère de Tara, et qu'il retrouve cette dernière au plus vite. Tant pis pour l'enquête qu'il avait eu l'intention de mener au Lancovit, sur le lieu de naissance de l'Héritière. Des assassins étaient déterminés à le faire taire, il lui fallait délivrer son message d'urgence et éviter, si possible, de mourir.

Lorsqu'il franchit la Porte de Transfert de Besois-Giron, sur Terre, il fut frappé de voir à quel point le comte semblait malade. Même s'il tenait vaillamment son poste, on sentait qu'il rêvait d'un bon lit et d'un oreiller moelleux.

— Vous n'avez pas l'air bien, remarqua Xandiar sans le moindre tact.

— Vous non plus, rétorqua le comte avec humeur. On a l'impression qu'une bestiole vous a boulotté et que, vous trouvant mauvais goût, elle vous a recraché !

— J'ai été attaqué, répondit dignement Xandiar.

— Moi aussi, répliqua le comte. Des harpies, et vous ?

— Des thugs, la même race que moi. Des harpies, dites-vous ? Elles vous ont griffé ? Et vous êtes encore vivant ?

Le comte ne résista pas au plaisir de taquiner le grand garde.

— Oui, pourquoi ? Ça aurait dû me faire quelque chose ?

L'humour et Xandiar avaient dû naître sur deux planètes opposées, parce qu'il n'en possédait pas un gramme.

— Oui, expliqua-t-il sans une once d'amusement, le venin des harpies est mortel. Si vous avez été griffé, vous devriez être mort. Si c'est arrivé il y a peu de temps, vous serez mort d'ici quelques minutes. Il n'existe aucun antidote.

— Vous savez rassurer les gens, dites-moi ! railla le comte. La petite Tara est bien plus maligne que vous. Elle a trouvé un moyen de me guérir.

Xandiar ouvrit de grands yeux.

— Impossible !

— Ah ! Depuis que mon fils est sortcelier, j'ai banni ce mot de mon vocabulaire. Elle a utilisé son sang.

Xandiar recula un peu.

— Son sang ? Et vous n'avez aucune séquelle ?

— À part un mal de crâne à tomber et une terrible envie de dormir, là, maintenant, tout de suite, non. Je me sens normal. Arrêtez donc de me regarder comme si j'étais une grenade dégoupillée !

— Une quoi ?

— Oh, laissez tomber. Qu'est-ce qui vous amène sur notre planète ?

— Je dois voir l'héritière impériale de toute urgence. Et sa mère également.

— Pour sa mère, c'est facile, elle est au manoir d'Isabella Duncan. Pour Tara, cela va être plus compliqué. Elle est partie pour Stonehenge.

Xandiar hésita un bref instant et décida de parler d'abord à Selena. Il s'inclina devant le comte qui lui rendit un salut ironique et se dirigea vers le manoir, après avoir prudemment dissimulé ses quatre bras sous une illusion. Il grimaça. La dernière fois qu'il s'était rendu au manoir, il avait terminé dans la piscine après avoir atterri dans les ronciers. Il espérait que l'accueil serait plus chaleureux cette fois-ci.

Lorsqu'il pénétra dans le parc, il fut saisi par la beauté de la jeune femme qui venait vers lui. Moins spectaculaire que l'Impératrice, la mère de Tara avait cependant un visage inoubliable, éclairé par de magnifiques yeux noisette, que ses cheveux bruns encadraient comme un écrin des pierres précieuses. Vêtue d'une simple robe blanche, elle tenait un bouquet de fleurs dans ses bras et des papillons, attirés par le pollen, voletaient autour d'elle, formant une vision idyllique.

La scène était toutefois gâchée par la présence du sombre Medelus, de fort mauvaise humeur.

— Je ne suis pas convaincu, grognait-il. Tu ne peux rien pour ta fille dans l'immédiat, et revenir d'AutreMonde sur cette planète (sa manière de prononcer le mot sous-entendait l'adjectif « minable ») ne prendrait que quelques minutes. Pourquoi t'entêter à nous faire rester ici ?

— Bonjour, Xandiar ! salua Selena tandis que le garde s'inclinait respectueusement.

Puis elle se tourna vers Medelus et expliqua, poursuivant la conversation avec aisance :

— Parfois, avec Tara, tout est une question de secondes pour lui sauver la vie... ou sauver la planète ! Je ne veux pas courir de risque. Brad, nous avons discuté de ceci encore et encore. Si cela ne te convient pas, je comprendrai tout à fait. Si tu le désires, tu peux retourner sur AutreMonde. Moi, j'attendrai ici le retour de ma fille, de ma mère et de mon grand-père !

Selena était très douce. Mais à ce moment, la fermeté de sa voix n'avait rien à envier à celle d'Isabella.

Le visage de Medelus se plissa en un rictus mécontent. Mais il n'insista pas.

Soudain Selena s'arrêta, regardant attentivement Xandiar. Puis elle eut un geste inattendu.

Elle lâcha ses fleurs, et son visage se crispa. Avant que Xandiar n'ait pu réagir, elle projeta une gerbe de feu sur lui en criant !

Il n'eut que le temps de se baisser.

Fou de rage, il allait riposter lorsqu'il entendit un hurlement de douleur derrière lui. Le jet brûlant venait de carboniser un thug, identique à celui qui l'avait attaqué à Omois ! L'assaillant disparut dans un grésillement d'étincelles. Sa lance, abandonnée dans l'herbe, scintilla puis s'évapora également.

Xandiar, aplati par terre, roula derrière un tronc. Par ses ancêtres ! Il connaissait le sort qui venait de dématérialiser le meurtrier. Il servait lorsqu'on ne voulait pas laisser de traces ni de prisonnier à interroger. Il détruisait intégralement le corps, les armes et les vêtements de ceux qui étaient sous son emprise. Pas sympathique, mais efficace. Peu de mercenaires acceptaient d'en subir les effets. Mauvaise nouvelle : celui qui voulait sa peau soit avait payé très cher, soit disposait de moyens que Xandiar ne voulait même pas imaginer. Bref, il était mal.

Utilisant les arbres pour se protéger, Medelus, blême de peur derrière elle, Selena progressait vers l'abri de la maison avec la grâce d'une guerrière accomplie. Ce qu'elle n'était pas censée être. Elle avait transformé sa robe qui se fondait à présent dans le paysage, verte et bleue, et composait une cible mouvante difficile à atteindre.

Bel effort, mais tout à fait inutile. Car personne ne s'intéressait à elle et les tirs se concentraient sur Xandiar. Le grand garde s'était recroquevillé derrière un tronc d'arbre, inconfortablement étroit. Les moyens mis en œuvre pour l'anéantir excédaient ceux d'un simple particulier. Celui qui était derrière cette attaque était au moins aussi puissant qu'un gouvernement ! Et un horrible soupçon taraudait son esprit.

Une flèche siffla et vint se ficher près de son pied. Il se ramassa encore plus sur lui-même. Il allait risquer un œil au-dessus de son refuge lorsque son attention fut attirée par une forme blanche roulée autour de la hampe de la flèche. Il s'en empara. C'était une missive ! Le texte en était laconique : « Lorsque je sifflerai, roule vers ta gauche, je couvrirai tes arrières. Sois prêt ! »

C'était signé : « Séné Senssass ». Il jura entre ses dents

puis relut attentivement le message. Comment savoir s'il était authentique ou s'il s'agissait d'un piège de ses assaillants pour le forcer à s'exposer ? Pire, s'il était véridique, une question se posait : la belle espionne était-elle une traîtresse ou une amie ?

Un feu nourri de rayons éclata au milieu des arbres, en réponse à l'offensive des assaillants. Tranchant sur le vacarme des arbres s'enflammant, un sifflement bref et strident retentit. Xandiar n'eut pas le choix. Piège ou non, il ne pouvait rester indéfiniment derrière son abri précaire !

Il opéra un roulé-boulé sur sa gauche et, à sa grande surprise, aucun rayon mortel ne vint l'abattre. En quelques fractions de seconde, il était à l'abri derrière le mur solide d'un cabanon de jardin. Il sursauta lorsque Séné apparut devant lui. Surgie de nulle part, elle était plus jolie que jamais. Elle lui adressa un sourire plein de fossettes.

— Quelle surprise ! Que fait le chef des Gardes impériaux sur Terre ? Assailli par des gens qui ont l'air de lui en vouloir sérieusement ?

— Je pourrais vous retourner la question, Chef des Camouflés ! Du moins pour votre présence si... inattendue !

— J'enquête sur la disparition de la bombe dans nos laboratoires. Je suis venue sur Terre pour relever des empreintes sur la Pierre Vivante qui a servi à l'amorcer. En constatant qu'on attaquait le manoir de dame Isabella, je me suis portée à la rescousse. Je vous ai sauvé la vie, ce me semble.

Xandiar fit la moue, puis désigna les thugs masqués qu'on distinguait parmi les arbres.

— C'est beaucoup vous avancer, damoiselle espionne ! Nous sommes loin d'être tirés d'affaire ! Ce sont vos soldats qui font diversion ? Combien sont-ils ?

— Nous sommes cinq. Six en m'incluant.

— Si j'ai bien compté, nous avons au moins une douzaine d'attaquants sur les bras. C'est trop pour sept personnes ! Surtout qu'ils sont des professionnels, ils ne commettront pas d'erreur !

— Neuf, chuchota une voix essoufflée. Medelus et moi

sommes prêts à vous aider. Je suppose que c'est encore en rapport avec ma fille ?

Voyant que les tirs ne les poursuivaient pas, Selena et Medelus avaient fait demi-tour afin de s'abriter au même endroit qu'eux. Le grand chef des Gardes opina gravement.

— Oui, hélas. L'Impératrice a dit qu'elle se chargeait de la faire guérir, mais la vie de l'héritière reste néanmoins en grand danger. Elle doit absolument rentrer ! Sinon sa magie risque de détruire cette planète !

Ils le regardèrent tous, bouche bée.

— Ma fille ? Elle est malade ?

— La manipulation génétique a augmenté son potentiel magique, au point de menacer toute vie sur Terre, confirma le garde.

— Euh, vous exagérez un peu, là, tout de même, protesta Selena en surveillant les attaquants qui continuaient à échanger des rayons avec les soldats de Séné. Personne n'a le pouvoir d'anéantir une planète... Si ?

— C'est malheureusement possible, grinça Xandiar. Voici la preuve que je n'affabule pas, Dame Duncan (il lui tendit le double qu'il avait effectué du dossier du savant assassiné). Lisez-le pendant que Séné et moi essayons de rétablir le rapport de forces en notre faveur, en abaissant le nombre de nos ennemis.

Xandiar avait remarqué que les assaillants évitaient soigneusement de viser Selena et Medelus. Priant pour qu'ils soient moins puissants que lui, il érigea un bouclier.

— Que faites-vous ? interrogea Séné.

— Je vais sortir, abrité par ce bouclier. Protégée, vous allez en profiter pour les abattre, les uns derrière les autres.

— Très mauvais plan, répliqua calmement Séné. Et s'ils sont plus forts que vous ? Vous allez vous faire griller, et moi avec !

Le grand garde se retourna, une lueur sauvage dans les yeux.

— Non, justement à cause de vous et de cette jeune fille que j'ai juré de protéger. Je tiendrai. Faites-moi confiance !

La jeune camouflée le regarda puis hocha la tête. Elle activa sa magie.

— OK, allons-y alors.

Leur assaut prit les assaillants au dépourvu. Ils avaient bien vu que leur proie avait reçu des renforts, mais ne s'attendaient pas à l'attaque d'un fou furieux qui fonçait vers eux, protégé par un bouclier magique, pendant qu'une fille en noir les décimait à coups de rayons carbonisants. Démoralisés, ils reculèrent, puis ce fut la franche débandade. Ils commencèrent à disparaître à travers les arbres.

— Capturez-en un ! hurla Séné. Je le veux vivant ! Et faites gaffe, ils se dématérialisent si vous les blessez trop !

L'un de ses camouflés parvint à assommer un thug, celui qui semblait être le chef de la bande, et qui ne fut pas atteint assez gravement pour que le sort le tue. Lorsqu'il reprit conscience, il était ligoté et Xandiar s'approchait de lui pour retirer son masque. Épouvante, il se tortilla en tous sens mais il ne pouvait échapper à la main qui lui arracha le carré de tissu noir. Il leva les yeux vers le grand chef des Gardes, tandis qu'une exclamation stupéfaite échappait à celui-ci :

— Par les crocs pourris de Gélisor ! Xaril !

— Vous le connaissez ? questionna Selena.

— Oui, hélas !

Le ton de Xandiar était amer.

— C'est Xaril, l'un des gardes impériaux. Je n'en reviens pas. Vouloir mon poste au point d'essayer de m'assassiner, c'est une chose. Mais embarquer la Garde impériale avec lui, ce n'est pas possible.

Séné était aussi fine qu'intelligente. Elle porta l'une de ses mains à sa bouche.

— Vous croyez ce que je crois ? murmura-t-elle, horrifiée.

Xandiar hocha la tête.

— Il a obéi, n'est-ce pas ? Il a obéi à un ordre. Le tout est de savoir de *qui* il l'a reçu.

En dépit de tout, il voulait croire à l'innocence de celle à qui il pensait. Espérer que Tyrann'hic, le Premier ministre, qu'il n'aimait pas et qui le lui rendait bien, était derrière cet attentat. Mais Xaril n'avait pas l'intention de lui laisser ses illusions.

— Tu es un thug mort, Xandiar ! ricana-t-il. L'Impératrice a ordonné de t'éliminer, car, a-t-elle dit, tu es en possession d'informations qui pourraient compromettre la sécurité de l'État !

Ils se dévisagèrent tous. Selena en particulier était choquée. Condamner un hom... hrrrmm, un thug, parce qu'il savait quelque chose ! C'était... barbare. Une fois de plus, elle se demanda si elle avait raison de laisser sa fille recevoir l'éducation impériale d'Omois. L'Impératrice ferait-elle de Tara une princesse aussi dénuée de scrupules qu'elle-même ?

— Quelqu'un peut-il m'expliquer le rapport entre Tara, l'impératrice d'Omois et la manipulation génétique ? demanda-t-elle.

— L'Impératrice m'a commandé de garder le secret sur ce qu'avait subi l'héritière impériale. Et elle n'a pas eu l'air étonnée lorsque je lui ai apporté le dossier, réfléchit Xandiar. Je dois supposer qu'elle était au courant.

— Qu'a-t-elle dit exactement, lorsque vous lui avez remis les papiers ?

— Qu'elle se chargeait de faire guérir l'Héritière, puis elle m'a congédié. Quelques heures après, un homme, sans doute l'un de mes propres soldats, masqué afin que je ne l'identifie pas, m'attaquait pour m'empêcher de divulguer l'information. Ce qui était stupide car je n'avais l'intention d'en parler à personne, ayant donné ma parole. Mais la tentative de meurtre m'a fait croire que le commanditaire avait surpris notre conversation et tentait de m'éliminer. J'ai eu peur pour la vie de la jeune princesse, et j'ai décidé de me rendre au Lancovit, afin de mener une enquête. Privée. J'ai été assailli à nouveau à la Porte de Transfert, et une troisième fois en arrivant ici.

— Je connais Lisbeth ! affirma Selena. Elle se fiche qu'on apprenne qu'elle a fait ceci ou cela, elle se croit au-dessus des lois. Elle ne vous aurait jamais fait assassiner seulement parce que vous saviez que Tara avait été victime d'une manipulation génétique, d'autant que, à la suite de la métamorphose temporaire de ma fille en bébé, nous nous en doutions déjà. Non. Il y a certainement un autre motif à cette décision. Quelque chose de plus terrible encore, où elle se trouve impliquée, la contraignant à vous éliminer. Voilà qui serait tout à fait dans sa façon de faire.

Les épaules de Xandiar s'affaissèrent.

— Qu'y puis-je ? soupira-t-il, résigné. J'ignore pourquoi l'Impératrice veut me réduire au silence. En quoi est-elle responsable de la manipulation génétique de Tara, alors qu'elle ignorait l'existence de son héritière voilà un an ?

Séné ouvrit de grands yeux.

— Mais si notre impératrice a décidé d'éliminer Xandiar, que fera-t-elle à ceux avec qui il a partagé l'information ?

— Justement, je connais un moyen de lui compliquer la vie ! sourit sauvagement Selena.

Avant que Xandiar ait le temps de l'en empêcher, Selena avait dupliqué le dossier et le leur distribuait, les mettant tous en danger en partageant d'aussi brûlantes preuves avec eux.

Medelus, lui, comprit immédiatement, mais il était trop tard. Livide, il s'en prit à Selena.

— Mais que fais-tu ? Tu es folle !

Interloquée, Selena s'interrompit.

— Comment ? Mais...

— Arrête tout de suite ! L'Impératrice ne doit pas savoir que nous sommes au courant. Sinon, elle nous fera exécuter, exactement comme Xandiar ! Si nous sommes pris en possession de ce dossier, c'en est fini de nous !

— C'est bien pour cela que j'en ai fait des replicata ! rétorqua Selena. Elle ne pourra pas nous tuer tous, pas avant que nous ayons révélé cette manipulation autour de nous. En agissant ainsi, je protège Xandiar, Séné et tous ceux qui ont assisté à l'attaque. De plus, je suis la mère de l'héritière d'Omois. Jamais Lisbeth ne courra le risque que Tara se retourne contre elle.

— Vous avez raison, Dame, opina Xandiar d'une voix soulagée.

Il posa un genou à terre et inclina la tête.

— Je me mets sous votre bienveillante protection. Que votre magie illumine, Dame Duncan !

— Et qu'elle protège le monde, répondit Selena, en réponse à l'antique salutation.

Bien que Xandiar soit théoriquement sous les ordres de l'Impératrice, il venait de se placer sous la suzeraineté de Selena, qui devrait le venger s'il était assassiné. C'était toujours mieux que rien.

— Alors là, Dame, vous avez gagné ! grimaça Xaril. Maintenant je dois tous vous tuer ! TEONCHOVAR !

Ce n'était pas une incantation, alors ils ne réagirent pas, croyant que le garde proférait un juron exotique. Aussi furent-ils pris par surprise lorsque, comme par enchantement et sans qu'il ait à utiliser ses mains, le sort étrange détruisit ses liens. Saisissant le couteau dans sa botte, il égorgea l'un des soldats de Séné, puis bondit sur Medelus.

Celui-ci cria et s'empara de Selena qu'il plaça devant lui. Xaril visa le cœur de la jeune femme stupéfaite, mais Xandiar s'était déjà interposé, son arme bloquant la lame à quelques millimètres du tissu.

Couteau contre couteau, les deux gardes s'affrontèrent. S'ils étaient de stature et de corpulence identiques, Xandiar était plus âgé que Xaril et ses réflexes étaient légèrement amoindris. Mais si peu que son expérience lui permit de compenser les fulgurantes attaques de son rival. Curieusement, Séné n'intervenait pas. Pas plus que ses soldats.

— Qu'attendez-vous pour neutraliser Xaril ? hurla Selena.

— Ils sont trop rapides, Dame, répondit Séné, les yeux brillants. Je risque de toucher Xandiar en tentant d'assommer Xaril. Notre chef des gardes sait se défendre. Je ne suis pas inquiète.

Xandiar, qui avait entendu en dépit de sa concentration, eut un rictus. Elle en avait de bonnes, la Camouflée ! Lui, il était inquiet. Xaril n'aurait pas d'autre chance de le vaincre, d'autant que le chef des Gardes se ressentait des graves blessures reçues quelques heures auparavant. Il attaquait comme un fou, son couteau formant comme une barrière vivante devant les yeux de Xandiar. *Tu ne t'en sortiras pas en reculant sans cesse*, songea-t-il. *Il faut que tu le forces à commettre une erreur.*

Il fit mine de trébucher puis de se ressaisir. Le couteau n'hésita pas et une large balafre s'ouvrit sur son torse. Hou ! la lame avait raté la jugulaire de peu. Mais Xaril s'enhardissait, convaincu que son adversaire se fatiguait. De nouveau, Xandiar fit un faux pas et présenta son épaule à la lame. Xaril saisit l'opportunité. Son arme s'enfonça et se coinça en crissant dans l'articulation. En dépit de la douleur fulgurante, Xandiar leva son poing armé. Et son poignard s'enfonça dans le cœur de Xaril jusqu'à la garde.

Incrédule, le garde impérial recula, regardant le couteau qui dépassait de sa poitrine. Il poussa un petit soupir puis s'écroula.

Séné se pencha mais déjà le corps scintillait et disparaissait. Xandiar s'écroula à son tour et Séné le retint de justesse.

— Retire-moi ce couteau, s'il te plaît, demanda Xandiar, la tutoyant pour la première fois.

— Mon magnifique guerrier, roucoula la camouflée, les yeux étincelants d'admiration. Quel formidable combat !

— Mpphhhmmmh, fit Xandiar en gémissant lorsque la lame glissa hors de son épaule.

Puis il fit quelque chose de nettement moins martial. Il s'évanouit.

Inquiète, Séné incanta et le Reparus referma la plaie.

Pendant qu'elle s'affairait, Selena fit face à Medelus. Le visage crayeux, le séduisant Brad n'arrivait pas à croire à son geste. Instinctivement, au lieu de défendre Selena, il s'en était fait un bouclier ! Pour ne pas mourir ! Il s'avança vers sa fiancée, les mains tendues, mais la jeune femme recula, le visage fermé.

— Je t'en prie, mon amour, ma chérie, je t'en supplie ! murmura Brad à voix basse. C'était un réflexe imbécile. Je n'ai pas réfléchi !

Selena inclina la tête et des larmes perlèrent à ses beaux yeux noisette.

— Ta réaction a été tout à fait logique. Tu as été horriblement blessé par le Chasseur et à présent, à cause de moi, tu as encore failli mourir.

Bradford s'élança, se croyant pardonné, mais Selena fit un pas en arrière, refusant qu'il la touche.

— C'est d'ailleurs la raison pour laquelle tout est fini entre nous.

Il s'immobilisa, stupéfait.

— Comment ? Mais non ! mais...

— Je te mets en danger. Ton existence était paisible avant que nous nous retrouvions. Je n'ai pas le droit d'imposer cela à un homme qui n'est pas fait pour vivre dans ces conditions, ce serait injuste.

Bradford se mit à crier, perdant tout sang-froid.

— Mais ce n'est pas toi ! C'est ta stupide fille ! C'est elle, encore et toujours, qui menace ta vie ! Tu vas finir par être tuée ! Elle n'en vaut pas la peine ! Elle est l'héritière d'Omois, abandonne-la à ta belle-sœur ! Elles sont faites pour aller ensemble. Pouvoir et cruauté. Toi tu es faite pour l'amour, nous pourrions avoir des enfants ensemble. De vrais enfants, pas des monstres de puissance !

Selena se figea, son beau visage comme un masque d'argile blanche.

— C'est ainsi que tu considères ma fille, dit-elle lentement. Un monstre. Je suis désolée, Bradford. Je n'avais pas compris.

D'un élan, il se jeta à ses pieds, entourant ses jambes de ses bras en dépit du mouvement de répulsion de la jeune femme.

— Non, ce n'est pas ce que je voulais dire. Pardonne-moi, ma chérie. Je ne sais plus ce que je raconte. Je veux juste rester avec toi et t'aimer jusqu'à la fin des temps. S'il me faut aimer ta fille aussi, qu'il en soit ainsi, même si je la redoute. Tout pour te garder !

Il faillit gagner. Un instant, la main de Selena hésita au-dessus des boucles brunes, puis ses traits un instant adoucis se fermèrent. Devant elle planait l'image du couteau qui avait manqué la tuer. Si elle était morte, qui aurait veillé sur sa fille ? Elle ne pouvait se permettre la moindre faiblesse.

— Je suis désolée, Brad, répéta-t-elle.

Et, en dépit de l'amour qu'elle ressentait encore, elle se dégagea.

Bradford demeura un instant immobile, hébété. Puis, lentement, son visage se convulsa de rage et il se releva.

— J'aurais dû la tuer, cette petite garce, siffla-t-il, transformé par la colère en un monstre hideux. Elle ne nous séparera pas longtemps, Selena, je te le jure. Avec Bourbier, j'ai presque réussi à la faire disparaître, alors crois-moi, je ne renoncerai pas à toi, pour tout l'or et les joyaux d'AutreMonde.

Ébranlée, Selena porta la main à sa gorge.

— Comment ? Bourbier ? L'élémentaire ? Mais...

— C'était moi, oui ! avoua l'homme avec une joie mauvaise. Chaque fois, c'était la même chose. Ta fille sifflait et tu accourais, tu risquais ta vie et j'étais blessé. J'ai décidé que c'en était assez. Mais elle m'a tout de suite reconnu et sa sale petite copine m'a assommé. J'ai joué la comédie de la surprise et vous avez tous cru que c'était un maléfice posé par les harpies !

Il allait continuer à cracher son venin mais une voix froide l'interrompit :

— Ôtez-moi d'un doute, questionna Xandiar qui avait fini par sortir de son évanouissement. Vous venez bien d'avouer devant témoins que vous avez attenté à la vie de l'héritière impériale d'Omois ?

Bradford tourna brusquement la tête. Le grand garde impérial se tenait juste derrière lui, immense ombre menaçante, son couteau à la main. Brad déglutit. Puis, sans laisser à Xandiar le temps d'intervenir, il retroussa sa robe de sortcelier et, zigzagant entre les arbres, s'enfuit à toutes jambes.

Selena arrêta Séné juste avant qu'elle ne carbonise le fuyard.

— Non, laissez-le. Il ne représente pas une menace.

— Ah, vous avez raison, Dame, maugréa Séné, il n'en a pas le courage. C'est un lâche. Oups !

Son Oups s'adressait à Xandiar qui avait donné toute sa force pour paraître le plus menaçant possible et qui, maintenant que ce n'était plus nécessaire, vacillait sur place. Elle glissa vivement son épaule sous celle du grand garde.

— Heureusement qu'il ne m'a pas combattu, marmonna Xandiar. Je serais incapable de tenir tête à une fillette de trois ans armée d'un bavoir !

— Effectivement, gloussa Séné. Appuie-toi sur moi, nous allons te ramener jusqu'au manoir, ensuite nous aviserons. Cette enquête me paraît de plus en plus passionnante !

Xandiar s'inclinant lourdement sur son épaule, ils entrèrent dans le grand hall carrelé de marbre noir et de blanc, aux boiseries chaudes et à l'architecture élégante. Selena les introduisit dans un ravissant salon rose et vert et Xandiar se laissa tomber sur un sofa avec un soupir.

Tachil et Mangus, les deux sortceliers qui assistaient Isabella dans sa recherche des sortceliers non déclarés et sa surveillance des Failles, pénétrèrent dans le salon, la magie brillant sur leurs mains.

Tachil, en charge de la cuisine du manoir, potelé et grassouillet sous sa robe de sortcelier, s'exclama :

— Dame ? Nous avons vu les feux et les explosions. L'Héritière est rentrée ?

Séné leva un sourcil railleur.

— Oh, ce genre de démonstration lui est réservé d'ordinaire ? Non. Elle n'est pas là. C'était Xandiar qui était attaqué, pour une obscure histoire de pouvoir et de planète détruite.

— Par les dieux d'AutreMonde ! s'exclama Selena qui, bouleversée par la trahison de Bradford, en avait momentanément oublié le danger qui pesait sur sa fille. Il faut prévenir Isabella et Tara ! Lisbeth a dit qu'elle ferait soigner Tara, mais je me sentirais mieux si je pouvais vérifier qu'elle va bien.

— Vous avez raison, Dame, décida Xandiar. Il nous faut aller à Stonehenge parler à l'Héritière et la convaincre de revenir sur AutreMonde pour y être guérie, si ce n'est pas déjà fait.

Selena opina.

— Je vais la contacter sans attendre.

— Dame, fit Xandiar, inquiet, les lignes ne sont pas forcément sûres. Informer nos ennemis de nos prochains mouvements ne me semble pas une bonne idée. Dites-lui simplement que j'ai été agressé, je vais vous fournir une explication plausible qu'elle est susceptible de croire, et nos adversaires aussi. Ajoutez que la situation est sous contrôle. Dites-lui que nous restons pour surveiller la Porte de Transfert. Ainsi, si nous sommes écoutés, nous donnons à penser que nous avons décidé de ne pas bouger.

Selena hésita. Son cœur lui hurlait qu'elle devait protéger sa fille et l'avertir de son état au plus tôt. Mais Xandiar avait raison.

— Nous partirons cette nuit, discrètement, dès que vous vous sentirez mieux. Séné, vous nous accompagnez dans cette aventure ?

La camouflée eut un joyeux sourire.

— L'Impératrice m'a chargée d'enquêter sur la copie de notre bombe. L'affaire d'aujourd'hui me paraît liée à mes investigations et je me joins donc à vous avec plaisir. Je crois que du renfort ne sera pas de trop.

— Venez, Séné, soupira Selena. Je vais vous montrer l'endroit où nous pourrons laver toute cette suie sur nos visages et ensuite nous appellerons ma fille.

Consternée, Séné se regarda dans la glace. Effectivement, elle était maculée de noir. Elle adressa un dernier sourire à Xandiar puis emboîta le pas de Selena, ses soldats se plaçant aux aguets derrière les fenêtres au cas improbable où les gardes impériaux décideraient d'attaquer de nouveau.

Dans la forêt qui s'assombrissait lentement, deux yeux flamboyants couvaient le manoir. Medelus ne s'était pas enfui, il guettait celle qu'il aimait.

Et sa prophétie retentit dans les ténèbres.

— Selena, tu seras à moi !

Chapitre XXIV

La colère d'Isabella
ou les gens qu'il vaut mieux éviter d'agacer

Affolée, Tara prit la boule de cristal que lui tendait Robin. Le beau visage de Selena lui faisait face, projeté par le halo blanc de la boule.

— Tout va bien, ma chérie, la rassura sa mère. Il y a eu un petit problème entre Xandiar et un autre garde qui voulait sa place, mais à présent tout est rentré dans l'ordre.

Tara écarquilla les yeux. Elle distinguait, derrière sa mère, Xandiar, qui n'avait pas l'air frais, et une jolie thug vêtue de noir. Elle reconnut Séné Senssass, la chef des Camouflés, qu'elle avait rencontrée à plusieurs reprises chez sa tante. Que faisait la première espionne impériale sur Terre chez sa grand-mère ?

Selena expliqua calmement :

— Une simple affaire de promotion. L'Impératrice a nommé Xaril Xilar à la place de Xandiar pendant les vacances de ce dernier. Il semble que la nomination ait tourné la tête de Xaril. Il a décidé d'éliminer son rival afin de prendre sa place.

Depuis quand le paranoïaque chef des Gardes impériaux prenait-il des congés ?

— Tu n'as rien, Maman, dis-moi ?

Selena perçut l'anxiété de sa fille. Ouille, vite, diversion avant qu'elle ne pose trop de questions.

— Rien du tout ! affirma-t-elle joyeusement. Je vais très bien, et toi ?

Tara sourit, embarrassée à son tour. Inutile d'inquiéter sa mère avec sa crise de magie.

— Je suis en pleine forme, Maman. Nous avons abattu les harpies et trouvé Jeremy, le sortcelier, mais malheureusement sans pouvoir sauver les gens chez qui il habitait. Je te raconterai tout bientôt. Nous allons rentrer, juste le temps de régler deux, trois détails.

Elle hésita un instant. Elle qui tentait de faire revenir dans le monde des vivants son père, devait-elle parler à sa mère de la réapparition possible de Menelas, le père de celle-ci ? L'instant passa et Selena conclut, apparemment pressée :

— Bien ! Embrasse ta grand-mère de ma part, nous nous rejoignons bientôt au manoir. Je t'aime.

— Moi aussi, je t'aime, Maman !

Et, rassurées après s'être copieusement menti pour se protéger l'une l'autre, la mère et la fille éteignirent les boules de cristal. Tara rendit la boule de cristal de sa grand-mère à Robin.

— Rappelle-moi de ne pas te croire sur parole, railla Cal. « Deux, trois détails et on rentre » ? Je croyais que ta grand-mère venait de voir son mari disparu depuis vingt et un ans sur une photo prise l'année dernière.

— Vous avez fini, là ? claironna Angelica qui avait assisté à l'échange avec dégoût. Parce que vos histoires de famille ne sont pas passionnantes. Moi, ce que je veux à présent, c'est quitter cette planète !

— Pas fans nous avoir donné notre dû, fère Mademoivelle ! postillonna quelqu'un derrière elle.

Angelica se retourna, puis ouvrit des yeux stupéfaits devant le couple improbable que formaient le petit Igor et l'immense Esmeralda. Derrière eux, Jordan, Isabella et maître Chem s'avançaient. Angelica se renfrogna. Non seulement elle n'avait pas réussi à confondre l'horrible Cal, mais, de plus, elle était confrontée au dragon qui l'avait fait bannir de la cour du royaume du Lancovit pendant les trois mois les plus longs de sa vie. Elle qui avait horreur de la campagne !

Évidemment, elle avait trahi le Lancovit en s'alliant au

Ravageur d'Âme qui tentait de conquérir AutreMonde. Ce qu'ils étaient rancuniers, ces fichus dragons, tout de même ! Elle tordit le nez mais s'inclina.

— Maître, Dame.

— Angelica ? Cal ? s'exclama Isabella. Que faites-vous ici ?

La courbette du petit Voleur fut pure ironie.

— Nous nous promenions dans le coin, nous avons vu de la lumière et nous sommes entrés. Bonjour, Dame, comment allez-vous ?

Son formalisme rappela à la vieille sortcelière qu'ils n'étaient pas seuls. Elle exigerait des explications plus tard.

— Je vais bien, merci. Comment se porte votre mère ?

Cal plissa des yeux, agacé. Son père ne travaillait pas pour le gouvernement du Lancovit, contrairement à sa mère, et Isabella avait une fâcheuse tendance à négliger son existence.

— Mes *deux* parents se portent à merveille, merci, Dame, répondit-il.

— Fa fuffit fes difcufions ftupides ! éructa Igor. Nous favons qui vous êtes ! Vous êtes des Hauts Maves et des fortfeliers ! Et vous, Dame, fi vous voulez revoir votre mari, il va falloir nous donner fe que nous dévirons !

Les yeux d'Isabella flamboyèrent.

— Me menaceriez-vous, nonsos ?

— Je crois plutôt qu'il essaie de vous faire chanter, décrypta Cal.

Les poings de la Haute Mage se serrèrent et sa magie violette les illumina brusquement.

— Petit homme, vous n'avez aucune idée de ce que vous êtes en train de faire.

— Vieille femme, riposta Igor, vexé, ve fais très bien où ve vais. Et vous n'avez pas le foix, je fuis, moi auffi, un NM. Votre mavie ne fonctionnera pas avec moi.

« Vieille femme » contre « petit homme », les apostrophes se valaient. Tara et Robin échangèrent un regard inquiet. Déjà, en temps normal, Isabella n'était pas la personne la plus calme du monde. Depuis qu'elle espérait retrouver son mari, sa patience avoisinait le degré zéro. La vieille femme eut un sourire glacé.

— Le Mintus ne fonctionne pas sur les NM, c'est exact. Mais il existe d'autres moyens de faire taire les imprudents... ou de les faire hurler ! Tu es déjà tout petit, voyons si je peux te faire rétrécir encore ! Par le Destructus, que ses jambes soient broyées, afin de le faire parler !

Le flux magique jaillit. La réaction de Tara fut instinctive, pas question de laisser Isabella massacrer l'aubergiste. Sa magie réagit et frappa celle de sa grand-mère. La déflagration fit tomber tout le monde et roussit les meubles et les tentures. Robin incanta promptement afin d'éteindre le début d'incendie.

Lorsque Isabella se releva, ses cheveux, dressés sur sa tête, formaient une étrange couronne, son visage était maculé de noir, ses vêtements étaient déchirés et ses yeux un lac de rage pure. Elle émit un cri inarticulé et brandit les poings.

— Tara ! Ne la combats pas, tu vas nous faire tuer ! Tous aux abris ! glapit Manitou, plongeant derrière une solide commode.

Jordan empoigna Angelica, qui se débattit, et la protégea de son corps, abrité derrière un canapé. Jeremy créa un bouclier, maladroit mais solide, afin de protéger son frère d'adoption et la grande fille brune. Fabrice pour Barune, Moineau pour Sheeba, Cal pour Blondin, les yeux agrandis de frayeur, firent de même, tandis que Fafnir, pas folle, s'infiltrait à travers la pierre dans la pièce voisine. Elle n'aimait pas la magie, encore moins lorsque celle-ci la menaçait.

Igor et Esmeralda, terrifiés, restaient figés comme deux oiseaux traqués par un serpent. Tara les protégea, ainsi que Galant et Manitou. Cela se fit en quelques secondes au cours desquelles la magie d'Isabella atteignit son apogée. Alors, la sortcelière la libéra et, avec elle, toute la frustration qu'elle avait accumulée pendant des années.

Le toit du château sauta comme un bouchon. La pièce où ils se tenaient fut détruite, la température s'éleva à des degrés inimaginables. Les arbres furent réduits en allumettes, les bâtiments annexes disparurent purement et simplement. Une pluie de gravats s'abattit, faisant gémir Angelica, Manitou et Barune. Cela parut durer un temps infini. Puis la sortcelière épuisa sa rage et son pouvoir, et la magie s'éteignit sur ses mains. Ils commencèrent à redresser la tête. Toute l'aile du Château dans laquelle ils se trouvaient n'était plus que ruines et, sans la magie des sortceliers, tout le reste aurait été réduit en cendres, à part le mur où se trouvait la photo de Menelas, épargné par Isabella.

— Wahou, souffla Manitou !

Fafnir enjamba un mur calciné et interrogea calmement :

— Ça y est, c'est terminé ? Vous avez passé vos nerfs ?

Isabella l'ignora, concentrée sur Igor qui tentait de se faire plus minuscule encore, collé contre Esmeralda.

— Alors, petit homme, grinça-t-elle d'une voix rauque, vas-tu encore me défier ? Une prochaine fois, ma petite-fille ne sera pas là pour te protéger tandis que moi, je deviendrai comme ton ombre, attendant le bon moment...

— Ve ne fais pas fe qui est arrivé à votre mari, Dame ! bredouilla le plus vite possible Igor, terrorisé. F'était idiot de notre part, ve fuis dévolé. Mais vous allez comprendre. Nous avons paffé un accord, il y a longtemps, avec un homme qui nous a demandé de n'accorder l'hofpitalité qu'à des vens venant de la part de l'hôtel de la Mavie à Londres. Il nous a expliqué qui vous étiez, et nous a payés pour garder un fertain nombre de fambres libres. Le problème, f'était que fe n'était pas fuffivant pour entretenir le fâteau, car peu de fortfeliers viennent à Stonehenge, alors, petit à petit, nous avons commenfé à recevoir pluf de touriftes normaux, mais fi les fortfeliers se fifent de l'humidité et de l'inconfort grâfe à leur mavie, les humains, eux, n'aiment pas fa du tout. Or, nous n'avons pas affez d'arvent pour les réparafions. Ve voulais vufte vous prier de refaire notre maivon afin qu'elle foit plus confortable. Mais nous ignorons fe que fette photo faivait fur notre mur. Elle n'y était pas il y a encore deux vours !

La vieille sortcelière vacilla, toute colère envolée.

— C'était juste... du bluff ? constata-t-elle, d'un ton si

amer que le cœur de Tara se serra. Vous ne savez donc pas ce qui est arrivé à mon mari ? Ni où il se trouve ? J'ai lancé une ligne pour tenter de retrouver l'auteur de la photo, mais la piste a disparu aux alentours de Stonehenge.

— Ve fuis dévolé, répéta Igor. Mais la réponfe est non. Nous ne favons rien de lui.

— Vous avez dit que vous aviez passé un accord avec un homme, demanda Robin. Serait-il possible de le décrire ?

— Fa va être diffifile, répondit Igor.

Isabella serra les poings et Igor reprit prestement :

— Ne vous énervez pas, furtout, gardez votre calme. Fe n'est pas que ve ne veux pas répondre, f'est que ve ne peux pas. D'ailleurs f'est à cauve de fet homme que ve fais que les fortfeliers exiftent.

Robin fronça les sourcils, perplexe.

— Comment fa... Je veux dire : comment ça ?

— Parfe que notre technolovie est avanfée, mais une fose comme felle-fi, f'est impossible fur Terre. Fet homme, il n'avait pas de vivage !

CHAPITRE XXV

LE TABLEAU
ou comment passer de l'autre côté du miroir
sans se prendre pour Alice

— Magister ! s'exclamèrent d'une même voix Robin, Cal, Moineau et Tara, suivis d'une courte tête par Fafnir et Isabella.

Angelica pâlit. Affronter Tara et ses copains, passe encore, mais Magister, très peu pour elle ! Elle s'aperçut qu'elle se trouvait toujours dans les bras de Jordan, qui ne paraissait pas pressé de la lâcher. Elle se dégagea, encore sous le choc. Et, comme chaque fois qu'elle avait peur, elle fut agressive.

— Merci ! dit-elle d'un ton glacial, mais je suis capable de me protéger seule.

Le grand garçon blond se raidit.

— Pas de problème ! La prochaine fois, je vous laisserai vous faire tuer pour démontrer que les magiciens sont des humains comme les autres !

— Je ne suis pas une magicienne, riposta Angelica, mais une sortcelière !

— Magicienne, sortcelière, sorcière, monstre, vous êtes tous pareils. Qu'envisagez-vous, maintenant que vous avez anéanti le foyer de ces pauvres gens comme vous avez détruit le mien ?

— Croyez-moi, l'informa Cal, vous avez plus de souci à vous faire si Magister est derrière tout ceci. Son but est de réduire tous les Terriens en esclavage. Alors une maison qui vole en éclats, à côté, faites-moi confiance, c'est de la rigolade !

Le dragon, lui, promenait autour des regards inquiets.

— Nous attirons trop l'attention. Je me charge des réparations principales. Ensuite, nous aviserons.

— Fi vous pouviez rendre la maivon agréable, supplia Igor, avec tout le confort moderne ! En effanve, nous vous promettons de refevoir tous les fortfeliers que vous voudrez, et de garder le filenfe fur votre exiftenfe.

Le petit homme ne manquait pas de courage. Il poursuivait son idée fixe. Le dragon soupira. Il n'avait pas de temps pour ces enfantillages, mais s'assurer la discrétion de ces NM n'était pas une mauvaise idée.

Il incanta et les murs maculés de suie se redressèrent, le toit se refixa. Un geste ample de la main et des radiateurs ultramodernes fleurirent un peu partout ; un autre et les tuyaux vieillissants retrouvèrent une jeunesse vigoureuse. Les murs s'habillèrent d'une agréable peinture claire et les rideaux d'oiseaux chamarrés. Les meubles aussi se transformèrent. Marquetés, sculptés, ils s'ornèrent de moelleux coussins. Partout, la magie frappa et le sombre château s'éclaira, lustres et torchères apportant une note cristalline et lumineuse. L'humidité s'envola, les insectes furent priés d'aller ailleurs et des écrans plats ajoutèrent une touche de luxe dans les chambres et les salons.

Robin hocha la tête. Il avait, comme tout le monde, tendance à oublier à quel point les dragons étaient puissants lorsqu'ils s'en donnaient la peine.

— Wooooh ! s'exclama Igor, ravi. F'est formidable ! Ve ne croyais pas que fe ferait aussi réussi ! Bravo ! Et pour le parc vous pourriez...

— J'ai rétabli les arbres et les bâtiments annexes. Alors ne poussez pas votre chance trop loin, avertit maître Chem, je ne ferai rien de plus. Il sera déjà assez compliqué de justifier la rénovation spectaculaire de votre château, alors pour le reste, vous vous débrouillerez.

294

Sagement, le petit homme n'insista pas. Un sourire extatique sur son large visage, Esmeralda demanda :

— Est-ce que cela va durer ? La magie est-elle solide ?

— Je ne me suis pas contenté de recouvrir les murs et les plafonds, expliqua le dragon. J'ai persuadé les pierres et les meubles que leur forme et leur couleur étaient d'origine. Ils ne peuvent plus changer. Tout restera en l'état, même si je disparais.

Cal admira.

— J'ignorais qu'une telle chose était possible !

— Si vous passiez plus de temps à étudier et moins à baguenauder, vous l'auriez appris, rétorqua sèchement le dragon.

Oups, un point pour le reptile. Cal grimaça mais ne dit rien.

— Bien, à présent que tout est en ordre, intervint Isabella, impatiente, voyons un peu cette histoire de mon mari et de Magister. Comment vous a-t-il contacté exactement ?

À leur grand soulagement, ce fut Esmeralda qui répondit. La diction d'Igor mettait les nerfs de tous à rude épreuve.

— Il est apparu au milieu de notre salon. À l'époque, je venais d'hériter du château, légué par ma grand-tante. C'était très gentil à elle, mais je n'avais pas les moyens nécessaires pour l'entretenir. Igor et moi venions de nous marier, nous avons décidé de faire du château un hôtel. Nous avions placé une annonce pour rechercher un associé. Cet homme s'est présenté comme tel. Il a versé l'argent, nous a révélé l'existence des sortceliers et nous a indiqué que l'hôtel de la Magie à Londres nous contacterait et nous adresserait des touristes. Nous devions les accueillir en priorité et prévenir cet homme chaque fois grâce à une boule de cristal qu'il nous avait donnée.

Le dragon grogna, très perturbé.

— Il ne manquait plus que ça ! gronda-t-il. L'ambassadeur serait-il un complice ? Pourtant, c'est un dragon, comme moi, et jamais un dragon ne s'allierait à Magister ! Dès mon retour, je diligente une enquête. S'il nous a trahis, il va vite faire un tour sur le continent int... ailleurs !

Igor recula, les yeux agrandis d'effroi.

— Vous êtes un dragon ?

— Oui, et il peut vous le prouver, glissa malicieusement Cal. Vous voulez le voir sous sa forme naturelle ?

— Fertainement pas ! refusa Igor, épouvanté.

— Cal ! s'irrita maître Chem, laisse-le tranquille. Et vous l'avez fait ?

— Quoi donc ? s'étonna Esmeralda, guère plus rassurée.

Le dragon soupira :

— Avez-vous contacté ce sortcelier pour l'informer de notre arrivée ?

— Oui. Nous avons envoyé un message. Sans résultat. Il n'a pas répondu. C'est d'ailleurs la première fois qu'il ne réagit pas. À chaque visite, il faisait surveiller nos hôtes. Mais là, rien. Alors nous avons estimé que notre affaire ne l'intéressait plus et nous avons utilisé cette histoire de photo en vous faisant croire que nous étions au courant de la disparition de votre mari pour obtenir une rénovation de notre demeure.

Un long silence ponctua la fin de son allocution.

— Par l'haleine brûlante de Dranviroulispachir, pourquoi Magister s'intéresse-t-il à Stonehenge ? gronda maître Chem.

Tara réfléchit : l'histoire d'Igor présentait trop d'incohérences.

— Pour une fois, je ne crois pas que Magister soit impliqué, ni dans l'affaire des harpies, ni dans l'enlèvement de grand-père, dit-elle d'un ton pensif. À force de le combattre, j'ai développé une sorte d'instinct à son sujet. Et pour son pacte avec nos hôtes, il est logique qu'il surveille chaque endroit qui recèle de la magie, surtout si, comme l'a dit Moineau, le site a été construit par des dragons.

— Je l'ai lu mais je n'en suis pas sûre, tint à préciser celle-ci.

— La surveillance de Magister te donne raison. Il est obsédé par les dragons et les moyens de les détruire. Je soupçonne que quelqu'un d'autre veut nous voir à Stonehenge, pour un motif très différent. À ce sujet, Igor a révélé quelque chose d'important.

— Quoi donc ? interrogea Fafnir, perdue.

Pourquoi les ennemis de Tara étaient-ils toujours aussi tortueux ? Qu'on lui donne un méchant à abattre et sa hache ne ferait pas de quartier, mais ces manigances n'étaient vraiment pas amusantes.

— Il a précisé que la photo n'était pas sur le mur il y a deux jours répondit Tara. Je parie qu'elle est apparue juste après que nous avons annoncé notre départ. N'ai-je pas raison ?

Igor et Esmeralda se dévisagèrent.

— Ve ne fais pas, avoua Igor, ennuyé. V'avoue que ve n'ai pas fait attenfion.

Jordan s'écria :

— Hé, une minute ! C'est juste ! Elle n'était pas là le matin même ! Vous vous souvenez, Esmeralda, vous m'avez demandé d'épousseter les photos et les cadres. Celle-ci, je m'en souviens parce que le groupe qu'elle représente s'est perdu dans la campagne et que nous avons dû nous lancer à leur recherche. Le cliché a été pris à la suite de cette aventure, et ils ont voulu me photographier avec eux ! Cette photo-là n'est *pas* la même !

Ils se penchèrent tous au-dessus de l'image. Menelas leur rendit leur regard, mais Jordan avait raison. Il n'y figurait pas.

— La photo a été trafiquée, analysa Moineau. C'est de l'excellent travail, réalisé par quelqu'un qui connaissait votre mari, Dame, pour que vous ayez été trompée si complètement.

La vieille sortcelière parut anéantie.

— Qui peut être assez cruel pour jouer ainsi avec moi ?

— Je crois, dit Fabrice, que le responsable de cette supercherie n'avait pas d'autre but que de nous amener à rester. Après tout, il s'est donné du mal pour nous faire venir. L'attaque des harpies m'apparaît de plus en plus comme un piège. Il voulait que nous soyons tous là, réunis à Stonehenge.

Il s'interrompit, le visage illuminé par une idée.

— Eh, mais qu'est-ce que je raconte ! La seule qui soit immunisée contre le venin des harpies, c'est Tara. Nous aurions tous pu mourir dans leur attaque contre Robin. Mais pas elle ! Et tout le monde le sait sur AutreMonde, ça a fait la une des reportages lorsqu'elle a été déclarée Héritière Impériale d'Omois ! C'est elle que notre mystérieux comploteur veut avoir ici. C'est Tara !

Tout le monde le regarda, les yeux ronds.

— Nous allons déjouer ses plans, décréta fermement Isabella. Nous repartons dès maintenant !

Soudain, la photo de Menelas s'anima. Il fixa ses yeux verts sur Isabella.

— Mon aimée, supplia-t-il. Je savais que tu finirais par me retrouver. Il faut que tu me délivres ! C'est un sortcelier du nom de Magister qui me retient prisonnier ! Mon ravisseur exige que tu viennes au cercle de Stonehenge demain soir, à minuit, avec Tara, faute de quoi il me tuera ! Je t'en prie, Isabella, sauve-moi, mon amour !

— Menelas ! cria Isabella.

Mais déjà l'image se figeait et la plainte se tut. Il y eut un lourd silence pendant que tout le monde digérait le pathétique appel au secours.

— Autant pour ton instinct, Tara, admit à contrecœur Cal. Magister serait donc derrière ce micmac. J'aurais pourtant juré, comme toi, qu'il n'y était pour rien.

— Tara ! Tu retournes sur AutreMonde dès demain matin ! ragea Isabella, inflexible. Même pour l'amour de Menelas, je ne permettrai pas que ma petite-fille devienne le jouet des forces du mal. J'irai seule. Et que personne ne tente de m'en dissuader, ce serait une perte de temps !

Et avant qu'ils puissent réagir, elle fit volte-face et quitta la pièce, claquant la porte derrière elle.

— C'est hors de question, hurla Tara à la porte close. C'est toi qui m'as fait venir, alors je ne m'en irai pas !

— Ce serait pourtant le plus raisonnable, plaça Manitou.

Tara foudroya le labrador du regard.

— Je l'ai déjà vaincu deux fois, cria-t-elle. Il a tué mon père, enlevé ma mère, et maintenant mon grand-père ! Cette fois, je serai sans pitié. Pour tout ce qu'il a fait à ma famille, Magister mourra !

— Euh, qui est Magister ? interrogea Jeremy.

— C'est un ennemi terrible et dangereux, expliqua Moineau.

— Pire que la grand-mère de Tara ?

À voir sa tête, on sentait qu'il doutait que ce fût possible.

— Bien pire ! confirma Moineau en caressant sa panthère, qui ne quittait pas Jeremy du regard, ce qui n'était pas pour le rassurer. Surtout depuis qu'elle avait repris sa forme naturelle, crocs, griffes et réflexes fulgurants.

Moineau expliqua la bataille de Magister contre les dragons, ses tentatives pour enlever Tara, sa volonté d'acquérir les treize objets démoniaques cachés par Demiderus afin de posséder le pouvoir absolu, même maléfique. Elle narra la destruction de deux d'entre eux, le Trône de Silur et le Sceptre Maudit, les pièges que leur ennemi s'obstinait à leur tendre, sa tentative d'invasion d'AutreMonde et de la Terre avec les démons. La liste de ses méfaits était impressionnante, et plus encore le fait qu'ils avaient réussi à déjouer ses plans jusqu'ici. À la fin du récit, le visage du garçon exprimait une intense appréhension.

— Et vous croyez qu'il en a après moi ? Il traquerait mes parents et aurait fait tuer mes parents adoptifs ?

— Si c'est lui, grogna Jordan en serrant les poings, comptez sur moi pour vous accompagner demain ! La mort de mes parents ne restera pas impunie !

Jeremy, lui, paraissait moins enthousiaste.

— Mais tu as entendu ce qu'ils ont dit ! Cet homme est un monstre, il tue sans pitié ni remords ! Nous devons partir sur cet AutreMonde et nous mettre sous la protection de l'empire du Moi.

— C'est l'empire d'*Omois*, soupira Manitou. Et pour le moment nous n'allons nulle part. Il est tard et avec tous ces événements, nous n'avons pas dîné. Nous ne pouvons rien faire de plus. Autant nous restaurer. Patienter le ventre vide ne nous rendra pas Menelas !

C'était déconcertant, mais il avait raison.

Esmeralda rosit, son hospitalité mise en défaut.

— Pardon. Notre cuisinière avait déjà tout préparé dans la cuisine. Passez dans la salle à manger, je vous sers tout de suite.

Tara allait protester lorsque Manitou lui désigna Jeremy de la tête. Le jeune sortcelier avait perdu ses parents le jour même et venait d'apprendre qu'il était sans doute la cible d'un dangereux maniaque. Il fallait lui laisser le temps de se rasséréner.

Esmeralda fit porter à Isabella un plateau qui fut retourné intact. La sortcelière, occupée à envoyer sort sur sort afin de localiser son mari, n'avait pas le cœur à manger.

Ils dînèrent dans un silence morose de mets simples mais délicieux, côtelettes d'agneau, choux et pudding à la crème. La discussion, sous l'impulsion de Manitou, s'orienta sur ce que ferait Jeremy une fois sur AutreMonde. Jordan, qui devait terminer les déclarations à la police pour la mort de ses parents, désirait également les veiller avant leur enterrement et les avait quittés, au grand dépit d'Angelica, qui boudait. Jeremy avait souhaité l'accompagner, mais, pour sa sécurité, Manitou le lui avait défendu. Triste, il s'était incliné et Tara avait dû maîtriser l'étrange pulsion qui l'avait incitée à le serrer contre elle.

Robin et maître Chem, prudents, placèrent des alarmes un peu partout dans le château et surtout dans les chambres. Si qui que ce soit de malintentionné tentait de pénétrer dans la maison, il serait immédiatement paralysé.

Isabella et maître Chem inspectèrent Stonehenge, espérant contre tout espoir retrouver la trace de Menelas. Hélas, sans aucun succès.

Résignés, ils montèrent se coucher. Manitou et Tara voulurent parler à Isabella, mais la porte de la sortcelière se referma sur elle et ne se rouvrit pas.

— Demain, nous préparerons notre plan de bataille, ordonna le labrador, mais pour le moment, je veux que tout le monde aille se coucher et se repose. Une longue journée nous attend.

Tara obéit. Elle se sentait fatiguée, comme chaque fois qu'elle utilisait sa magie. Protéger ses amis de la colère d'Isabella n'avait pas été difficile, mais elle en ressentait à présent les effets. Elle bâilla, embrassa Moineau, Fabrice et Cal, hésita pour Robin, mais le demi-elfe lui tendit gentiment la joue et elle l'effleura de ses lèvres, le faisant frémir. Elle salua Jeremy, résistant à l'envie de l'embrasser aussi, nota que la chambre du garçon voisinait avec la sienne et pénétra chez elle. La magie avait transformé la pièce comme le reste de l'hôtel. Les fenêtres s'étaient agrandies, le lit à baldaquin paraissait agréablement moelleux. Elle se lava les dents, Galant se fit un nid dans les couvertures qu'elle plaça au sol pour lui (il avait horreur de dormir dans son lit, elle n'arrêtait pas de gesticuler) et elle se coucha, persuadée que l'appréhension la tiendrait éveillée. En fait, deux minutes plus tard, elle plongeait dans un profond sommeil.

Pendant ce temps, Robin toqua discrètement à la porte de Jeremy.

— Écoute, chuchota-t-il, est-ce que cela t'ennuierait de changer de chambre avec moi ? La mienne est au bout du couloir.

À moitié endormi, Jeremy se gratta le crâne.

— Pourquoi ?

— Eh bien, si Magister te croit dans cette pièce, je préfère qu'il s'en prenne à moi plutôt qu'à toi. Même si ta magie est puissante, tu ne sais pas encore t'en servir et la puissance n'est rien sans le contrôle. Ensuite, cela me permet de surveiller Tara. Après tout, elle est la cible principale de Magister, je n'aime pas me trouver loin d'elle.

Le regard de Jeremy se fit acéré.

— Je vois. Tu ne serais pas amoureux d'elle, dis-moi ?

Le demi-elfe rougit. Et maudit sa partie humaine qui affichait aussi ostensiblement ses émotions.

— Ce n'est pas uniquement cela, c'est compliqué.

— Ah, et vous sortez ensemble ?

Robin faillit répondre oui, mais son honnêteté naturelle l'en empêcha. Un baiser, ce n'était pas sortir avec quelqu'un, surtout quand cette personne s'obstinait à vous considérer comme un très cher ami.

— Non, avoua-t-il, embarrassé.

— Tu la connais depuis combien de temps ?

— Un an et demi.

— Moi, cela fait quelques heures, et je la trouve formidable. Elle est belle, elle est intelligente et elle me plaît beaucoup. Je viens de perdre mes parents adoptifs, alors je n'ai pas le cœur à en parler, mais je tenais à t'avertir, AutreMondien...

Il s'approcha du demi-elfe presque nez à nez.

— ... que tu n'es pas le seul à vouloir la protéger !

Et il lui claqua la porte à la figure.

Robin jura, mais se contint pour ne pas la démolir. Il fit demi-tour et décida de ne dormir que d'un œil, histoire de surveiller et Jeremy et Tara.

Celle-ci sommeillait paisiblement depuis plusieurs heures lorsqu'un choc sourd l'éveilla, comme un objet lourd ou un corps qui tombait, venant de la chambre à côté de la sienne. Elle tendit l'oreille, mais il ne se passa rien de plus. Pas de cris ni de hurlements, le calme de la nuit. Hmmm, la dernière fois qu'elle avait entendu un bruit suspect et n'en avait pas tenu compte, Fabrice s'était transformé en loup-garou à poil ras. L'esprit pleinement lucide, elle ordonna à sa Changeline de l'habiller d'une tenue de jour et se glissa hors de la chambre, prenant soin de ne pas tirer Galant de son sommeil. À pas de loup, elle s'approcha de la porte jouxtant la sienne. Grâce à une discrète incantation, son ouïe s'accrut et bientôt lui parvint le souffle paisible de Jeremy, derrière le panneau de bois. Elle écouta de même chaque chambre mais, apparemment, tout était normal. Soupirant contre sa paranoïa, elle allait rentrer lorsqu'une lueur émanant de la bibliothèque voisine attira son regard. Sur ses gardes, elle s'avança. Derrière elle, une porte s'ouvrit silencieusement et Robin sortit sans bruit dans le couloir. Il dormait, lui aussi, vaincu par la fatigue et les séquelles du venin des harpies, lorsque ses glyphes l'avaient éveillé. La pulsation s'emballait, signe qu'il arrivait quelque chose à Tara. Il ne s'était pas entièrement déshabillé, gardant son pantalon. Il bondit de son lit, dédaignant sa chemise et, l'arc de Llilandril à la main, suivit Tara. Il ne vit pas une troisième porte s'ouvrir et une ombre se détacher de l'obscurité.

En pénétrant dans la pièce imposante, tapissée de livres du sol au plafond, Tara constata que la lueur provenait de la lune, se reflétant sur un tableau. Comme aimantée, elle s'en approcha. Une musique soufflait dans son esprit, comme si le tableau était fait pour elle, l'attirait. Un curieux poème était imprimé au milieu du tourbillon de couleurs. Un sentiment de déjà-vu la saisit. Elle avait contemplé d'autres tableaux semblables à celui-ci, il lui était familier ! Elle avança la tête et lut le poème à voix haute :

> *Trace nu un écart*
> *À révéler mon nom, mon nom révélera*
> *Rions noir*
> *À l'autel elle alla et le tua là*
> *Déité tiède*
> *Un roc cornu*
> *Ni l'âcre si abrupt et pur baiser câlin*
> *Car tel un aliéné il a nu le trac*
> *Au sens ne sua*
> *Ni avares ni âme humaine demain sera vain*

— Ça ne veut rien dire ! souffla-t-elle, dépitée.

— Tara, tout va bien ?

Elle sursauta. Robin venait de pénétrer dans la pièce, à demi habillé. Elle écarquilla les yeux. Le demi-elfe était magnifique et n'importe quel body-buildeur aurait tué pour posséder ses abdominaux.

— J'ai aperçu la lumière et je suis venue vérifier ce que c'était, balbutia-t-elle, le cœur battant. Et toi, que fais-tu là ?

— Ce sont mes glyphes, expliqua le demi-elfe en désignant ses bras. Ils battent au rythme de ton cœur et lorsque celui-ci s'est affolé, cela m'a réveillé.

— Oh ! Je suis désolée, j'ai cru entendre quelque chose,

alors la poussée d'adrénaline a dû faire battre mon cœur plus fort. Mais c'était juste un accès de paranoïa.

Robin parut déçu de n'avoir personne à affronter pour sauver Tara. Puis il vit le tableau et s'approcha, fronçant les sourcils.

— Par mes ancêtres, ce tableau, ici !

Tara le dévisagea, soucieuse.

— Que se passe-t-il ?

Robin la considéra gravement.

— Tu ne l'as pas reconnu ? Il en existe plusieurs similaires au château du Lancovit, le roi les avait achetés à un jeune peintre talentueux qui se prénommait Danviou !

— Danviou ? Tu veux dire mon père ? Mais bien sûr ! Il a peint des fresques à Omois, ce tableau est tout à fait dans son style ! Mais qu'est-ce qu'une œuvre de mon père fait sur Terre dans cet endroit ?

— Pour ton père, je n'ai pas de réponse, fit une voix dans leur dos, en revanche je peux te parler de ce poème !

Robin fit volte-face à la vitesse de l'éclair et son arc, bandé, menaça le nouveau venu.

— Ohhhhooh, du calme ! l'apaisa Fabrice en élevant les deux mains devant lui pour prouver qu'il n'était ni armé ni dangereux. Ce n'est que moi ! Qu'est-ce que tu es « organe de transmission, première personne du verbe vouloir », nerf-veux !

— Qui me dit que tu n'es pas Magister, déguisé pour nous tromper ? questionna Robin sans baisser son arc.

— Ça va, Robin, sourit Tara. Magister est incapable de faire des charades. Il n'a pas ce genre d'humour !

Le demi-elfe baissa son arc, au grand désappointement de celui-ci qui n'aimait rien tant que cribler tout le monde de flèches.

— Que fais-tu ici au milieu de la nuit ? fit-il.

— La même chose que toi. Je suivais Tara. La porte de sa chambre grince. J'étais éveillé et je l'ai entendue. J'ai vu que tu la suivais, et je t'ai imité, au cas où vous auriez besoin d'aide. Bon, je disais donc, ce poème est un acrostiche palindromique.

— Un quoi ?

— Un acrostiche, c'est lorsque chaque début de phrase commence par une lettre formant de haut en bas un mot cohérent. De plus, chaque phrase peut être lue de gauche à droite et de droite à droite : on nomme cela un palindrome.

Il tourna son visage vers le poème :

— La première lettre est un T, et la phrase « Trace nu un écart » se lit de gauche à droite et inversement : tracé nu un écart. Ensuite, la seconde initale est un A, la troisième un R, la quatrième un A de nouveau.

— Par mes ancêtres, murmura Robin, cela fait « Tara » !

— Exactement. Et son nom suit. D.U.N.C.A.N ! Tara Duncan !

— Et les palindromes sont un message qui me serait adressé par mon père ? souffla Tara, suffoquée.

— C'est fort probable. Il va falloir le déchiffrer si c'est le cas. Peut-être pourra-t-il nous en apprendre un peu plus sur Magister et Menelas ?

— À moins qu'il ne s'agisse d'un piège, observa Robin, méfiant.

Tara, émerveillée par l'ingéniosité du procédé, hocha la tête.

— Non, je ne sens rien de maléfique dans ce tableau.

— Moi, à ta place, je ne me fierais pas à ce que je peux ressentir. Magister est passé maître dans l'art de nous manipuler !

— Certes, mais ce tableau a été peint par mon père. Nul ne pourrait imiter son style, cette magie picturale qu'il créait ! Il est magnifique.

Elle avança la main et effleura tendrement la peinture.

— Non ! cria Robin, ne la touche pas !

Trop tard. Avant que les deux garçons puissent réagir, un tourbillon de couleur s'abattit sur Tara, l'engloutissant.

Lorsqu'il disparut, ils durent constater l'horrible réalité.

Le tableau avait absorbé Tara !

Chapitre XXVI

L'esprit de Danviou
ou comment délivrer un message
quand on est un fantôme

Tara n'eut pas le temps d'avoir peur. Elle se retrouva au milieu d'un paysage irréel et coloré. Prudente, elle voulut activer sa magie. Mais nulle lueur ne vint illuminer ses mains ! Elle avait été enlevée par un tableau et maintenant sa magie ne fonctionnait plus. De plus, comme une gourde, elle avait laissé la Pierre Vivante sur sa table de nuit.

Un éclat sur sa main lui rendit espoir. La chevalière ! Elle lui permettait d'appeler l'effrit lié à l'or du bijou. Elle tourna l'anneau par trois fois. Un nuage rouge se matérialisa devant elle. Yeux d'ambre, barbichette verte, cheveux tressés en conque, Salenvitréduricselva, princesse du cinquième cercle, esclave volontaire de la chevalière en remplacement du déchu Meludenrifachiralivandir, s'inclina.

— Maîtresse ? dit-elle d'une voix grave, que puis-je pour toi ?

Puis elle regarda autour d'elle, vacilla et ferma vite les yeux.

— Wow, fit-elle, ça tourne ! Tu m'as invoquée dans un sort, n'est-ce pas ?

— Oui, d'ailleurs je voudrais en être délivrée. Si tu peux y faire quelque chose ! précisa Tara qui voyait l'effrit virer dangereusement au rose.

Celle-ci rouvrit les paupières un bref instant, eut un haut-le-cœur et les referma en vitesse.

— Wooho, terrible. Je ne supporte pas ! Je n'aurais pas dû prendre une cuite d'eau salée avec les copines hier soir. Je sens que je vais vomir !

Tara recula. Elle ne voulait pas imaginer ce qu'un démon pourrait rendre. Toutefois, ce que venait de dire l'effrit l'étonna.

— Une cuite d'eau salée ? Vous êtes aqualiques ? Pour vous, l'eau salée est comme l'alcool pour nous ?

La démone hocha la tête, pâlissant d'instant en instant.

— Beuh, pourquoi crois-tu que nous avons voulu vous envahir ? Pour vos océans, bien sûr !

Voyant que la démone se sentait de plus en plus mal, Tara se résigna.

— Je vais me débrouiller. Va-t'en vite !

L'effrit, les yeux toujours étroitement fermés, mit sa main devant sa bouche.

— Meurchi. Décholée !

Elle disparut si brusquement qu'elle laissa une traînée de lumière dans son sillage. Tara regarda avec perplexité sa chevalière. Vachement utile, comme gadget !

Une voix derrière elle la fit sursauter et l'espace d'une fraction de seconde elle songea qu'elle trouverait bien, pour une fois, que les gens, êtres, bestioles, etc., l'abordent de face au lieu de lui flanquer une crise cardiaque. Elle se retourna.

Son père se tenait près d'elle.

— Papa ?

Tara resta un instant interloquée, puis elle se secoua. Un sourire ravi aux lèvres, elle voulut se jeter dans ses bras, mais s'arrêta net en constatant avec tristesse que la silhouette immobile était transparente. Une image. Dans un tableau. Logique.

— Bonjour, tu es Tara, n'est-ce pas ?

L'homme devant elle était bien plus jeune que celui qu'elle avait vu sous forme de fantôme et Tara en fut surprise. Après tout, son père était mort alors qu'elle avait deux ans. Cela signifiait-il que les fantômes vieillissaient ?

Le cœur battant, elle répondit :

— Oui, je suis ta fille. Pourquoi m'as-tu fait entrer dans ce tableau ?

— Ceci est un enregistrement adaptable, sourit son père. Suis-je mort ?

— Malheureusement, oui. Tu as été tué par Magister et il a...

L'image l'interrompit.

— Attends, je te prie.

L'image baissa la tête puis la releva et Tara sursauta. Le visage avait changé ! Plus vieux, plus mur.

— J'ai fait plusieurs enregistrements, celui-ci prend en compte ta réponse. Je suis donc mort. Quel âge as-tu ?

— J'ai quatorze ans.

— Quatre ans. Bien, je vais adapter mon langage.

Avant que Tara ait le temps de rectifier, la silhouette s'éclaira d'un magnifique sourire, s'accroupit et parla en articulant soigneusement.

— Bon-jour ma ché-rie. Je suis ton pa-pa. Il ne faut pas a-voir peur. Je vais te don-ner un mes-sage pour ma-man...

— Non, j'ai dit quatorze ! rectifia Tara. Quatorze, pas quatre !

La silhouette se redressa et son visage se fit grave.

— Quatorze ? Parfait, tu es assez grande pour apprendre la raison pour laquelle j'ai placé un de mes tableaux préférés dans chaque endroit où tu pourrais aller autour de Stonehenge.

— C'est toi qui m'as attirée ici ?

La silhouette ne réagit pas. OK, mauvaise question.

— Qu'est-ce que je dois savoir ?

La silhouette répondit. Oui ! Bonne question !

— Tout d'abord, il me faut te révéler que je suis l'impera-tor d'Omois, et qu'en tant que ma descendante, si par hasard ma sœur l'impératrice n'a pas d'enfant, tu en es l'héritière. Étais-tu au courant ?

Bon, réponse facile.

— Oui.

— Parfait, cela va me faciliter la tâche. Depuis des mois, je viens ici régulièrement pour remettre à jour mes messages.

Ce que je vais te confier à présent est un secret impérial. Il s'agit de la raison pour laquelle je me suis enfui d'Omois.

Tara inspira profondément. Lorsqu'elle avait rencontré pour la première fois son fantôme de père, il n'avait pas eu le temps de lui expliquer pourquoi il avait laissé sa sœur et son demi-frère gouverner à sa place.

— Il y a cinq mille ans, un dragon a rendu visite à Demiderus. Ce dernier est ton ancêtre, l'un des cinq mages qui ont volé les objets démoniaques et ont réussi à vaincre les démons.

Tara réprima le « Oui, je sais » qui lui brûlait les lèvres.

— Demiderus venait de fonder ce qui serait plus tard l'empire d'Omois, sur AutreMonde. Le dragon qui le rencontra était l'un des chefs de la coalition humano-dragonienne qui venait de sceller les failles entre notre univers et celui des démons. Il expliqua à notre ancêtre que les démons avaient été stoppés, mais pas réellement vaincus. Demiderus était d'accord. Lui aussi pensait que la menace reviendrait, tôt ou tard. Ensemble, ils décidèrent de deux choses. La première serait que Demiderus s'encapsulerait dans le Temps gris, sorte de stase qui le maintiendrait immortel, prêt à en surgir si les démons revenaient. La seconde était de modifier le génome de notre dynastie. Sais-tu ce qu'est un génome ?

Par chance, elle avait étudié le génome alors qu'elle était encore en classe sur Terre et avait perfectionné sa culture scientifique avec les livres « inoubliables » d'AutreMonde, dont il était, grâce à la magie, impossible d'oublier le contenu. Elle connaissait des écoliers qui auraient vendu leur âme pour accéder à ces ouvrages !

— C'est le code génétique de chaque être vivant, récita-t-elle. L'ADN, qui rassemble toutes les informations relatives à notre corps, est spécifique à chaque personne, animal ou plante.

— Exactement. Notre famille a fait l'objet d'une manipulation génétique visant à faire de nous de puissants sortceliers capables de combattre les démons sans l'aide des dragons. À chaque naissance, les enfants étaient confiés au dragon, pendant quelques heures tous les six mois, jusqu'à quatre ans. Ensuite, le nouveau génome était fixé et le dragon se contentait de suivre de loin les progrès des descendants de Demiderus. Nous nous prêtions de bonne grâce à ces manipulations, conscients que le sort de notre planète pouvait dépendre de notre capacité à nous défendre. Le programme était tenu secret, afin que les démons ne puissent être informés de ce que nous faisions. Jusqu'au jour où j'ai découvert les véritables motivations du dragon.

Fascinée, Tara resta muette, encourageant l'image à poursuivre.

— De Lisbeth et moi, j'étais le plus puissant. Le dragon crut ses plans arrivés à maturité. Il me proposa de l'accompagner sur Terre. À l'époque, je n'étais pas encore imperator. Je venais d'avoir vingt ans, et j'étais ravi d'une escapade qui me changerait de la pression constante du palais. Autant Lisbeth était faite pour le pouvoir, comme un poisson pour l'eau, autant je m'en désintéressais, attiré que j'étais par l'art et la peinture. Je n'étais pas seul du voyage. Le dragon avait également invité une jeune femme d'une ancienne famille omoisienne, Alia Bal Tréoncour.

Tara tressaillit. Ce prénom ! C'était le même que celui de la mère de Jeremy !

— Il nous expliqua qu'Alia avait été traitée comme les nôtres. Le dragon avait sélectionné deux lignées, l'une descendant des puissants Hauts Mages, l'autre de simples sortceliers, espérant ainsi améliorer notre race. Alia et moi avons testé nos pouvoirs. Elle était forte, elle aussi. Un peu moins que moi, mais sa magie avait un énorme potentiel. Le dragon faisait son possible pour que nous soyons souvent ensemble. Alia était charmante et j'étais impressionné par son audace et sa volonté. Il ne me fut donc pas difficile de tomber amoureux d'elle.

Tara grimaça. Voilà un épisode qu'elle n'allait peut-être pas révéler à sa mère, pour ne pas déclencher de vaines interrogations.

— Le dragon, malin, prit son temps. Puis un jour, à Londres, il nous invita à visiter Stonehenge, « un site d'une grande beauté », promit-il. Bien sûr, nous avons accepté. Quels idiots nous étions ! Il suggéra une promenade romantique, à minuit, au cœur du site. En réalité, il nous suivait, prêt à activer sa machine infernale. La nuit était magnifique. Nous nous trouvions au centre du cercle de pierres et contemplions la voie lactée dans toute sa splendeur. L'engin a réagi à notre magie et tout à coup, nous avons senti la vie s'échapper de nos corps, aspirée par les pierres ! Elles ont commencé à bourdonner. J'ignore par quel moyen elles nous forçaient à dégorger notre pouvoir, l'absorbant au fur et à mesure. Nous étions paralysés !

C'est alors qu'un inconnu est apparu. Voyant ce qui se passait, il s'est précipité. En pénétrant dans le cercle sans protection, il a été foudroyé, littéralement désintégré, la machine ayant créé une sorte de champ électromagnétique incroyablement puissant. Le choc en retour a frappé la femme qui l'accompagnait. À cause de la nuit et de l'aveuglement dû à la lumière de la magie, nous n'avons pas distingué leur visage, et je ne sais pas qui ils étaient ni ce qu'ils sont devenus.

Tara, elle, avait la réponse. Tel était donc le fin mot de la disparition de Menelas ! Son grand-père avait voulu sauver les deux sortceliers et, n'écoutant que son courage, avait tenté l'impossible. Une immense tristesse l'emplit. Cet homme qu'elle n'avait pas connu et qui avait donné sa vie pour conserver celle de Danviou venait de mourir à nouveau, devant elle. Le choc avait été si violent que sa grand-mère avait été frappée d'amnésie. Sinon, quand Selena lui avait présenté Danviou, elle aurait reconnu celui pour qui son mari s'était sacrifié. D'ailleurs, elle avait éprouvé de l'aversion pour son gendre, sans bien savoir pourquoi, selon Selena.

— Alia s'affaiblissait de plus en plus, poursuivit Danviou, et le dragon apparut. Nous lui criâmes de nous aider, mais il se contenta de nous observer, impavide. Il traita par le mépris le corps de la femme qui gisait sur l'herbe, apparemment morte. Puis il mesura le niveau de puissance et maugréa :

— Votre génération n'est pas encore assez puissante pour activer ma machine. Tant pis, vous allez vous marier, je prendrai vos enfants, ils seront mes catalyseurs, ceux qui vengeront la mort de ma merveilleuse beauté !

La silhouette marqua une pause, revoyant la scène atroce.

— Il a interrompu le processus. Puis il nous a lancé un Mintus, afin d'effacer nos souvenirs, et un Attractus pour nous encourager à nous marier. Nous sommes rentrés sur Autre-Monde sans autre impression que celle d'un périple agréable et d'une rencontre amoureuse, vaguement anxieux toutefois. En dépit de cette inquiétude sous-jacente qui assombrissait notre relation, nos fiançailles ont été annoncées, à la grande satisfaction du dragon. C'est alors que la première attaque de Magister contre les dragons a eu lieu. La magie de notre monstrueux manipulateur a dû s'affaiblir, car le Mintus s'est dissipé. J'étais en campagne contre les pirates de l'océan des Brumes lorsque je me suis souvenu de tout, au cours d'un combat. Peut-être est-ce à cause du sort que m'a lancé le pirate que je combattais à ce moment ? Tout me revint en mémoire, clair comme du cristal. En rentrant à Tingapour, je suis allé voir Lisbeth. À ma grande déception, elle n'a pas réagi comme je l'escomptais. Elle n'a pris en compte que le pouvoir que nous offrait le dragon, non le prix à payer, et m'a interdit de diffuser l'information, arguant que le marché avait été scellé au temps de Demiderus et qu'il était hors de question que je révèle le secret. Je ne lui ai pas obéi. J'ai quitté le palais, furieux, et j'ai tout raconté à Alia. De connaître la vérité a annulé l'Attractus. Nous nous sommes rendu compte que nous nous aimions bien, mais sans plus, et Alia, très vexée d'avoir été manipulée, refusa de m'épouser. Elle ne voulait pas que ses enfants deviennent la proie du dragon. Nous nous sommes séparés. Mais s'il était facile à Alia de disparaître et de se faire oublier, il n'en allait pas de même pour moi. Imperator d'Omois un an plus tard, en dépit de toutes mes protestations, car je désapprouvais la façon dont Lisbeth gouvernait, je ne pouvais pas m'éclipser aisément.

Tara non plus n'appréciait guère la façon dans sa tante gouvernait et son inlassable soif de pouvoir. Elle mesurait ce qu'avait dû endurer Danviou.

— Pendant quatre ans, j'ai préparé mon « évasion », expliqua la silhouette. Lisbeth et Sandor s'entendaient à merveille et Sandor rêvait d'être imperator. Danviou le rêveur, Danviou le peintre ne leur manquerait pas. J'ai disparu ; peu après j'ai fait la connaissance de ta mère au royaume du Lancovit et nous nous sommes mariés. Puis tu es née, ma fierté, ma jolie princesse. J'ai su que le dragon avait réussi à retrouver notre trace lorsque, contrairement à tous les autres bébés, tu as commencé à faire de la magie alors que tu n'avais que quelques mois ! J'ai dû bloquer tes pouvoirs pour que ta mère ne s'aperçoive pas de cette anomalie, mais, déjà, tu étais presque aussi puissante que moi !

Tara hocha la tête. Ainsi, telle était bien la raison pour laquelle elle avait autant de pouvoir, plus que tous les autres sortceliers ! Et si Jeremy était le fils d'Alia, son pouvoir, brut mais puissant, était également le résultat de la manipulation génétique.

— Cela m'a anéanti. Je ne savais plus que faire. Alors j'ai eu l'idée de disposer des tableaux, comme autant d'avertissements, partout autour de Stonehenge, avec des Attractus destinés à t'influencer afin que tu les entendes, si tu avais pris possession de tes pouvoirs de sortcelière. Tara, ma chérie, tu ne dois surtout pas t'approcher de Stonehenge !

Cela, elle l'avait deviné. Stonehenge mauvais. Stonehenge dangereux. Message reçu cinq sur cinq !

— Une fois les avertissements installés, j'ai décidé d'avouer à Selena, ta mère, qui j'étais, et de lui proposer de retourner à Omois. En nous mettant sous la protection de ma sœur, nous étions mieux abrités qu'au Lancovit, parfaits inconnus faciles à faire disparaître. Je suppose, puisque tu es là, que je n'en ai pas eu le temps et que j'ai été tué dans l'intervalle, n'est-ce pas ?

— Oui, elle n'était pas au courant pour Omois.

De nouveau, la silhouette ne réagit pas. Elle n'était pas programmée pour.

Tara en profita pour poser la question qui la taraudait :

— Cette machine, à quoi sert-elle au juste ?

La silhouette hocha la tête, perturbée.

— C'est quelque chose qui va agir contre les démons. Comment, je n'en ai pas la moindre idée. Mais ce que je sais, c'est que si elle utilise ton pouvoir, elle te prendra tout, y compris ta vie !

Tara frissonna. Il lui restait une dernière question, et elle redoutait la réponse.

— Ce dragon, quel est son nom ?

Lorsqu'elle vint, la réponse l'assomma.

— Il se nomme Chemnashaovirodaintrachivu !

Chapitre XXVII

Le Familier
ou la télépathie, c'est tout de même pratique

Robin et Fabrice, paniqués, essayèrent de faire revenir Tara, mais le tableau ne réagit à aucune de leurs incantations, pas plus qu'à leurs effleurements, tapotements et autres contacts avec la peinture. Clairement, le sort ne fonctionnait qu'avec une seule personne.

Robin, blême, parla enfin :

— Le tableau est peut-être une sorte de Transmitus. Si c'est Magister qui a manigancé ceci, nous venons de lui livrer Tara !

Ils échangèrent un regard de pure angoisse.

— Elle est vivante et son cœur bat normalement, annonça Robin en observant les glyphes sur ses avant-bras.

— Essayons encore, répliqua fermement Fabrice. Il n'est pas question que je laisse tomber ma meilleure amie !

Mais, au bout de moult manipulations, ils durent se rendre à l'évidence : Tara avait bel et bien disparu.

Barune, inquiet pour son maître, agitait la trompe, se secouait, essayant de dire quelque chose. Son anxiété finit par percer le brouillard de détresse qui entourait Fabrice. Il s'accroupit et caressa le mammouth bleu miniaturisé.

— Mais oui ! s'écria-t-il après avoir reçu les images retransmises par son Familier. Barune, tu es un génie ! Quelqu'un sait forcément où elle se trouve !

— Comment ça ? demanda Robin, le cœur battant d'espoir.

— Tu n'as pas de Familier, aussi tu ne peux pas le savoir, mais Tara en a un, elle !

— Galant ! s'exclama Robin. Bien sûr ! Il est en constante liaison télépathique avec elle !

Ils se précipitèrent. Le pégase dormait en agitant ses ailes, au milieu d'un rêve délicieux impliquant des fruits, de l'avoine et une jolie pégase. Réveillé en sursaut, il fut très surpris lorsque Robin et Fabrice, rouges d'excitation et de peur, l'assaillirent.

Il se redressa brusquement, les oreilles aplaties sur le crâne, lorsque son regard se fixa sur le lit vide de Tara, et devina aussitôt ce que voulaient les deux garçons. Il hennit doucement pour obtenir un peu de silence et ils se calmèrent.

Galant se concentra sur les sensations qu'il recevait. Non, sa compagne d'âme n'était pas en danger, en fait, elle semblait heureuse, légèrement anxieuse et un chouia surprise. Ah, comment traduire cela alors qu'il n'était pas équipé pour parler ? Fabrice, habitué aux Familiers, comprit son embarras. Un code simple fut mis au point. Hocher la tête de haut en bas signifiait oui, de droite à gauche signifiait non. Pas besoin d'être Einstein.

Les questions fusèrent.

— Tara va bien ? s'enquit Robin, crispé.

« Oui », indiqua le pégase.

— Elle n'est pas blessée ? insista le demi-elfe.

Si le pégase avait possédé le don de la parole, il aurait répondu : « Si elle va bien, c'est qu'elle n'est pas blessée, idiot ! », mais il se contenta de hocher négativement la tête.

— Est-ce Magister qui l'a enlevée ? interrogea Fabrice à son tour.

« Non ». Les deux garçons se détendirent.

— Mais qui alors ?

Le pégase roula des yeux et souffla par les naseaux, irrité.

Fabrice sourit, contrit.

— Pardon, je reformule la question : elle pensait que c'était son père qui avait peint le tableau. Sa disparition a-t-elle quelque chose à voir avec lui ?

318

Gentil garçon, pas si bête finalement. Le pégase hocha la tête affirmativement.

— C'est lui qui l'a fait pénétrer dans le tableau, n'est-ce pas ? Son père Danviou ?

Hop, re-oui.

— Va-t-elle revenir bientôt ?

Le pégase haussa les épaules. Il était incapable de répondre.

— Retournons dans la bibliothèque ! intima Robin, nous y resterons jusqu'à ce que le tableau nous rende Tara !

Galant opina. Ils sortirent. La maison était silencieuse.

— C'est incroyable qu'ils ne nous aient pas entendus, chuchota Robin en ouvrant la porte de la bibliothèque.

— Tant mieux. Isabella a bien assez de soucis et Jeremy aussi. Il n'a rien dit tout à l'heure, mais j'ai vu qu'il était effrayé et triste.

Pas au point de n'avoir pas remarqué Tara ! Robin garda ses réflexions pour lui. Inutile d'avouer à Fabrice qu'il s'était fait rembarrer par Jeremy et que celui-ci s'était explicitement posé en rival.

— Il est affecté de n'avoir pu veiller ses parents avec Jordan, continuait Fabrice, inconscient de l'agitation du demi-elfe. Sans compter ce départ pour une planète inconnue, au milieu d'étrangers, il y a de quoi avoir peur ! Moi aussi, à mon arrivée sur AutreMonde, j'étais terrifié. Mon père comptait tellement sur moi que c'en était angoissant. Heureusement, Tara était avec moi, et cela a adouci la peine de ce semi-exil.

Robin dévisagea son ami avec curiosité puis, Galant à ses côtés, s'installa confortablement dans un fauteuil, devant le tableau, heureux de pouvoir combattre son anxiété en discutant avec Fabrice.

— Tu as eu du mal à t'adapter ?

Fabrice rougit.

— Je n'étais pas sortcelier, il n'y a pas si longtemps, tu sais. Et j'avais une très bonne amie sur Terre, Betty. C'est fou ce qu'elle me manque parfois. Nous avons quasiment été élevés ensemble et, avec Tara, elle était ma meilleure amie. Je l'ai revue à plusieurs reprises lorsque je suis retourné sur

Terre, mais elle a senti que je lui cachais quelque chose et notre relation a fini par se distendre. Cela me chagrine. D'un autre côté, comme je sors avec ma magnifique Gloria, il est sans doute préférable que je ne rencontre pas trop Betty ! Même si ce n'était pas ma petite copine, je ne veux pas que Gloria soit jalouse.

Le demi-elfe sourit.

— À propos de Gloria, t'a-t-elle pardonné ton rite de fertilité ?

— Gni, très drôle. Tu t'es bien fichu de moi avec ça, hein ?

— Pas autant que le sortcelier qui te l'a vendu. Alors ?

Fabrice eut une petite grimace.

— J'ai dû promettre de renoncer à mes recherches pour devenir plus puissant. Mais c'est une promesse dont j'ai pu limiter la durée.

— Bien négocié. Pendant combien de temps dois-tu t'abstenir ?

— Un an. Elle dit que je suis jeune et que les pouvoirs s'amplifient avec les années. Nous ferons le point dans douze mois. Si mon pouvoir n'a pas évolué, elle m'autorisera à rechercher d'autres moyens.

— Sage décision, approuva Robin.

— Je n'avais pas le choix. C'était ça ou perdre ma petite copine. Bon, assez parlé de notre relation. Et toi, où en es-tu avec Tara ?

— Nulle part, fut la réponse pleine d'amertume. Elle ne comprend pas pourquoi elle ne m'aime pas, mais le fait est là. Et je la trouve pleine de sollicitude pour ce Jeremy !

— Elle le connaît depuis quelques heures seulement, tu n'as rien à craindre ! C'est dans sa nature d'être gentille avec les gens. Après tout, ce pauvre type a perdu ses parents !

— Elle lui tenait la main ! affirma le demi-elfe, jaloux. Elle ne m'a jamais tenu la main !

Fabrice ouvrit la bouche, prêt à protester, mais un coup d'œil au visage de son ami l'en dissuada. Bon, changement de sujet.

— Si elle ne réapparaît pas, il va falloir prévenir Isabella !

À la perspective d'affronter la terrible sortcelière, même s'ils n'étaient pour rien dans la disparition de Tara, ils échangèrent une grimace expressive.

— On n'est pas obligés de le faire tout de suite... risqua Fabrice.

Ils regardèrent leur hor, les montres incrustées dans les accréditations fixées à leur poignet. Tara était absente depuis près d'une heure et demie.

Les minutes passèrent, interminables. Ils somnolèrent. À leur réveil, les oiseaux commençaient à chanter dans les arbres, signe que l'aube n'était pas loin, et Tara n'était pas revenue. Ils se levèrent en même temps et, sans se concerter, foncèrent vers la chambre d'Isabella.

— Dame Duncan, hurla Fabrice en frappant sur le battant. Dame Duncan, réveillez-vous ! Tara a disparu ! Dame Duncan !

Tout l'étage émergea brutalement du sommeil. Moineau, Isabella, Cal, Manitou, Jeremy, Fafnir brandissant sa hache au cas où et Angelica jaillirent de leurs chambres. Les exclamations fusèrent et personne ne comprit ce qu'expliquaient les deux garçons.

— Du calme ! finit par brailler Manitou. Taisez-vous et laissez Robin parler.

Robin raconta le tableau, l'acrostiche, le palindrome, la disparition, la confirmation par Galant que Tara allait bien même si le pégase paraissait perturbé par le temps que cela prenait.

Angelica leva les yeux au ciel. Elle se fichait de Tara. Elle retourna se coucher et claqua sa porte.

Suivant Isabella, les autres se précipitèrent dans la bibliothèque et s'arrêtèrent devant le tableau. La vieille sortcelière réfléchit tout haut.

— Si c'est Danviou qui a placé cette œuvre ici, ce dont je ne doute pas, car son style est facilement reconnaissable, il a dû en autoriser l'accès aux seules deux personnes en qui il avait confiance.

— Lisbeth et Tara ? demanda Manitou en fronçant le museau.

— Non, son épouse, ma fille Selena, et Tara ! Nous n'avons plus le choix. Nous devons faire venir Selena et tout lui avouer. Une fois que nous aurons récupéré Tara, vous repartirez tous, et je m'occuperai de délivrer Menelas.

Isabella incanta et sa boule de cristal se matérialisa dans sa main. Elle composa le numéro de sa fille. Elle agrandit le halo projeté par la boule afin que l'image soit plus nette. Quelle ne fut pas sa surprise lorsque le visage maculé de suie de Selena apparut, au milieu d'un paysage apocalyptique ! Des arbres en feu l'entouraient et la magie du combat illuminait ses mains !

Chapitre XXVIII

EMBUSCADE AU MANOIR
ou comment se débarrasser de ses ennemis
sans se fatiguer

— *Quoi* ? hurla Selena en braquant un Rigidifus sur un assaillant.

— Mais qu'est-ce qui se passe ? interrogea Isabella.

— On a un problème, je n'ai pas le temps de t'expliquer !

Et avant qu'Isabella ait pu objecter quoi que ce soit, elle coupa la communication. La situation n'était pas des meilleures. Ils étaient partis au milieu de la nuit, comme prévu. Le trajet du manoir au château de Besois-Giron, où se trouvait la Porte de Transfert pour Londres, n'excédait pas le kilomètre. Mais à peine étaient-ils sortis du parc que les gardes impériaux leur étaient tombés dessus. L'un des soldats de Séné était mort sur le coup, donnant sa vie pour sauver ses camarades. Séné avait juré affreusement et abattu celui qui avait lancé le sort, mais il restait au minimum une dizaine d'agresseurs très déterminés.

— Replions-nous dans le parc ! avait crié Xandiar. Il ne faut pas rester à découvert !

Heureusement, les hauts murs entourant la maison étaient suffisamment épais pour arrêter les tirs de magie. Depuis une heure, la bataille faisait rage et aucun des deux camps ne parvenait à prendre l'avantage. Selena avait lancé un lourd Somnolus sur le village afin d'éviter aux habitants de se faire blesser en sortant, alertés par le bruit. Du coup, ils pouvaient se bagarrer sans risque.

— Ça suffit, maugréa Xandiar, qui ne comptait pas la patience au nombre de ses vertus. Je vais tenter une percée.

— Certainement pas ! gronda Selena. Si ma belle-sœur s'imagine qu'elle va se débarrasser de moi comme ça, elle se fourre le doigt dans l'œil. Très bien, Xandiar, motivez-vous un peu. Quelle solution un stratège tel que vous pourrait-il proposer... À part vous suicider en chargeant sabre au clair ?

— Je pourrais me rendre, suggéra le chef des Gardes avec une mimique dubitative.

— Cela ne servira à rien, rétorqua sèchement Séné, que cette idée semblait révulser. Ils te tueront et nous serons moins forts sans toi, ils n'auront plus qu'à nous cueillir !

— Nous sommes capables de devenir quasiment invisibles, particulièrement lorsqu'il fait noir, indiqua l'un des soldats. Pourquoi ne pas nous glisser dehors à leur insu et les allumer un à un ?

— Trop évident, grimaça Séné. Ils sont probablement équipés de lunettes infrarouges, et comme c'était une mission de routine, je ne vous ai pas fait revêtir vos tenues ignifugées. Ils nous repéreraient instantanément.

— Le problème est qu'il nous est impossible de demander des renforts, se plaignit un soldat. Si on m'avait dit que je combattrais un jour mon propre empire !

Le mot « renfort » fit mouche dans l'esprit de Selena. Elle contempla pensivement sa boule de cristal. Elle activa la demande de renseignements. L'image d'une elfe souriante s'afficha.

— Renseignements, bonjour ! lança-t-elle gaiement.

— Mettez-moi en contact avec Channel One, Headquater du Lancovit, tout de suite, s'il vous plaît !

— Nous sommes au milieu de la nuit, Dame, objecta l'elfe, je ne crois pas qu'il y ait quelqu'un en ce moment !

— Foutaises ! s'écria Selena, les télécristalistes ne dorment jamais. Et celui qui est de garde ce soir va me bénir, parce qu'il va obtenir le scoop de sa carrière !

— Bien, ma Dame ! obéit l'elfe, après un regard préoccupé sur Selena, échevelée et le visage sillonné de traînées noires.

— Mais que faites-vous, Dame ? demanda Xandiar, alarmé.

— Je fais monter les enchères ! répondit Selena d'une voix mauvaise. Chut, ça sonne !

L'image s'anima.

— C'que c'est ? fit un sortcelier brun qui avait l'air de s'ennuyer comme un rat mort, le nez dans un gobelet.

— Bonsoir, je suis Selena Duncan, la mère de l'héritière impériale d'Omois.

Le jeune homme en laissa tomber son café et se mit au garde-à-vous, s'efforçant fébrilement de se recoiffer et de ranger son bureau en même temps.

— Ah, euh, je suis, euh, Tyler Dura. Euh, oui, que puis-je pour vous, ma Dame ?

Cela faisait beaucoup de « euh » et Selena se demanda si ce grand dadais aurait assez de poids pour faire ce dont elle avait besoin.

— Tyler, êtes-vous le cristaliste de garde ? Avez-vous latitude pour passer un scoop à l'antenne, en « actualité de dernière minute » ?

Le regard du cristaliste se fit aigu.

— Avec l'accord de mon rédacteur en chef, oui, je peux. Pourquoi, ma Dame ?

— Voici un dossier qui prouve que ma fille a été, contre son gré, victime d'une manipulation génétique.

Le jeune homme déglutit.

— Votre... fille ? L'héritière impériale d'Omois ?

Selena fut patiente. Apparemment le choc était un peu fort pour le jeune homme.

— Elle-même. L'Impératrice n'est pas encore au courant (ce qui était faux), car le savant qui a pratiqué les examens a subi un malencontreux accident (ce qui était vrai).

Aux mots « malencontreux accident », le cristaliste en bava presque, ses antennes politiques soupçonnant un scoop monstrueux.

— « Malencontreux » ? Certes, Dame. Qu'attendez-vous de moi ?

— Diffusez cette information. Ma belle-sœur doit être avertie et j'ai besoin de rejoindre ma fille, qui se trouve sur Terre en ce moment.

Tyler remballa prudemment les milliers de questions qui lui brûlaient les lèvres, dont la première était : « Pourquoi n'appelez-vous pas directement l'Impératrice, votre belle-sœur ? » et la seconde : « Vous avez retrouvé l'Héritière disparue ? » Il se contenta d'un sobre :

— Pouvez-vous m'envoyer les éléments, Dame ?

Selena plaça le disque brillant dans le halo de sa boule de cristal.

— Éléments transmis, confirma la boule quelques secondes plus tard.

— J'ai tout reçu, fit Tyler, les yeux écarquillés par ce qu'il était en train de lire. Par les crocs cariés de Gélisor, exploser la planète ! Ça, c'est du lourd !

— Oui, opina gracieusement Selena. Je ne vous le fais pas dire. Dès que nous aurons arrêté les coupables, ils devront passer en justice. En dehors du fait qu'ils mettent en danger des millions de gens sur AutreMonde et sur Terre, trafiquer notre génome est rigoureusement interdit, à part chez les vampyrs. Je compte donc sur vous pour diffuser ceci dès à présent.

— Je dois d'abord présenter le dossier à mon rédac chef, glapit le cristaliste en bondissant de sa chaise, surtout ne coupez pas la communication, Dame, je reviens tout de suite !

Il ne fut pas si rapide, essentiellement parce que Tyler dut imprimer le dossier, puis sortir son rédacteur en chef de son lit et le convaincre qu'il n'était pas en train de lui faire une blague idiote. Hirsute, les lunettes de travers, une veste passée sur son pyjama, le rédacteur du journal de la nuit braqua son regard sur le visage de Selena.

— M'appelle James Renvril, ma p'tite dame, et si c'est une farce, croyez-moi, elle va vous coûter cher ! grogna-t-il, peu aimable.

— Ce n'est pas un canular. Je suis Selena Duncan. Et le dossier que je viens de vous envoyer est cent pour cent authentique !

— Vous êtes cristaliste, lança Séné, agacée, alors que l'homme fronçait les sourcils, dubitatif. Vous ne savez pas reconnaître la mère de notre Héritière ?

— Avec la magie, je pourrais me transformer en Vélouril Marival[1] en quelques secondes, objecta James, alors ce n'est certainement pas une preuve.

Puis il aperçut Xandiar derrière Selena et son regard changea. Il venait de l'identifier.

— Z'êtes avec le chef des Gardes d'Omois ?

— Et avec Séné Senssass, la chef des Camouflés d'Omois, oui, confirma Selena, le cœur battant.

Le cristaliste allait-il enfin la croire ? Comme s'ils pressentaient la contre-attaque, les assaillants redoublèrent de rayons de feu et elle dut baisser la tête.

Le rédacteur se gratta le crâne, conscient d'assister à une scène inédite. Ce n'était pas un Carbonus qu'il venait de voir passer ? Il se concentra sur la jeune femme effrayée en face de lui, et qui avait manifestement un très gros problème.

— Dame, je suis cristaliste, je suis capable de visualiser les visages des principaux dirigeants des différents royaumes et empires. Peu de personnes en dehors du palais impérial connaissent le visage de Xandiar, le chef des Gardes, et encore moins celui de la très efficace Séné Senssass. Je vous prie donc d'accepter mes excuses. Vous avez dit à mon cristaliste que vous aviez quelque chose d'important à montrer ? Au sujet de votre fille ?

Il était malin, il la forçait à raconter son histoire de nouveau, afin de voir si elle allait se contredire. Mais Selena était sincère et surtout très pressée. Cela dut se sentir, car dès qu'elle eut terminé, le rédacteur se redressa brusquement et s'adressa à Tyler.

---

1. Vélouril Marival est l'équivalent de Marylin Monroe sur Autre-Monde. Sauf qu'elle est vivante et qu'étant à moitié elfe, comme Robin, elle est quasiment immortelle. Concurrence tout à fait déloyale pour les autres actrices qui ne l'aiment pas beaucoup. Quant aux actrices terriennes, si elles apprenaient son existence, nul doute qu'il y aurait un certain nombre de crises de nerf à la clef !

— Fiston, c'est ton heure de gloire. Va m'enfiler une veste et fonce en studio. Tu as deux minutes pour préparer un texte. Je te fais passer en exclu. Insiste sur le côté dramatique. Si l'héritière n'est pas soignée, la planète sur laquelle elle se trouve explose, patati, patata... Ensuite seulement, précise qu'elle se trouve sur Terre, histoire qu'on n'ait pas une crise de panique sur les bras.

Le jeune homme pâlit, rougit, puis fila à toute vitesse, le dossier imprimé sous le bras.

— Dame, salua le rédacteur, je ne doute pas que nous ayons des tas de choses à nous dire, mais pour le moment je dois m'occuper de mon actualité. Avons-nous votre numéro de boule ?

Selena le lui donna volontiers et ne fut pas surprise lorsqu'il rappela, quelques secondes plus tard. Ultime vérification, car dix minutes après, alors qu'ils combattaient furieusement les gardes impériaux, une sonnerie retentit dans la poche de Selena. Elle sortit sa boule. James la dévisageait.

— J'ai pensé que vous étiez peut-être dans un endroit où les chaînes n'étaient pas faciles à capter, alors je vous passe l'émission en direct.

Intelligent, le cristaliste. Il avait apparemment tiré ses déductions. Elle regarda le halo avec les autres. Tyler, le regard clair et le cheveu gominé à la hâte, apparut sur l'image.

— Une information de dernière minute vient de tomber, commença-t-il gravement. Nous apprenons que la vie de l'héritière impériale d'Omois est en grave danger. Sa mère, Selena Duncan, vient de nous envoyer un dossier démontrant que l'Héritière a été victime d'une manipulation génétique visant à la rendre plus puissante. Malheureusement, cette manipulation menace non seulement la vie de la jeune princesse Tara Duncan, mais également la planète sur laquelle elle se trouve. Avec nous en duplex, en dépit de l'heure tardive, maître Gréovul, bio-technicien.

L'image changea et se fixa sur un homme âgé, à la longue barbe grise, qui se tenait au milieu d'un laboratoire. Selena fut admirative : ils avaient déniché un savant en pleine nuit !

— Maître, enchaîna Tyler, vous avez lu le dossier comme nous, quel est votre avis ?

— Tout d'abord je ne suis pas d'accord avec les conclusions de maître Vlour Mabri concernant l'explosion de la planète Léandra, dont nous sommes censés venir, pontifia le savant. Il est allé un peu vite en besogne en affirmant...

— Certes, le coupa Tyler. Permettez-moi de reformuler ma question. Que pensez-vous, non pas du dossier, mais de la manipulation subie par la princesse d'Omois ?

Le savant fourragea un instant dans sa barbe, puis déclara, les images du dossier défilant à côté de lui au fur et à mesure qu'il parlait :

— Celui qui a fait cela est fort, très fort. Il a réussi à éviter les malformations génétiques en se concentrant sur le potentiel énergétique de la jeune sortcelière. Mais ce faisant, il a pris un risque terrible. Il a augmenté lourdement le taux de magie dans le sang. Le rapport est clair. Si la jeune princesse n'est pas soignée très vite pour soulager l'excès de magie, elle sera détruite. Et la déflagration sera si puissante qu'elle risquera d'enflammer l'atmosphère, comme le ferait une super-nova. La planète sur laquelle elle se trouvera sera brûlée, stérilisée !

L'image revint sur le cristaliste qui déglutit.

— Nous avons appris de source sûre que la jeune princesse est actuellement en visite sur Terre. Prions pour qu'elle soit guérie à temps, car sinon la patrie des ancêtres de tous les humains d'AutreMonde risque de disparaître dans un déluge de feu.

Le reportage s'interrompit sur l'image terrible de la Terre engloutie par la déflagration. Xandiar et Séné échangèrent un regard avant de fixer Selena.

— Qu'est-ce qu'on fait maintenant ?

— On attend.

Ce ne fut pas long. Le silence tomba sur le manoir, les explosions étouffées des sorts se turent.

Et la boule sonna encore, les faisant sursauter. L'image de l'impératrice d'Omois apparut, le visage grave, les lèvres pincées. Elle tressaillit en découvrant, derrière Selena, Xandiar et Séné.

— On m'avertit à l'instant qu'un secret-défense vient d'être divulgué sur les chaînes de télécristal du Lancovit et repris par toutes nos chaînes. Savez-vous que c'est passible de la peine de mort ?

— Et manipuler les gènes de ta propre dynastie, puis le dissimuler, riposta Selena, c'est passible de quoi ?

— La loi, c'est la dynastie T'al Barmi Ab Santa Ab Maru, rétorqua l'Impératrice avec arrogance en se redressant. Ce que mes ancêtres ont fait, ils l'ont accompli pour le bien d'Autre-Monde !

— Cette magie risque de détruire ma fille et la Terre par la même occasion, et tu prétends que c'est pour le bien d'AutreMonde ? Arrête de me prendre pour une idiote ! Vous, les impératrices et imperators d'Omois, vouliez le pouvoir et que votre dynastie l'emporte en puissance sur tous les sortceliers d'AutreMonde. Cela n'a rien à voir avec l'intérêt public et tout avec l'intérêt privé ! Si tu désirais tant sauver Tara, pour quelle raison n'as-tu envoyé personne pour la soigner alors qu'elle risque de mourir d'une seconde à l'autre ?

Xandiar lui avait affirmé que l'Impératrice avait fait ce qu'il fallait pour guérir Tara, mais elle le cacha soigneusement. Voyons si cela fonctionnait.

L'Impératrice eut un cri déchirant :

— Mais j'ai envoyé quelqu'un ! *Il* a promis de le faire ! Il est parti sur Terre il y a deux jours déjà ! Il m'a appelée pour m'annoncer que la situation était sous contrôle ! Mais il a ajouté que si quelqu'un était au courant pour la manipulation, il tuerait Tara sans remords ! C'est toi qui viens de condamner ta fille, espèce d'imbécile !

Selena ignora l'insulte. C'était donc pour cela que Lisbeth avait tenté de se débarrasser de Xandiar ! Pour protéger Tara ! Elle la regarda, soupçonneuse.

— Il ? Qui ça, il ?

— Le dragon ! Celui qui a tout manigancé ! Il est venu nous trouver, Danviou et moi, lorsque notre mère est morte.

Il nous a expliqué ce qu'il avait effectué pour notre lignée, avec, chaque fois, l'accord de nos ancêtres, et nous avons juré de garder le secret. Et si vous ne me croyez pas, en voici la preuve ! Chaque fois que je l'ai rencontré en public il a fait comme s'il ne me connaissait pas particulièrement, en dehors de ma fonction d'impératrice d'Omois. Cela m'a paru curieux, je me défiais de lui, alors j'ai fait réaliser un enregistrement par une scoop bien dissimulée.

Son visage disparut et l'image prise par la petite caméra volante et indépendante s'afficha. On y voyait un dragon bleu discuter gravement avec Lisbeth et Danviou et les deux jeunes gens promettre de garder le silence. Selena eut les larmes aux yeux en revoyant son mari disparu. Puis elle détailla le dragon et s'écria :

— Ce n'est pas possible ! On dirait maître Chem !

— Ah, fit Xandiar, satisfait, cela confirme ce que je pensais. Seul un assaillant très grand et fort aurait pu trancher Vlour Mabri comme il l'a fait. Et c'est pourquoi il était aussi inquiet lorsque je l'ai vu au Palais ! Il savait que j'allais le démasquer d'un instant à l'autre !

Séné claqua des doigts, très excitée.

— Ah, je sais comment il a eu accès à la bombe ! Notre accord avec les dragons stipule que nous devons impérativement leur communiquer le double de toutes nos armes, afin qu'ils les étudient. Il n'a pas eu besoin de voler les plans, nous les lui avons donnés !

L'impératrice hocha la tête. Voilà un accord qu'elle allait pouvoir renégocier...

— Nous devons agir très vite, intervint Selena. Isabella m'a informée que maître Chem était avec eux ! Je pars à l'instant pour Stonehenge prévenir Tara. De ton côté, dis à tes gardes d'arrêter de nous tirer dessus, s'il te plaît !

— C'est déjà fait. Et ils avaient ordre de paralyser Xandiar, pas de l'éliminer. Je ne suis pas inutilement cruelle, en dépit de ce que tu sembles penser.

— Apparemment, Xaril a interprété vos ordres trop librement, Votre Majesté impériale, intervint Xandiar.

— Qu'en avez-vous fait ? Ses soldats m'ont appris que vous l'aviez capturé.

— Disons, attesta Xandiar, qu'il est mort dans l'exercice de ses fonctions.

L'Impératrice soupira.

— Je vois. Vous êtes réintégré, Xandiar, vos vacances sont terminées. Votre nouvelle mission est de conduire dame Duncan auprès de mon héritière et de les ramener toutes les deux saines et sauves à Omois. Si au passage vous abattez le dragon Chemnashaovirodaintrachivu, j'en assume la responsabilité. C'est un traître qui a menacé notre gouvernement.

Xandiar ne releva pas le culot de l'Impératrice qui faisait comme si elle n'était coupable de rien. Il avait l'habitude.

— Bien, Votre Majesté impériale. Je suis à vos ordres.

— Mes soldats vous accompagneront. Dame Duncan, salua-t-elle.

— Lisbeth, s'inclina légèrement Selena, omettant son titre, encore en colère.

L'Impératrice se raidit, puis coupa l'image sans plus de commentaires.

— Pffff, fit Selena, j'ai eu chaud. Bon, quelqu'un peut-il aller vérifier que les soldats ont saisi que nous étions de nouveau dans le même camp pendant que je rappelle ma mère ?

Séné fit signe à l'un de ses soldats qui glissa une tête prudente par la porte du parc. Mais aucun rayon mortel ne vint le frapper. Guère rassuré, il s'aventura plus loin et sursauta lorsqu'une forme sombre se détacha des arbres.

Le soldat retira la cagoule qui le protégeait et dit :

— Garde X'oval. Nous sommes à votre disposition, Sieur.

Le soldat de Séné eut un discret soupir de soulagement et lui fit signe d'avancer avec ses thugs. Impassibles, les soldats firent une garde d'honneur aux rescapés. Ils ne tressaillirent que très légèrement lorsque le regard de Xandiar tomba sur eux, cinglant, indiquant qu'ils allaient passer un bout de temps dans les écuries impériales à pelleter des tonnes de beau crottin fumant.

Il lança quelques ordres rapides, et deux éclaireurs filèrent.

— Dès que la forêt sera claire, indiqua Xandiar, nous partirons.

— Claire, cela veut dire que toute menace sera neutralisée, confia Séné à Selena. Xandiar a parfois du mal à se souvenir qu'il parle à des civils.

Le grand garde, qui avait entendu, la foudroya du regard. Selena eut un petit rire puis activa sa boule de cristal.

— Maman, dit-elle lorsque le visage d'Isabella s'afficha, tu as tenté de me joindre ?

— Oui. Tu étais en train de te battre ?

— C'est une longue histoire. La seule chose qui importe à présent, c'est que Tara a été victime d'une manipulation génétique et que son potentiel magique est tel qu'il risque de transformer l'atmosphère de la Terre en explosant. Elle doit se faire soigner sans délai !

Isabella eut l'air choquée et incrédule surtout.

— Quoi ?

— Les gènes de Danviou et de Lisbeth ont été trafiqués, comme ceux de Tara. Je te passe le dossier, ce sera plus rapide. Tu y liras tous les détails sur celui qui a fait cela et...

Soudain, le visage d'Isabella afficha une telle angoisse que même la naïve Selena s'en aperçut.

— Maman ? s'interrompit-elle. Ne me dis pas que tu savais...

— *Il* est venu me voir, moi aussi, avoua Isabella, la gorge serrée, après avoir jeté un regard sur ceux qui l'écoutaient avec attention. *Il* m'a expliqué qu'il avait choisi Tara pour augmenter son pouvoir et en faire une très puissante sortcelière. *Il* m'a demandé l'autorisation de pratiquer ses manipulations sur elle. Et ce qu'il me proposait était si attrayant que j'ai accepté, sachant parfaitement que ni Danviou ni toi n'approuveraient.

Selena était atterrée.

— Maman, tu n'as pas fait ça !

— Je suppose qu'il doit avoir mis une sorte de marqueur dans le sang de Danviou afin de le retrouver où qu'il soit, car le dragon s'est bien gardé de me dire que mon gendre était l'imperator disparu d'Omois ! Chaque fois que vous m'avez confié Tara, je la lui ai laissée. Et il a opéré sur elle. Ce qui, tu le sais, lui a sauvé la vie à plusieurs reprises. Si elle était moins puissante, elle serait morte depuis longtemps !

— C'est ta justification ? constata Selena, pleine d'amertume. Comme les choses ont bien tourné, tu avais raison ?

Isabella parut s'affaisser.

— Non, j'ai eu tort d'agir dans ton dos. La disparition de Menelas était une douleur constante, je n'ai pas pu l'empêcher, alors j'ai estimé que si ma petite-fille était la plus puissante des sortcelières sur AutreMonde, elle serait protégée. Lorsque Danviou a été tué et que tu as disparu, j'ai eu peur et j'ai demandé ce poste sur Terre, interrompant le traitement subi par Tara.

Selena lui coupa la parole :

— Tu venais de prêter le serment de la Parole de Sang à Danviou, juste avant qu'il meure, c'est ça ? Et si Tara devenait un Haut Mage, cela t'aurait tuée. En fait, tu n'as pas eu le choix !

Isabella inclina la tête. Elle tentait de montrer qu'elle n'avait œuvré que pour le bien de Tara, mais chacun de ses gestes dévoilait au contraire le monstre d'égoïsme qu'elle avait été. Et Danviou, qui la connaissait bien, lui avait fait jurer sur son sang que jamais Tara ne deviendrait Haut Mage, qu'elle resterait loin d'AutreMonde. Parole dont le fantôme l'avait délivrée, pour lui éviter d'en mourir.

— Quoi qu'il en soit, reprit-elle péniblement, le dragon ne s'est pas manifesté et il nous a laissées en paix. Il n'a réapparu que lorsque Tara a été attaquée par Magister et il l'a protégée. Ce qui m'a étonnée, c'est qu'il n'ait pas mentionné la manipulation, faisant comme si j'étais juste une vague connaissance. J'ai calqué mon attitude sur la sienne, soulagée qu'il ne tente rien. Puis Tara a réussi à lever la parole de sang, et j'ai cru qu'il allait terminer son travail sur elle, mais il n'en a rien été. Enfin, lorsque Tara a eu une crise de magie il y a deux jours, il lui a sauvé la vie.

La nouvelle soulagea Selena.

— Ainsi il a tenu sa promesse ? Tara n'est plus en danger ?

— Non, il a jugulé sa magie et elle peut la pratiquer sans tout détruire autour d'elle. C'est déjà une bonne chose.

— Surtout, ne lui permets pas de l'approcher. Il a dit à l'Impératrice que si quiconque était informé de la manipulation génétique, il tuerait Tara. Malheureusement, j'ai fait diffuser sur toutes les chaînes d'AutreMonde le dossier que je viens de te passer.

La vieille sortcelière eut l'air choquée.

— Tu as dévoilé notre affaire de famille à la télécristal ?

— J'ignorais la part que tu y avais prise, sinon je me serais sans doute débrouillée autrement (en fait, elle n'avait pas eu le choix, mais se garda de le préciser).

— Donc, si je saisis bien, reprit Isabella, tu veux que j'affronte Chem ?

Les amis de Tara sursautèrent. Ils avaient bien compris que c'était un dragon qui avait manigancé le complot. Mais le nom qui venait d'être prononcé était le dernier auquel ils s'attendaient.

Selena planta son regard dans celui de sa mère.

— Oui, je te demande de défendre la vie de ta petite-fille. Cela te pose-t-il un problème ? Nous serons à Stonehenge d'ici à quelques minutes avec une escorte de Gardes impériaux, et tant pis pour les interdictions de Transmitus. Dès mon arrivée, j'expliquerai tout à Tara.

— Ça risque d'être un peu compliqué, soupira Isabella, qui se sentait de plus en plus fatiguée.

— Ah bon ? et pourquoi ?

— Parce que ta fille a été avalée par le tableau de ton mari !

Pendant que Selena, stupéfaite, écoutait la description de Robin et de Fabrice qui avaient remplacé Isabella, puis filait vers le château de Besois-Giron pour arriver au plus vite à Stonehenge, Bradford Medelus franchissait la Porte de Transfert américaine, au sommet du Chrysler Building.

Il se sentait désorienté, comme si on avait arraché une partie de son être, incapable de décider s'il pleurait sur son amour perdu ou sur son incroyable lâcheté. Comment avait-il pu se faire un bouclier vivant de la femme qu'il aimait ! Il se maudit. De plus, il avait avoué l'innommable, et devant témoin, ce qui était pire que stupide. Il allait devenir un paria, pourchassé. Il avait passé la Porte du palais impérial, blême à l'idée que Xandiar pouvait avoir lancé un mandat d'arrêt à son encontre. Mais nul garde ne s'était présenté pour l'arrêter, aucune accusation ne s'était élevée contre lui. Il fit ses bagages rapidement, considérant à regret son étude des conifères marins, commandée par l'Impératrice. Il ne la terminerait jamais. Puis il alla voir la personne qu'il soupçonnait depuis longtemps d'être un sangrave. Paria pour paria, autant aller au pire, il n'avait plus rien à perdre.

Il requit une audience privée auprès de Tyrann'hic, le Premier ministre. Son statut de presque fiancé de la mère de l'Héritière lui fit obtenir une entrevue en quelques minutes. Il eut un sourire amer. Autant profiter de ces prérogatives jusqu'au bout !

Le gros homme au crâne dégarni fut surpris puis soupçonneux lorsque Medelus lui exposa sa requête, parlant le plus bas possible pour ne pas être entendu de l'assistance.

— J'ai à vous entretenir au sujet de Magister, Maître Premier ministre, et en privé. Pourriez-vous faire sortir les soldats, s'il vous plaît ?

Tyrann'hic l'observa un moment, puis adressa un signe de tête au chef de sa sécurité, qui obtempéra de mauvais gré. La salle d'audience étant immense, ils perdirent rapidement les gardes de vue. Aussi ne s'aperçurent-ils pas que le corps du dernier de la file vacillait, disparaissait dans l'ombre puis se reformait sous l'apparence d'une fine silhouette, protégée par un Camouflus, qui s'approcha subrepticement et les écouta, cachée derrière une colonne.

— Merci, Maître Premier ministre, s'inclina Medelus, à présent nous allons pouvoir parler tranquillement de vos amis les sangraves.

Tyrann'hic mit quelques secondes à réagir tant il fut déstabilisé.

— Vous m'accusez d'être un sangrave ? tonna-t-il furieux. Vous êtes fou à lier !

— Je ne suis pas fou, répondit calmement Medelus, et vous êtes l'hypothèse la plus logique. Le Chasseur, en me mordant, a laissé échapper une phrase. J'étais si malade qu'il m'a fallu du temps pour en saisir la portée. J'ai voulu en parler à Selena, puis il m'est apparu préférable de me ménager un allié potentiel contre sa fille au lieu de vous faire emprisonner pour haute trahison.

Le gros homme se raidit.

— Quelle phrase ?

— Elle a dit : « Le premier m'a ordonné de ne pas mordre, de ne pas laisser de traces. Mais tu sens trop bon, je ne peux pas résister, et puis après tout, j'obéis à mon maître, pas à un vieux bonhomme chauve et gras ! »

Le visage de Tyrann'hic se durcit, mais il ne dit rien.

— « Premier », c'était Premier ministre, bien sûr. Et la description est étonnante de vérité. J'en ai déduit que vous étiez un sangrave et que vous pourriez m'aider.

— Ces allégations sont délirantes, répondit froidement Tyrann'hic. Il y a des centaines de Premiers sortceliers au Palais, qui sont vieux, gras et chauves. Je ne suis pas un sangrave et je ne vois pas en quoi je peux vous aider. Par égard pour dame Duncan, je vous accorde encore deux minutes. Ensuite, j'appelle la garde et c'est en prison que vous échafauderez vos élucubrations !

Medelus soupira.

— Je n'ai pas de micro ni de taludi sur moi, pas de scoop dans ma manche, et je ne cherche pas à vous piéger. J'ai essayé de tuer la fille de la femme que j'aime et je l'ai avoué devant Xandiar, alors croyez-moi, vos menaces ne me font ni chaud ni froid. Je dois voir Magister. Il est mon dernier recours !

Les yeux du gros homme se plissèrent, seule réaction à son étonnement.

— Vous avez quoi ?

Medelus lui expliqua la situation et, même à ses oreilles, l'histoire qu'il raconta était pathétique.

— Vous avez attenté à la vie de l'héritière impériale parce qu'elle entraînait sa mère dans de périlleuses aventures et que vous avez été blessé par contrecoup. C'est intéressant.

Le Premier ministre dévisagea Medelus avec une certaine pitié.

— Je vais partir du principe que ceci est une tentative d'infiltration du réseau des sangraves, même si je juge la méthode bien dangereuse, mon jeune ami, oui, bien dangereuse. Tous ceux que nous avons envoyés espionner Magister nous sont revenus en plusieurs morceaux. Êtes-vous sûr de vouloir prendre ce risque ?

Le vieil homme était malin. Il niait être impliqué et faisait passer sa capitulation pour un service qu'il rendait.

— De plus, continua-t-il, vous n'êtes pas son genre de recrue. Il aime les gens motivés et puissants, pas les lavettes gémissantes !

— Je ne suis pas une lavette gémissante, rugit Medelus. Vous niez toujours être un sangrave ? Laissez Magister décider s'il a envie de m'avoir dans ses rangs ou non, Tyrann'hic ! Je ne pense pas que vous soyez bien placé pour m'évaluer. Après tout, vos plans ont somptueusement échoué. Je croyais que Magister n'avait pas beaucoup de tendresse pour ceux qui ne le satisfaisaient pas ?

Tyrann'hic passa une langue nerveuse sur ses lèvres.

— Je ne suis pas un sangrave, je vous le répète. Mais j'ai entendu parler d'un homme qui connaîtrait la bonne personne pour contacter leur maître. Si vous avez envie de vous suicider, c'est votre problème. Voici son adresse. Je vous signale au passage que l'Impératrice et l'Imperator la connaissent. C'est un repaire notoire de sangraves, mais en l'absence de preuves, nous n'avons pu les faire arrêter.

Il dicta une adresse à la plume, dans la vieille ville, une partie de Tingapour que Medelus ne connaissait pas. Le papier vola jusqu'à Medelus. Il s'inclina devant le Premier ministre et, sans ajouter un mot, sortit.

Le Premier ministre le regarda partir, puis incanta :

— Par le Discretus, que je puisse parler sans me faire écouter !

Une bulle de silence l'entoura et il attrapa dans sa poche une petite boule de cristal rouge. Une voix en sortit, mais aucun visage ne s'afficha.

— Oui ? fit simplement la voix.

— Dites à votre Maître que je lui envoie une recrue potentielle, Bradford Medelus, l'ex-compagnon de la mère de l'Impératrice. Au cas où il ne conviendrait pas et que vous le tueriez, débarrassez-vous du corps. Je n'ai pas envie qu'on remonte jusqu'à moi.

Si son interlocuteur fut surpris par le nom de Medelus, il n'en laissa rien paraître.

— Bien, fit-il.

Et le halo s'éteignit.

Tyrann'hic rangea la boule rouge puis réfléchit. Si c'était un piège, il arguerait de son innocence. Si Medelus était sincère, Magister en ferait un de ses sangraves. Enfin, s'il ne voulait pas de lui... eh bien, ce ne serait pas la première fois qu'un candidat échouerait. Tant pis pour lui. Il ricana. Il n'avait pas menti en prétendant qu'il n'était pas un sangrave. Il s'était allié à Magister afin de prendre la place de Lisbeth à la tête de l'empire. Son plan avait failli marcher, mais la maudite princesse héritière l'avait fait échouer[1]. Bah, il avait tout son temps. Plus les lois qu'il conseillait à l'Impératrice étaient impopulaires, plus le pouvoir de la souveraine s'affaiblissait à mesure que le sien grandissait. Il eut une moue satisfaite. Genris Tyrann'hic Ier, voilà qui ferait bien sur son blason, non ?

---

1. Voir *Le Sceptre maudit*, où effectivement Tara flanqua une pâtée à Magister, au grand mécontentement de Tyrann'hic. En fait c'est assez fatigant d'être un méchant qui veut le pouvoir, parce qu'il faut régulièrement tout recommencer lorsque les gentils vous démolissent et vos plans et votre figure (les deux allant souvent ensemble). Mais Tyrann'hic avait trop d'ambition pour réaliser que cela lui demandait deux fois plus de travail. Comme quoi on peut être avide de pouvoir et idiot !

Tout à ses pensées, Tyrann'hic ne vit pas la gracieuse silhouette se détacher silencieusement de la colonne et disparaître dans l'ombre. Sans quoi il se serait fait beaucoup de souci.

Medelus lut l'adresse sur le papier et se fit conduire dans la vieille ville. Le tapis volant se posa devant une auberge vétuste, dont l'enseigne, Au Sortcelier Borgne, mal ensorcelée, grésillait et clignotait. Tout autour, des sortceliers et des nonsos semblaient flâner, mais observaient l'auberge avec attention. Il se crispa. Il s'agissait certainement des espions de l'Impératrice. Quiconque pénétrait dans le bâtiment était sans doute repéré et fiché. Rapidement, il éclaircit la couleur de ses cheveux et modifia ses traits. Si les mouchards étaient équipés des nouvelles lentilles permettant de voir à travers l'illusion, il était cuit. Sinon, il avait une chance de pénétrer dans l'auberge. Tous les regards se braquèrent sur lui à son entrée, mais nul ne tenta de l'arrêter.

À l'intérieur, la salle était sombre et enfumée. Il était difficile de discerner quelles chaises étaient occupées et il valait mieux éviter de poser ses fesses sur un siège déjà attribué, si l'on voulait garder sa tête attachée à son cou.

L'assistance était bien différente de celle du palais et l'espace d'un instant, il sentit son courage s'envoler. Trolls, ogres, vampyrs, deux félins salterens à la dentition jaune et à la crinière pouilleuse, quelques sortceliers à la mine patibulaire et une demi-douzaine de guerriers aussi pleins de muscles que vides de cerveau, bardés de cuir et d'armes diverses, tout un petit monde discutait, marchandait, buvait ou simplement évaluait les nouveaux venus en se demandant s'ils valaient le coup de se lever pour les détrousser. Les tables étaient en solides rondins de bois, le sol composé d'un vieil Absorbus prêt à avaler tout ce qui lui tomberait dessus, liquide ou solide, du moment que c'était inanimé et, parfois, même lorsque cela bougeait encore. Deux elfes violettes, renversantes, faisaient le service à une allure surhumaine. Medelus n'avait jamais rencontré d'elfe violet, dont on vantait la beauté et la terrible cruauté. Il en eut la preuve lorsque la plus grande cloua froidement la main d'un guerrier nonsos qui tentait de boire une chope de bière sans payer. Le hurlement de douleur de l'homme fut couvert par les rires de ses compagnons. L'elfe dégagea le couteau, menaçant la gorge du mauvais payeur, et celui-ci déboursa vivement un crédit-mut. L'elfe l'empocha, eut un délicieux sourire et servit les autres tables. Un grand panneau de cristal diffusait un match de Polo Céleste. Au moment où Medelus regarda, l'un des cavaliers, percuté par un pégase, tombait avec un bruit qui secoua le sortcelier, tandis que les spectateurs s'esclaffaient.

Il prit son air le plus sombre, genre « le premier qui s'approche va le regretter amèrement », alors qu'intérieurement il sentait son estomac faire des nœuds, s'avança vers le comptoir et lut le nom sur la feuille de papier. Six Séosul. Il avisa le tatris qui tenait l'auberge.

— Bonjour... déclama une tête.

— ... Sieur, poursuivit l'autre.

— Qu'est-ce que...

— ... je vous sers ?

— Des renseignements, répondit Medelus. Je désire parler à un homme du nom de Six Séosul.

— Qu'est-ce que...

— ... je vous sers ? répétèrent les deux têtes, impassibles.

— Un verre de jus de crogroseilles, s'il vous plaît.

L'une des deux têtes fit une grimace pendant que l'autre arborait un sourire radieux.

— Excellent choix... approuva-t-elle.

— ... quoique moi, j'aurais choisi autre chose, grogna la seconde. Allez...

— ... vous asseoir à la table au fond à gauche. Il...

— ... y a de la place.

Medelus était un peu lent de la comprenette. À sa décharge, il n'avait pas l'habitude des activités illégales.

— Mais, protesta-t-il, je souhaite être présenté à Six Séosul !

— Tsss, tsss, tsss, siffla l'une des têtes.

— ...et moi, je vous dis de prendre votre minable jus de fruits et d'aller poser vos fesses à cette table, vu ? termina froidement la seconde, tranchant avec la politesse légendaire des Tatris.

Maussade, Medelus paya sa boisson et traversa la salle jusqu'à la table en question. Dès que les curieux se rendirent compte de l'endroit où il prenait place, ils se rassirent en vitesse et se désintéressèrent définitivement de lui. S'il s'était installé à n'importe quelle autre table, son aventure se serait terminée là, et Selena et Tara n'auraient plus eu de souci à se faire, du moins à son sujet. Mais cette table-là possédait un statut particulier. Celui qui s'y asseyait était fou, désespéré ou arrogant et, dans tous les cas, il était interdit d'y toucher.

Medelus ne se rendit compte de rien. Il patienta deux heures, abreuvé à intervalles réguliers de jus de crogroseille qu'il n'osait refuser et qui allait lui coûter une fortune. Sa vessie finit par crier grâce. Il s'énervait et allait se décider à partir lorsqu'il sursauta. Une ombre venait de se laisser tomber dans le profond fauteuil en face de lui.

— Alors, mon gars, fit une voix rauque, paraît que tu cherches quelqu'un ?

Medelus tenta de percer la pénombre pour dévisager son vis-à-vis, mais le capuchon qui recouvrait sa tête était trop profond.

— J'ai besoin de parler à Six Séosul, affirma-t-il. Et je refuse d'avaler le moindre jus de crogroseille supplémentaire !

— T'as raison, mon gars, c'est pas bon pour l'estomac, ce truc-là. Qu'est-ce que tu lui veux, à Six Séosul ?

— Qu'il me mène à Magister !

— Pffffff, siffla son interlocuteur, rien que ça ! Et aussi qu'il te présente à l'impératrice d'Omois par la même occasion ?

— Ce serait inutile, répliqua Medelus, je la connais déjà. Je sors avec sa belle-sœur.

Là, l'ombre en fut claquée.

— Ben mon vieux, souffla-t-elle, tu ne manques pas d'air ! Qu'est-ce que tu lui veux à Magister ?

— M'allier avec lui afin de capturer Tara Duncan. Je sais où elle se trouve et ce qu'elle fait en ce moment.

— Prends le premier tapis volant et file d'ici, répondit brutalement l'ombre. Nous n'avons plus rien à nous dire.

Il se leva prestement et disparut avant que Medelus, stupéfait, ait pu réagir. Non, ce n'était pas possible ! Pour la deuxième fois de la journée, il était rejeté, d'abord par Selena et maintenant par un sangrave !

Fou de rage, il le poursuivit hors de l'auberge, cherchant son mystérieux interlocuteur pour le faire changer d'avis, mais de très nombreux sortceliers possédaient des capes à capuchons. Il fut incapable de l'identifier. Après quelques minutes de recherches désordonnées, où il manqua se faire trancher la main par un elfe dont il avait arraché la capuche, il avisa un taxi et décida de disparaître au plus profond des forêts d'Omois. Le temps de se faire oublier et de concocter un plan pour reconquérir Selena.

Ce ne fut qu'au bout d'un moment qu'il réalisa que le tapis ne le conduisait pas sur la bonne route. En fait, il sortait de la ville pour s'enfoncer dans la forêt sauvage qui bordait Tingapour.

— Ehhhh ! fit-il, mais ce n'est pas le chemin ! Si vous croyez que je vais payer pour ce détour, vous vous mettez le doigt dans l'œil !

Le chauffeur se retourna, et Medelus sursauta en apercevant le visage couturé d'un humain donnant l'impression qu'il était passé sous une moissonneuse-batteuse et que celui qui l'avait recousu avait deux mains gauches. L'homme sourit de toutes ses dents aurifiées et, lorsqu'il parla, Medelus reconnut l'intonation de l'ombre.

— T'inquiète, mon gars, la course est réglée. Bienvenue sur Air sangraves. Attachez votre ceinture et taisez-vous. Il est temps de dormir ! Bonne nuit !

L'épais sort soporifique qui tomba sur Medelus le délivra de sa soudaine angoisse.

Lorsqu'il se réveilla, une jeune femme veillait à son chevet. Jeune, des boucles brunes coupées court encerclant son joli visage, elle le regardait avec une note d'inquiétude dans ses yeux noisette presque verts.

— Enfin, vous vous réveillez ! remarqua-t-elle. Le maître vous a déjà réclamé deux fois, et il n'aime pas attendre. Alors levez-vous, et plus vite que ça !

— Le maître ? balbutia Medelus, ses idées encore brouillées.

— Magister, le maître, c'est bien lui que vous souhaitiez voir, n'est-ce pas ? Eh bien, votre vœu va être comblé ! Suivez-moi !

Et elle s'éloigna de la démarche gracieuse d'une danseuse. Ou d'une guerrière.

Medelus se leva péniblement. Un vertige le fit vaciller. Il était dans une grande chambre élégante aux boiseries claires, pas du tout l'endroit qu'il aurait imaginé abritant des hors-la-loi.

— Qui êtes-vous ?

Elle fit volte-face et lui répondit :

— Je m'appelle dame Deria. Je suis l'une des assistantes de maître Magister. Et vous ?

— Je m'appelle Bradford Medelus. Je suis bio-ingénieur en art sylvestre. Et ennemi de Tara Duncan, comme Magister.

La jeune femme se raidit et l'observa attentivement. Elle faillit dire quelque chose, mais se retint. Essayer de protéger Tara lui avait déjà coûté bien plus qu'elle n'était prête à payer. Si ce type pensait qu'il allait s'attirer les bonnes grâces du maître avec ses grandes déclarations, il se trompait lourdement.

— Et où croyez-vous aller comme ça ? l'interpella l'un des deux gardes devant sa porte.

Medelus le dévisagea. Il ne connaissait pas cette race. L'être ressemblait à un loup rouge bipède dont on aurait taillé la fourrure pour former des motifs. Il paraissait aussi sauvage que dangereux, armé jusqu'aux dents, littéralement, vu leur taille.

344

— Nous allons voir le maître, répondit Deria, impatiente.

— Certainement pas sans nous, humaine, grogna le guerrier.

Et son compagnon et lui emboîtèrent le pas à Deria. Elle leur jeta un regard mauvais, puis haussa les épaules et partit d'un bon pas.

Pendant le court trajet, Medelus put constater qu'il se trouvait dans un petit palais, à la décoration chargée, avec ses meubles et tables prêts à servir, ses courtisans sur le qui-vive pour obéir aux ordres de leur maître. Dans un miroir, il remarqua que son visage et ses cheveux avaient repris leur apparence ordinaire. Le sort qu'il avait jeté pour dissimuler ses traits s'était dissipé.

Enfin Deria introduisit Medelus dans une salle du trône. Tel était le premier mot qui vint à l'esprit du sortcelier. Magister, reconnaissable à sa robe si grise qu'elle en paraissait presque noire et au grand cercle pourpre lui barrant la poitrine, le visage caché par un masque miroitant, siégeait sur un trône d'or incrusté de pierres précieuses, placé sur un socle de cristal massif. Deux Diseurs de Vérité se tenaient près du trône ! Les étranges végétaux télépathes de la planète Sentivor, flanqués des gnomes bleus qui leur servaient de voix (les Diseurs n'ayant pas de bouche), attendaient, immobiles, prêts à fouiller l'esprit de Medelus. Il se sentit soulagé d'être venu sans arrière-pensée de trahison.

Puis son cœur fit un bond de lapin effrayé dans sa poitrine. Terrorisé, il regarda le personnage qui venait d'apparaître derrière le trône. Cheveux blancs couleur d'os, somptueux visage blafard, crocs pointus et yeux écarlates, Selenba, dite « le Chasseur », bras armé de Magister et ex-fiancée de maître Dragosh le vampyr, lui souriait. Comme Deria et une dizaine d'autres sangraves, elle n'était pas masquée. De toute façon, il aurait reconnu ce long et maigre corps de lévrier cruel, son pire cauchemar.

— Bonjour, petite gourmandise, susurra la vampyr. Je ne pensais pas te revoir aussi tôt ! Je t'ai manqué ?

Medelus frissonna. La créature l'avait plus qu'à demi tué en buvant son sang. Prudent, il s'inclina, décidé à ignorer toute provocation de la part de Selenba.

— Maître Magister, salua-t-il, je suis venu proposer ma candidature. Je désire devenir un sangrave !

— Tiens donc, répliqua le maître des sangraves. Oui, je me doute que tu n'es pas ici en vacances.

Medelus fut désarçonné. Il ne s'attendait pas à ce que Magister fasse preuve d'esprit.

— Je souhaite m'engager dans vos rangs, répéta-t-il au cas où l'autre n'aurait pas compris.

Magister soupira. La terreur, c'était bien, il était content de voir que ses partisans le redoutaient, mais, de temps en temps, il aurait aimé que quelqu'un lui tienne tête. Comme Tara. Ou Selena qui n'avait jamais cédé d'un pouce. Elles lui manquaient. Surtout Selena d'ailleurs. Parce que Tara, elle, méritait une bonne fessée pour s'opposer constamment à ses projets de conquête.

Son regard s'attarda sur celui qui lui offrait sa vie. Il ne lui inspirait pas confiance. Évidemment, il ne faisait confiance à personne, mais encore moins à cet homme-là.

— Qui te dit que j'ai besoin de toi comme soldat de mon armée ? souffla-t-il d'une voix si douce qu'elle semblait de velours liquide.

Sans le timbre indéniablement masculin, il aurait pu croire que la gorge qui portait cette voix était celle d'une femme, tant elle était chaude et enjôleuse.

— Pas comme soldat, répondit fermement Medelus, comme partenaire !

Les courtisans, dont les robes allaient du gris très clair au plus sombre et les cercles sur les poitrines du jaune au rouge purulent, s'esclaffèrent.

— Tu ne manques pas de cran, s'amusa Magister. Mon partenaire, rien que ça ! Sais-tu que je peux te faire disparaître... comme ça !

Il claqua dans ses doigts, produisant une petite flamme rouge, son masque coloré du bleu de la bonne humeur.

— Je sais, dit très vite Medelus, mais j'apporte des renseignements sur l'Héritière, et notamment des documents dont vous pourriez avoir besoin. Ceci en échange de ma vie sauve et de ma participation à vos opérations.

Et il brandit le dossier que lui avait donné Selena et qu'elle n'avait pas eu le temps de lui reprendre quand il s'était enfui.

Magister se pencha, son masque coloré d'un orange irrité.

— Personne ne l'a fouillé ? questionna-t-il calmement.

Les deux loups rouges rosirent et reculèrent d'un pas.

— On n'y a pas pensé, avoua l'un d'eux.

Le masque fonça, se nuançant de noir, et les deux loups reculèrent encore, la nuque baissée en signe de contrition.

— Vous avez de la chance ! siffla Magister. Votre chef m'a demandé de ne pas vous tuer, cela romprait notre accord.

Les deux loups soupirèrent de soulagement.

— Mais, continua le maître des sangraves, son masque bleuissant à vue d'œil, il ne m'a pas interdit de vous faire *mal* !

Sans avertissement, deux éclairs jaillirent de ses mains gantées et frappèrent les loups de plein fouet. Ils hurlèrent de douleur, le poil grillé, et s'écroulèrent. Le silence se fit subitement très pesant, ponctué par leurs petits gémissements.

— Alors, ce dossier, fit Magister aimablement, de quoi parle-t-il ?

Tétanisé, Medelus se fit deux réflexions. La première était que Magister était capable de faire de la magie sans incanter. À l'exception de Tara, il n'avait jamais vu pratiquer la magie de cette manière. La seconde fut que sa vie ne tenait qu'à un fil si le dossier ne plaisait pas à Magister ou ne l'intéressait pas. Il tendit le disque doré contenant les informations et pria fort.

Magister fit un signe de tête à Selenba, et ce fut la vampyr qui vint à lui et s'empara du dossier, non sans effleurer sa main de ses griffes, le faisant frémir.

Les informations s'affichèrent devant Magister dès que celui-ci les appela. Soudain il se leva, le masque noir de colère.

— Non ! rugit-il. Elle risque d'en mourir ! Je serais privé

de l'accès aux objets démoniaques, sans elle. Ceci ne sera pas !

Il descendit du trône en deux enjambées, mi-sautées, mi-lévitées, et saisit Medelus à la gorge, le soulevant de terre.

— Où est-elle ?

— À Stonehenge ! Elle est à Stonehenge, sur Terre ! glapit Medelus, à demi étranglé.

— Bon sang ! murmura Magister, les aubergistes m'avaient dit qu'un groupe de sortceliers logeait chez eux en ce moment ! Qu'est-elle allée faire à Stonehenge, ne sait-elle pas que le site, construit par les dragons, est dangereux ?

Voyant que Medelus étouffait, il le lâcha. Le mage s'écroula, cramoisi.

— L'information est intéressante. Candidature acceptée, approuva Magister. Encore un dernier détail avant que je m'en aille. Deria ?

— Maître ?

— Montre à notre nouvel ami ce qui lui arrivera s'il décide de me trahir ou ne m'obéit pas assez vite.

— Oui, Maître.

La jeune femme s'approcha de Medelus et retira son gilet, ne gardant qu'une courte brassière. Medelus hoqueta. Sur tout le torse de la jeune femme s'étendaient d'affreuses brûlures. La torture devait être constante car l'épiderme n'avait pas cicatrisé. Au moindre mouvement, la peau brûlée se tendait, à la limite de la rupture. Medelus s'avisa que les ridules autour des yeux de la jeune femme n'étaient pas des marques d'expression mais de souffrance. Et celle qu'il pouvait lire dans les prunelles claires était immense. Pour la première fois depuis longtemps, Medelus cessa de penser uniquement à lui et ressentit de la compassion pour quelqu'un d'autre.

— Message reçu, s'inclina-t-il.

Mais dans son cœur naquit à ce moment une profonde détestation pour un être capable d'infliger de telles douleurs à une jeune femme.

— Parfait. Diseurs de Vérité, une remarque à propos de notre hôte ?

— Aucune, Maître, répondit l'un des gnomes pour son Diseur. Vous nous avez engagés pour détecter ceux qui désireraient vous trahir et celui-ci n'y songe pas.

— Et ce dossier ? Est-il authentique ou est-ce un piège pour me capturer ?

— Ce sortcelier a failli être tué, et ses compagnons avec lui, à cause de ces documents, du moins d'après des images que nous pouvons lire dans sa tête.

Medelus soupira, soulagé.

— Merci, s'inclina poliment Magister. Je n'aurai plus besoin de vos services pour le moment. « Que la vérité soit dite. »

— « Et qu'elle éclaire nos vies », compléta docilement le gnome, en réponse à la salutation particulière aux Diseurs.

— Selenba ! cria Magister, fais préparer les oiseaux-rocs. Nous partons dans une heure.

— Pour quelle destination, Maître ? s'enquit Selenba qui n'avait pas tout saisi.

— Pour Stonehenge !

Chapitre XXIX

Maître Chem
ou la couleur de la traîtrise est le bleu

Au milieu de son tableau, entourée par les couleurs et face à la silhouette de son père, Tara digérait la stupéfiante révélation. Elle devait s'avouer que l'hypothèse de la culpabilité de maître Chem ne la surprenait pas. N'était-ce pas lui qui avait formé et entraîné Magister, le maître des sangraves, avant de le lâcher, fou de pouvoir et de sang, sur AutreMonde ? Certes, il avait voulu bien faire. Tara s'était rendu compte qu'analyser les motivations d'êtres à sang tiède, capables de vivre des milliers d'années, et qui considéraient l'ennui comme la pire des punitions, ne se trouvait pas à la portée de l'intelligence de simples humains. Elle se contentait jusqu'alors de cultiver une saine méfiance, même si le dragon semblait lui vouer une affection sincère et l'avait sauvée à maintes reprises.

— Maître Chem serait derrière tout ceci ? répéta-t-elle, pour s'assurer qu'elle ne se trompait pas.

— Le dragon bleu lui-même, répondit l'image de son père. À présent, il te faut retransmettre mon message à ta mère et t'éloigner au plus vite de ce lieu. Plus tu es proche des pierres, plus est élevé le risque d'être drainée malgré toi de ta magie.

Tara frissonna. À aucun prix elle n'approcherait du monument mégalithique.

— J'ai compris, dit-elle. Je vais partir dès que possible.

— Parfait ! sourit l'image. Je suis fier et heureux de t'avoir comme fille, ma chérie, et ces mois avec ta mère et toi ont été les meilleurs moments de ma vie. Je t'aime.

— Moi aussi, je t'aime, Papa, s'émut Tara.

L'image sourit puis s'effaça. La vague de couleurs enveloppa la jeune fille et la déposa saine et sauve au centre du salon.

Un comité d'accueil l'attendait. Parmi les visages amicaux et inquiets, Tara distingua celui de Selena, et se jeta dans ses bras en criant :

— Maman !

— Ma chérie ! s'exclama Selena en lui rendant son étreinte. Cela fait des heures que tu as disparu ! Nous étions fous d'angoisse.

Les yeux de Tara se dilatèrent.

— Mais je suis dans le tableau depuis dix minutes à peine !

— Certainement pas, affirma Robin. Fabrice et moi avons passé la nuit ici à attendre que tu en sortes ! Nous avons tout essayé, mais rien ne fonctionnait, même pas le toucher de ta mère.

— Papa n'avait sans doute pas encore terminé de me dire ce que j'avais besoin de savoir, devina Tara. Le temps doit être distordu dans le tableau.

Sa mère la dévisagea.

— Danviou est à l'intérieur du tableau ?

— Oui, il y a enregistré un message pour toi et moi. Si tu l'avais touché avant moi, tu aurais probablement été absorbée mais comme j'y étais déjà, cela n'a pu fonctionner. Comment se fait-il que tu sois ici ?

Elle considéra, étonnée, l'escorte de Selena et ajouta :

— Avec Xandiar et tous ces soldats ?

Selena lui conta ses aventures au Manoir. Sa solution pour contrer l'Impératrice fit sourire Tara. Et lorsque Selena lui avoua que Chem était à l'origine de toute l'affaire, elle ne réagit pas. Enfin, Selena ne ménagea pas Isabella et souligna son rôle dans la manipulation génétique de Tara. Les autres avaient assisté à la conversation par boule de cristal et il ne pouvait être question de sauver les apparences.

La jeune fille hocha la tête. Elle avait compris que sa grand-mère, à sa façon maladroite et à travers le filtre de son formidable égotisme, l'aimait réellement. Cette manipulation génétique représentait un moyen de protéger sa petite-fille... tout en affirmant son propre pouvoir. Elle rencontra le regard d'Isabella qui, rigide, s'attendait à être rejetée, et lui adressa un sourire rassurant. Avant de venir sur AutreMonde, peut-être aurait-elle jugé sévèrement l'attitude de sa grand-mère. À présent que sa puissante magie l'avait sauvée plusieurs fois, elle ne pouvait pas lui en vouloir.

Isabella comprit. Elle la salua d'une légère inclinaison de la tête. Ah, faire plier l'arrogante Isabella était difficile. Elle ne présenterait probablement pas d'excuses.

Sa mère parlait toujours et un nom frappa les oreilles de Tara.

— Quoi ? s'écria-t-elle. Bradford Medelus ?

Navrée, sa mère opina. Medelus l'avait trahie, avait tenté de tuer Tara et s'était enfui. Par peur. Par lâcheté.

Par amour.

Tara écarquilla les yeux et se mordit les lèvres. Une fois la douloureuse histoire terminée, ce fut son tour.

Elle retransmit le récit de son père, édulcorant certains passages, puis s'adressa à Isabella. Elle adoucit son ton. Le choc allait être rude.

— Grand-père est bel et bien mort. Il a été tué par le cercle de pierre en se portant au secours de papa et d'Alia. Le message de la photo est un faux. Personne ne retient grand-père nulle part. C'est un piège du dragon pour nous forcer, Jeremy et moi, à rester à Stonehenge.

Le visage de fer se durcit encore. Puis l'armure se craquela. Ce fut terrible de voir le ravage opéré par le chagrin. Le corps de la vieille sorcelière s'affaissa et elle parut plus âgée et fragile. Elle ne dit rien, digérant la terrible nouvelle. Manitou posa une patte compatissante sur sa cuisse et elle entoura son père dans une étreinte chaleureuse, posant un instant sa joue sur la tête soyeuse.

— Menelas a toujours été d'un chevaleresque ridicule, chuchota-t-elle enfin, les larmes roulant sur ses joues. Mais au moins, je peux cesser de m'interroger, et commencer mon deuil à présent.

— Tu n'as pas le moindre souvenir ? questionna doucement Manitou, résistant de toutes ses forces à sa nature de chien qui reprenait le dessus et le poussait à lui lécher le visage. Le choc de sa mort t'a rendue amnésique.

— Pas uniquement, intervint Séné. La magie du cercle a dû affecter les capacités mémorielles de dame Duncan. Sinon, elle aurait recouvré la mémoire depuis longtemps !

— Si je comprends bien, résuma Cal, maître Chem est le méchant de l'histoire. Qu'est-ce qu'il compte faire avec ces pierres ?

— Moi, ce que j'aimerais savoir, observa Robin, c'est où il se trouve en ce moment.

Isabella eut un sourire sinistre et sécha ses dernières larmes. Elle plia ses doigts et activa sa magie.

— Nous allons en avoir le cœur net. Suivez-moi ! Tara et Jeremy, vous ne quittez pas la bibliothèque pour le moment. Ne lui donnons pas l'occasion de vous faire du mal.

Comme Isabella, ils activèrent leur magie et la bibliothèque ressembla à une assemblée de gros vers luisants de toutes les couleurs. La magie d'Isabella était violette, verte celle de Cal, comme de Robin. Moineau inclinait vers le bleu pâle, Fabrice vers le bleu foncé, proche de la couleur de la magie de Tara. Angelica n'avait rien activé, n'ayant pas l'intention de se battre contre un dragon. La magie de Séné, de Xandiar et de ses soldats était pourpre.

Isabella prit la tête de leur petit groupe. Tara et Jeremy entendirent le fracas d'une porte pulvérisée.

— Elle est en colère, ta grand-mère ! remarqua Jeremy. Je plains ce pauvre dragon !

Ils tendirent l'oreille, mais rien ne survint. Ni bagarre, ni jets de feu, juste les portes qui claquèrent les unes après les autres.

— Tu sais, Tara, dit soudain Jeremy, il y a quelque chose que je ne saisis pas.

Tara se tourna vers lui. Son irrésistible attirance pour Jeremy s'était atténuée. Elle le voyait à présent comme un beau garçon sympathique, sans plus être harcelée par l'idée de le réconforter ou de lui passer les bras autour du cou.

— Comment cela ?

— Ton père a dit qu'il ne fallait pas s'approcher des pierres, mais, après tout, si nous avons été préparés spécialement, comme il l'a dit, peut-être que la machine atteindra les démons sans nous blesser ? Après ce que les démons t'ont fait, tu ne veux pas les vaincre ? Sans compter que Magister a besoin de la magie démoniaque pour être plus puissant que toi. Privé de la source de son pouvoir, il serait aisément battu...

Tara hocha la tête. L'argument se tenait. Elle hésita un instant, imaginant une vie libre de toute menace. Mais était-elle prête à risquer sa vie et celle de Jeremy pour vérifier sa théorie ?

Elle balança pendant quelques instants, puis soupira.

— C'est trop dangereux, rétorqua-t-elle. Grand-mère va envoyer des spécialistes analyser les pierres dès que nous serons hors de portée. Nous apprendrons alors à quoi elles servent et pourquoi elles ont été placées ici.

— Mais elles ont déjà été étudiées. Ton amie Moineau m'a dit que plusieurs savants avaient sondé les pierres sans rien découvrir. Nous devrions aller voir par nous-mêmes. Comme nous sommes très puissants tous les deux, nous sommes armés pour affronter le risque des pierres, surtout ensemble.

Tara eut une petite grimace.

— Jeremy, tu ne connais pas la magie. Crois-moi, il ne faut pas tenter la chance. J'ai échappé à maints dangers sur AutreMonde, parce que je me défie de mon pouvoir. Je n'irai pas à Stonehenge, et surtout pas avec toi.

Le garçon haussa les épaules, se rencogna dans son fauteuil et se tut, lui jetant de temps à autre des regards appuyés.

Enfin Isabella revint, l'air grave.

— Sa porte était fermée de l'intérieur et la fenêtre aussi.

Je ne sais pas où il est passé. Nous avons fouillé le château sans succès. Nul ne l'a vu.

— Cela confirme ce que nous pensions, observa Cal.

— Quoi donc ? interrogea Tara.

— Ton maître Chem, là, qui serait un traître... Il s'est enfui.

Chapitre XXX

Les taxis volants
ou comment éviter d'user ses pneus

Ils fouillèrent le parc autour du château, mais le dragon ne réapparut pas.

— Après tant de manigances, pièges et complots, je ne peux croire qu'il ait renoncé, s'inquiéta Manitou. Nous avons intérêt à partir d'ici au plus vite !

— Vous avez raison, affirma Jeremy, se rangeant à son conseil. Je vais faire mes bagages. Tara, tu viens m'aider, s'il te plaît ? Je ne veux pas rester seul, même dans ma chambre, si ce dragon rode.

Tara le regarda, surprise.

— J'ai juste un coup de fil... un coup de boule... un appel à passer (elle avait un peu de mal avec les terminologies autre-Mondiennes, notamment le coup de boule qui la faisait toujours rigoler). Tu me donnes deux minutes et j'arrive.

Elle fila dans une salle voisine. Nul ne devait être témoin de la conversation qu'elle allait avoir. Sa boule de cristal était connectée avec AutreMonde et par là même avec toutes les autres planètes. Ça coûtait une fortune à l'empire d'Omois, mais elle pouvait appeler quasiment n'importe qui dans l'univers. L'image de celle à qui elle voulait parler s'afficha. Tara lui révéla la trahison de maître Chem. Son interlocutrice fit montre d'un grand trouble, sans toutefois contredire Tara. Et pourtant, ce que venait de lui confier la jeune fille était impossible pour une excellente raison, connue d'elle seule.

— Nia nia nia gremmmmll, marmonna Robin en voyant

par la baie vitrée, de l'extérieur, Tara repasser devant la bibliothèque et se diriger vers la chambre de Jeremy.

— Qu'est-ce que tu as dit, Robin ? fit Cal très fort.

Robin lui jeta un regard noir.

— Qu'il est assez grand pour faire ses valises tout seul, répéta-t-il à contrecœur. Je t'en ficherai, moi, des : « Tara, tu viens m'aider ? » Il veut être seul avec elle, voilà tout !

— Oh, oh ! sourit Cal, verrais-je pointer un rival pour le cœur de notre jolie sortcelière ?

— Je ne crains pas ce Jeremy !

Soudain, la boule de cristal du petit Voleur sonna et il décrocha immédiatement. C'était Eleanora.

— Cal, chuchota-t-elle, tu ne vas pas croire ce que j'ai découvert.

Le visage de la jeune fille rayonnait de satisfaction même si sa voix laissait percer une pointe d'anxiété.

— Vas-y, fit Cal, ravi qu'Eleanora l'appelle.

— Je t'avais dit que j'avais remonté la piste du paquet que j'ai reçu, concernant la mort de Brandis, jusqu'au palais impérial et que là, je l'avais perdue.

— Oui, et alors ?

— J'enquêtais et, par hasard, dissimulée sous forme d'un garde thug, je me trouvais dans la salle d'audience, avec Tyrann'hic, le Premier ministre.

— Eleanora ! Tu espionnais ton Premier ministre ? Tu es dingue ! souffla Cal.

— En fait, je filais un autre dignitaire. Bref, j'allais sortir de la salle d'audience lorsque... Devine qui est entré !

Cal jeta un coup d'œil vers Robin qui l'attendait, curieux.

— Aucune idée.

— Bradford Medelus ! Le petit copain de la mère de l'Héritière ! Je l'avais vu plusieurs fois au palais et aux infos quand les cristalistes interviewaient dame Selena Duncan. Je l'ai reconnu. Tout d'abord, il a accusé maître Tyrann'hic d'être un sangrave.

Cal manqua lâcher sa boule de cristal de saisissement.

— Quoi ?

— Oui, hein ? sourit la jeune fille, tout excitée. Ensuite, il a avoué qu'il avait essayé de tuer Tara.

— Nous étions au courant pour cela. Il s'est enfui après sa déclaration. Selena avait d'autres soucis que de le poursuivre mais Xandiar lancera un avis de recherche dès qu'il sera de retour sur AutreMonde. Revenons à Tyrann'hic. Medelus a-t-il des preuves contre lui ?

La jeune fille se rembrunit.

— Il affirme que le Chasseur, lorsqu'elle l'a blessé, a décrit précisément le Premier ministre, mais sans donner son nom.

— Ce n'est pas suffisant pour l'accuser.

— C'est ce que maître Tyrann'hic a objecté à Medelus. Pourtant, à la fin de l'entretien, sais-tu ce qu'il a fait ?

Cal se fit la réflexion qu'il trouvait très amusante cette manie qu'avait Eleanora de voir s'il était assez malin pour deviner. Il se creusa la cervelle. Pour qu'elle soit aussi fébrile, cela avait dû être surprenant. Il sourit. Il avait trouvé.

— Je parie qu'il lui a indiqué le nom d'un type qui pourrait le mettre en contact avec Magister.

— Presque ça ! sourit joyeusement Eleanora, ravie de l'intelligence de Cal. Il lui a donné une adresse et un nom. Puis il a eu une brève conversation par boule de cristal, mais il avait placé un Discretus et je n'ai pu l'entendre. Ce qui, pour être franche, me le rend excessivement suspect. J'ai décidé de l'abandonner et de suivre Medelus, et devine quoi ?

Et hop, et de trois.

— Tu as trouvé Magister ? proposa-t-il.

— Pas exactement. Medelus est resté des heures dans une auberge, ensuite il a pris un taxi-tapis et il est sorti de la ville. Je l'ai pris en chasse mais la magie de ce maudit engin devait être gonflée, parce que sa puissance était bien supérieure à celle de mon tapis. Bref, je l'ai perdu.

— Je préfère, soupira Cal. Magister est passé maître dans l'art de capturer ceux qui l'espionnent et tu aurais couru des risques inutiles. Pour être franc, même avec une armée, je ne m'attaquerais pas à Magister !

— Je ne suis pas stupide, se cabra Eleanora. Il ne m'aurait certainement pas détectée. Je suis une excellente Voleuse !

Waahaa, qu'est-ce qu'elle était susceptible ! Il lui décocha son plus éblouissant sourire.

— Je sais, tu es probablement la meilleure ! En attendant, je dois avertir immédiatement dame Selena et Tara que Medelus s'est allié à Magister, et que nous soupçonnons Tyrann'hic de tremper dans ses complots. Bravo, Eleanora, tu as fait un boulot formidable !

La jeune fille rosit, toute raideur envolée, puis se rembrunit.

— Mais si Tyrann'hic est un allié des sangraves, et que c'est lui qui m'a fait envoyer la boîte contenant les fausses preuves contre toi, comment vais-je le confondre ? Il est le Premier ministre d'Omois, il a la confiance de l'Impératrice, je ne peux l'accuser sur de simples soupçons !

Cal réfléchit.

— Il faut que nous soyons très prudents. Je vais rentrer d'ici quelques heures et, en discutant, nous trouverons bien une idée.

— Tu veux m'aider à me venger ? interrogea Eleanora, surprise.

— Bien sûr ! rétorqua Cal, nous formons une excellente équipe, à nous deux. Alors, promets-moi... non, je sais que tu ne me promettras rien, disons, accepte de m'attendre avant de t'attaquer à lui. Tu veux faire cela pour moi ?

La jeune fille le dévisagea puis eut un sourire songeur.

— Tu commences à me connaître, Voleur, tu sais que je n'aime pas les ordres, alors tu demandes poliment. Soit, je t'attendrai.

Et elle coupa la communication avant qu'il ait le temps de protester.

Robin se rapprocha, le sourcil arqué.

— Ôte-moi d'un doute, dit-il d'un ton sarcastique. Tu ne viens pas d'avoir une longue conversation avec la fille qui a essayé de t'abattre ? Et qui a ton numéro de boule de cristal ? Quelqu'un peut-il m'expliquer par quel miracle cette tueuse est devenue ton alliée ?

Aïe, pas le choix. Le moment était venu de révéler ses récentes pérégrinations sur AutreMonde.

— Tu comprends, conclut-il, après avoir amusé Robin avec ses aventures avec Drrr et Eleanora, je suis tombé dingue d'elle. Cela ne me passe pas. Elle a été manipulée, comme moi. Laisser croire aux gens qu'ils peuvent tromper des Voleurs Patentés risque de nuire à la réputation de notre corporation !

— Ben voyons, persifla le demi-elfe. Dis-moi que tu agis dans le strict intérêt de ton université de Voleurs Patentés !

— D'accord, capitula Cal, je ne t'embête plus avec Tara, et tu ne me taquines pas avec Eleanora.

— Tss tss tss, répondit le demi-elfe avec un magnifique sourire, tu as déjà pris beaucoup d'avance. Pas question. À mon tour de me divertir un peu.

Cal parvint à contenir les taquineries du demi-elfe en lui racontant ce qu'il avait appris à propos de Medelus.

— Il faut prévenir les dames Duncan ! souffla Robin, le visage crispé.

Comme Tara aidait Jeremy à boucler ses bagages, le jeune homme plongea ses yeux de velours noir dans ceux de Tara, prit ses mains et dit :

— Tara, je suis convaincu que c'est une énorme erreur de partir sans avoir affronté les pierres. Qui sait, si quelqu'un de non-prévenu les approche, elles risquent de tuer encore !

Tara fronça les sourcils.

— Plusieurs sortceliers sont déjà entrés impunément dans les cercles. Sans notre magie particulière, développée par le dragon, je ne pense pas qu'il soit possible de les activer. D'ailleurs, par précaution, grand-mère va faire poser des avertissements invisibles aux nonsos aux alentours.

— Comment te persuader de m'écouter ? supplia le garçon. Je sais, je sens qu'il faut que nous allions là-bas.

Tara l'observa, une idée surgissant dans son esprit.

— Tu insistes trop, recula-t-elle. C'est... comme si tu étais sous l'emprise d'un sort qui te forcerait à aller là-bas, contre ton intérêt.

— Le seul envoûtement que je subis est celui de tes splendides yeux bleus, belle Tara.

Et avant que la jeune fille puisse réagir, il posa ses lèvres sur les siennes.

À cet instant la porte s'ouvrit sur Jordan, suivi de Cal, Fabrice, Moineau, Fafnir et Robin.

— Tara... commença ce dernier.

Il s'interrompit net en découvrant la scène et devint si pâle que la jeune fille crut qu'il allait s'évanouir. Il se raccrocha à la porte puis, sans un mot, tourna les talons.

Fafnir s'approcha de Jeremy et agita sa hache sous son nez.

— Si tu fais du mal à mes amis, tu auras affaire à moi. Compris ?

Le garçon loucha sur l'arme aiguisée et cligna des yeux. Fafnir prit cela pour une réponse positive et sortit. Moineau et Fabrice l'imitèrent, navrés pour Robin. Cal resta, le temps d'exposer les découvertes d'Eleanora, puis fila sans autre commentaire, pressé de consoler son ami.

Resté seul avec eux, Jordan croisa ses bras musclés et observa son frère d'adoption.

— Je suis venu te dire au revoir, dit-il. Nous ne nous reverrons sans doute pas. Tu ne fus pas un mauvais frère. Adieu.

Et il tourna les talons, incapable de dire qu'il aimait son « frère » et qu'il était désolé de le perdre.

Dès que la porte se referma, Jeremy eut un sourire triomphant, parfaitement déplacé.

— Maintenant qu'on s'est embrassés, tu vas me suivre à Stonehenge ?

La gifle qu'il reçut faillit l'assommer.

— Espèce de crétin ! hurla Tara, qu'est-ce qui t'a pris ?

Stupéfait, Jeremy porta une main hésitante à son visage.

— Mais... pourquoi m'as-tu frappé ?

— On n'embrasse pas les gens comme ça !

Jeremy l'interrompit, perplexe.

— Ah bon ? Les adolescents humains ne font pas ainsi ? Tu ne vas pas m'accompagner à Stonehenge même si tu es amoureuse de moi ?

— ... ! répondit Tara, muette de stupeur. Puis elle éclata : Par tous les démons des limbes ! Qu'est-ce qui te permet de croire une telle chose ?

Jeremy fronça les sourcils.

— Le sort ! Grâce au sort, tu devrais m'aimer !

Puis il cogna sa tête de son poing fermé.

— Mais quel idiot je suis ! Il fonctionne avec *lui*, pas avec *moi* !

Tara fit un pas en arrière, effrayée.

— Quel sort ?

— L'Attractus !

— L'Attractus... Le même sort que pour papa et Alia !

La prise de conscience la glaça. Ce n'était pas un être humain qu'elle avait devant elle ! Ce n'était pas Jeremy.

— Mais alors vous êtes...

— Je suis désolé. J'aurais préféré que tu sois volontaire. Tant pis !

Et avant que Tara ait le temps de réagir, il bondit et lui flanqua une droite qui l'envoya bouler contre le mur. Elle perdit connaissance. Galant hennit et chargea mais il avait été miniaturisé pour entrer dans la chambre et le jet de magie le cueillit. L'imposteur soupira et se frotta les phalanges. Aïe, ces corps humains étaient fragiles. Il avait encore beaucoup de travail et ces ridicules bipèdes s'ingéniaient à lui compliquer la vie.

Quelques minutes plus tard, Tara et Jeremy, suivis de Galant et de leurs bagages qui lévitaient, dépassèrent Robin, le regard vide, la démarche saccadée. Il se mordit la lèvre, mais ne les intercepta pas. S'ils ne voulaient pas lui parler, grand bien leur fasse ! Fabrice, Cal, Moineau et Fafnir, ne sachant quelle attitude adopter, ne dirent rien non plus. Insensible à la tension qui régnait entre Tara et ses amis, Selena ruminait ce que lui avait avoué Cal. Elle n'arrivait pas à croire que Medelus soit assez fou pour s'allier à Magister, son pire ennemi, qui avait assassiné son mari et l'avait retenue prisonnière pendant dix ans. Quant à Isabella, elle ne posa pas de questions, soulagée de quitter ce lieu de sinistre mémoire. Ce fut donc en silence qu'ils attendirent les taxis, des mini-bus d'une dizaine de places chacun, qui arrivèrent prestement. Xandiar, Séné, Selena, Isabella et Manitou montèrent dans l'une des voitures. Les soldats de Séné et ceux de la Garde se répartirent dans trois autres véhicules. Tara, Jeremy, Robin, Cal, Moineau et Fafnir embarquèrent dans un cinquième taxi, celui qui n'avait que sept places.

Ils avaient repris des apparences anodines, les thugs dissimulant leurs quatre bras sous des illusions et les Familiers transformés en chiens. Manitou se détendit lorsque le château diminua lentement derrière eux, Igor et Esmeralda agitant les mains pour leur dire au revoir.

Soudain, la voiture qui emmenait Tara et ses amis fit une terrible embardée et quitta la route. Mais, au lieu de verser, elle se mit à flotter au-dessus de la plaine avec un grincement atroce ! D'énormes serres perçaient le toit du taxi, le broyant comme un papier d'aluminium. Affolé, Robin passa la tête à travers la fenêtre, tandis que le chauffeur hurlait de terreur.

Ils étaient sous le ventre d'un oiseau si grand qu'il n'aurait pas dû pouvoir voler. Devant eux, enlevé par son jumeau, le taxi de Selena et Isabella décollait également. L'être qui chevauchait le second oiseau n'était autre que Magister. Le demi-elfe le reconnut lorsque l'homme tourna vers eux un masque coloré d'un bleu satisfait.

— Des oiseaux-rocs ! hurla Moineau en apercevant les plumes couleur de coucher de soleil.

Impuissants, les soldats de Séné et ceux de l'Impératrice jaillirent des voitures restées au sol. Les oiseaux-rocs étaient déjà hors de portée, celui que montait Magister juste au-dessus de l'autre. Selena sursauta. Comme projeté sur un écran, l'image du maître des sangraves venait d'apparaître devant eux !

— Alors, ma douce, roucoula-t-il. Tu pensais m'éviter encore longtemps ?

Le visage de Selena se durcit. Oublié le temps où elle tremblait devant son ennemi !

— Tu ne nous as pas encore capturés, maniaque ! rugit-elle.

— Nous volons trop haut et trop vite pour que tu t'échappes, railla-t-il. Et un Levitus ne pourrait te soutenir assez longtemps, tu t'écraserais. Je te connais, Selena, tu n'as pas suffisamment de pouvoir pour me résister.

— Dans tes rêves ! siffla Selena entre ses dents.

Elle ouvrit la portière et sauta.

L'image de Magister tressaillit pendant qu'il criait :

— Nooooooon, Selena !

La jeune femme avait bien calculé son coup. Elle atterrit sur le dos du second oiseau, directement sur son pilote qu'elle rigidifia sans lui laisser le temps de réagir. Elle poussa le corps inconscient puis se figea. Elle venait d'assommer le Chasseur ! Elle eut un mauvais rire. Un prêté pour un rendu. Elle espéra que la vampyr se réveillerait avec un horrible mal de tête, intensifia le Rigidifus pour qu'elle se souvienne bien d'elle, résista à l'envie de la lancer par-dessus bord, puis incanta :

— Par le Dressus, l'oiseau-roc doit m'écouter et sans attendre près des taxis se poser !

L'oiseau secoua la tête, mais l'influence de Magister, trop éloigné, ne put résister à celle, flamboyante, de la jeune femme. Il vira sur l'aile et amorça sa descente, revenant à toute vitesse vers le château.

— Ehhhh ! protesta Fabrice qui s'écrasa la figure sur la portière, ça va bien maintenant !

L'image de Selena se matérialisa, le faisant sursauter.

— Nous avons été enlevés par Magister, mais j'ai pris le contrôle de l'oiseau qui emporte votre taxi. Nous sommes poursuivis par l'autre oiseau. Je vais essayer de nous déposer près de Séné et des soldats. Magister n'aura pas assez de sangraves avec lui pour résister. Accrochez-vous !

Et la poursuite commença.

À l'intérieur du taxi, ils furent rudement secoués et pourtant ni Jeremy, ni Tara, ni Galant ne bronchèrent. Ce fut Fafnir, la première, qui se décela une anomalie. Elle avait brisé la vitre entre le chauffeur et eux et l'avait cogné juste ce qu'il fallait pour qu'il cesse de hurler. Projetée contre Tara, elle se fit mal. Elle se frotta le coude qui avait heurté le corps de la jeune fille, puis se figea.

— Eh ! dit-elle avec indignation. Normalement, c'est *moi* qui fais mal aux gens ! Tara, tu as fait de la musculation ? Ton corps est dur comme de la pierre !

Tara tourna vers elle un regard aveugle et articula péniblement.

— Je... suis... bien... contente... de... repartir... sur... Autre-Monde !

— Qu'est-ce que tu portes sous ce vêtement, une cuirasse d'acier ?

— Je... suis... bien... contente... de... repartir... sur... Autre-Monde !

Fafnir tourna vers Robin un regard perplexe.

— Robin ? Qu'est-ce qu'elle a ?

Robin, qui avait d'abord pensé que Tara était gênée de s'être laissé surprendre en train d'embrasser un garçon qu'elle connaissait à peine, paniqua. Elle se comportait de manière anormale. Il claqua des doigts devant les yeux de Tara, qui ne clignèrent pas d'un iota. Il répéta son geste devant ceux de Jeremy et de Galant, sans plus de résultat.

Puis il eut un geste qui sidéra Moineau et Fabrice. Vif comme l'éclair, il dégaina un couteau et l'enfonça dans l'épaule de Jeremy !

Le couteau tinta et rebondit.

— Mais tu es fou ! cria Cal. Écoute, je sais que tu n'aimes pas Jeremy, mais ce n'est pas une raison pour le poignarder !

— Ce n'est pas Jeremy mais un de ces trucs comme on en utilise dans les mines, s'exclama Fafnir qui venait de comprendre. Ils sont infatigables, mais fragiles !

— C'est un Animus ! confirma Robin. Un golem. Regardez.

Il toucha l'une des oreilles de Jeremy et la calotte crânienne du garçon s'ouvrit et bascula. À l'intérieur se trouvait un morceau de papier sur lequel étaient tracés d'étranges signes.

— Par exemple ! s'exclama la Bête. C'est du dragonien ancien ! Qu'en penses-tu, Fabrice ?

Celui-ci se mit à déchiffrer le papier :

— « Je... suis... Jeremy... Je... suis... un... adolescent... Je... suis... content... de... partir... sur... AutreMonde. » Et il y a des instructions pour qu'il se comporte comme un être humain normal !

— Par mes ancêtres ! murmura Moineau qui s'était instinctivement transformée en Bête. Ce sont trois statues, copiées sur Tara, Jeremy et Galant !

L'autre oiseau les heurta, forçant leur monture à virer sur l'aile.

Selena apparut.

— Je n'arrive pas à me débarrasser de lui ! hurla-t-elle. Quelqu'un a-t-il une idée ?

— Dame, nous avons été trompés, cria Robin. Ce ne sont pas Tara, Jeremy et Galant qui sont avec nous, mais des golems !

— Comment ?

— Chem les a enlevés ! Il nous a fait croire que Tara et Jeremy partaient avec nous, mais en fait, ce sont des statues animées !

Le visage de la jeune femme, fouetté par le vent, fut déformé par la panique.

— Il faut retourner à Stonehenge tout de suite !

— Je sais comment ralentir Magister ! hurla Cal à son tour.

Il exposa son plan et Selena approuva. Sur son ordre, l'oiseau vira brutalement et la portière de la voiture s'ouvrit sous le choc. Tara et Jeremy furent projetés à l'extérieur, leurs membres s'agitant d'effroi. Galant, lui, resta à l'intérieur.

Magister tomba dans le piège. Voyant Tara, sa clef pour le pouvoir démoniaque, dégringoler vers une mort certaine, il fit lâcher par l'oiseau le taxi portant Isabella, Xandiar, Manitou et Séné, et piqua vers les corps tournoyant dans le ciel.

Selena était prête. Sa magie, mêlée à celles de Robin, Moineau, Cal et Fabrice, freina la chute du taxi, le temps qu'Isa-bella, Xandiar et Séné fassent planer la voiture grâce à leur propre pouvoir. Le véhicule se posa au milieu d'un champ à proximité des soldats de Séné. Selena fit poser sa monture et glissa au sol à toute vitesse. Cal, Fafnir, Robin, Fabrice et Moineau, portant le corps inconscient du chauffeur, bondirent hors de la voiture.

Au loin, le premier oiseau, piloté par Magister, avait réussi à attraper les golems de Tara et de Jérémy avant qu'ils tou-chent terre et s'éloignait. Par chance, sinon l'Animus aurait été dévoilé dès que les corps auraient atteint le sol et se seraient écroulés en poussière. L'autre oiseau, libéré par Selena, les rejoignit et tous disparurent. Magister avait activé un champ d'invisibilité, tandis qu'un Mintus frappait tous ceux qui, non sortceliers, avaient vu des oiseaux géants por-tant des taxis s'affronter dans les airs.

Son image flotta devant Selena.

— Si tu veux revoir ta fille, ma douce, il faudra me rendre visite ! Tu as perdu. Rendez-vous sur AutreMonde, je te contacterai.

Et l'image éclata de rire, avant de s'effacer.

Ils se regardèrent et Selena, paniquée, questionna :

— Si Tara n'était pas avec vous dans le taxi, par tous les démons des limbes !, où se trouve ma fille ?

Chapitre XXXI

Le dragon renégat
ou comment affronter une bestiole
de quinze mètres de long qui crache du feu,
sans terminer en chiche-kebab

Tara ouvrit les yeux. Il faisait sombre et elle avait mal à la mâchoire. Elle se frotta délicatement le menton. Avait-elle rêvé ou le faux Jeremy l'avait-il frappée ? Le visage du garçon se penchait sur elle.

— Ah, Tara ! Je suis content que tu sois réveillée !

Tara ferma le poing comme le lui avait appris l'Imperator et cogna de toutes ses forces. Le garçon fut projeté en arrière, à demi assommé. La sortcelière en profita pour activer son pouvoir et celui-ci enflamma ses mains, illuminant les murs mal dégrossis autour d'elle.

— Mais que fais-tu ? Tara ! cria Jeremy, terrifié.

— Tout à l'heure, tu m'as surprise, dragon, gronda Tara. À présent, voyons si ton pouvoir peut rivaliser avec celui que tu as créé !

Et elle lança un jet de feu sur Jeremy qui l'évita de justesse.

Il agita les mains à son tour et la magie jaillit, se propageant en cercle. Tara n'eut que le temps de former un bouclier, qui résista à grand-peine. Elle serra les dents. Mauvaise nouvelle ! La magie du dragon était bien plus forte que la sienne, ce qui n'était pas le cas jusqu'à présent. Soudain elle se figea, enregistrant ce que lui criait Jeremy :

— Tara ! Je suis Jeremy ! Tu dois me croire !

Une seule personne, à sa connaissance, était capable de

faire de la magie concentrique. Elle abaissa les mains, sans éteindre sa magie toutefois.

— Jeremy ? C'est toi ? Tu n'es pas le dragon ?

— Non ! La voix du garçon laissait percer un vif soulagement. Il est parti après t'avoir amenée. Pourrais-tu éteindre ta magie, s'il te plaît ? Tu me fais peur.

Aucun doute, il s'agissait du jeune sortcelier. Soudain une voix dans sa tête la fit sourire.

– *Jolie Tara réveillée ? Le garçon et moi, peur, jolie Tara rester inconsciente ! Bon, nous partir ? Trop sombre, l'endroit.*

Chic, le dragon avait emporté la Pierre Vivante avec Tara ! Pourtant il devait savoir qu'elle décuplait ses pouvoirs...

Et s'il l'avait prise précisément à cause de cela ?

Son courage faillit l'abandonner.

Ils se trouvaient dans une salle au sol de terre battue, aux murs de pierre taillée. L'air sentait le froid, l'humus et le renfermé. Deux grosses torches éclairaient faiblement l'espace nu, sans meubles ni décor.

Cette nudité aiguisa son angoisse. Nulle part elle ne voyait Galant, et elle ne le sentait pas dans sa tête. Pourtant, s'il était mort, elle-même l'était probablement à demi. Par tous les démons de l'enfer ! Qu'est-ce que le sale reptile avait fait de son pégase ?

Inconscient de sa panique, Jeremy éteignit sa magie et Tara fit de même.

Elle observa l'adolescent. Il avait un gros bleu à la mâchoire, à droite, et un second qui s'empourprait à vue d'œil, à gauche.

— Quelqu'un t'a frappé ? demanda Tara en désignant le visage de Jeremy.

— À part toi, tu veux dire ? Oui, le dragon. Vous aimez bien boxer les gens, vous autres sortceliers ? Ce serait bien que je sois au courant, si je dois vivre sur votre monde !

Ah, c'était donc ça qu'elle avait entendu dans sa chambre, le choc d'un bruit sourd, c'était Chem qui maîtrisait Jeremy.

Zut, elle aurait dû vérifier. Son instinct ne l'avait pas trompée. Jeremy la dévisageait, attendant sa réponse.

— Assommer un sortcelier, répondit Tara, embarrassée, est un excellent moyen de l'empêcher d'incanter. Euh, je suis désolée, j'ai cru...

— Que j'étais le dragon, oui. J'avais compris. J'aurais dû accepter l'offre de Robin !

Tara plissa les yeux.

— Qu'est-ce que Robin vient faire ici ?

Jeremy soupira et s'assit en tailleur devant Tara. Celle-ci hésita un instant. Ce n'était pas la meilleure position pour combattre, le temps de se relever et on se faisait tuer trois fois, mais elle l'imita.

— Il m'a proposé d'échanger nos chambres, la nuit dernière. Il voulait être près de toi pour te protéger. Je ne sais pour quoi.

— Moi, je le sais ! le coupa Tara, en rougissant. Il était jaloux mais sans raison. Le dragon nous a lancé un Attractus !

— Qu'est-ce que c'est ?

Aïe, pas moyen d'y couper.

— C'est un sort pour que nous tombions amoureux l'un de l'autre.

Le garçon la regarda, stupéfait, et elle leva la main.

— Surtout, ne me demande pas pourquoi il voulait cela ! Sans doute pensait-il mieux nous manipuler de cette manière.

— Vous êtes bizarres, vous, les AutreMondiens. Vous avez besoin de sorts pour cela ?

— Nous, non ! rétorqua Tara. Mais le dragon, oui !

Jeremy secoua la tête et poursuivit :

— Ton ami Robin m'a énervé et je l'ai envoyé paître, Attractus ou non. J'aurais mieux fait d'accepter ! Une heure plus tard, le vieil homme, maître Chem, est venu. Il m'a parlé des pierres et des démons, a dit que ses cinq mille ans d'attente étaient terminés, ensuite il m'a souri il a dit qu'il était désolé. Puis il a annoncé qu'en fait il n'était pas désolé et il m'a assommé. À mon réveil, j'étais enfermé ici. Je l'ai revu lorsqu'il t'a amenée. Il t'a déposée, j'ai activé ma magie par prudence et il a reculé. Le mur l'a absorbé, il a disparu.

Tara regarda autour d'elle. Il n'existait pas de porte en effet.

— J'ai essayé de te réveiller, continua Jeremy. Si ma montre fonctionne bien, cela fait au moins douze heures que nous sommes emprisonnés. J'ai demandé à aller aux toilettes et il a ouvert un pan du mur pour moi. Et toi ? Comment as-tu atterri ici ?

Résignée, elle expliqua :

— Chem s'est fait passer pour toi !

— Quoi ?

— Grâce à la magie, nous pouvons adopter n'importe quelle apparence. Le dragon a imité ton aspect et il a essayé de me faire venir ici en racontant n'importe quoi. Cela n'a pas fonctionné et, comme toi, il m'a assommée !

Elle préféra passer l'épisode « baiser » sous silence.

— C'est lui qui a manipulé nos gènes, n'est-ce pas ? Et qui a causé la mort de mes parents adoptifs ? interrogea Jeremy, le regard dur.

Tara opina :

— Oui. Nous avons appris pourquoi, mais tu n'étais pas là lorsque j'ai été engloutie par le tableau.

— Comment, engloutie ? questionna Jeremy.

— Mon père avait laissé des avertissements au sujet de Stonehenge. Son message m'est parvenu quand le dragon t'avait déjà enlevé et avait pris ta place. Il ne nous a pas transformés sans raison. Il a besoin de notre pouvoir pour activer une machine qui en épuisera jusqu'à la dernière goutte. Si nous restons ici, nous sommes condamnés à mourir !

Le garçon écarquilla ses yeux noirs.

— Tara, depuis que la magie a fait irruption dans ma vie, je passe mon temps à éviter de me faire tuer. C'est toujours comme ça ?

Tara eut un délicieux sourire.

— Bienvenue au club !

— Très drôle. Mais je croyais que ce dragon était ton ami ?

— Je le croyais aussi ! répondit amèrement Tara. Écoute,

il faut que nous sortions d'ici avant son retour. Es-tu prêt à joindre ton pouvoir au mien ? À nous deux, nous pulvériserons ces murs.

Elle en était capable seule mais voulait combiner sa magie à celle de Jeremy afin d'en évaluer la puissance. Le tout serait-il supérieur à la somme des deux ?

Jeremy fit la grimace.

— Tu ne penses pas que c'est exactement ce que veut le dragon ? Que nous utilisions la magie pour sortir de cet endroit et, ce faisant, que nous déclenchions le truc qui nous détruira ?

Tara, qui s'apprêtait à activer son pouvoir, suspendit son geste.

— Très bonne remarque. Hmmm, voyons si je peux imaginer autre chose.

Elle leva la main et fit scintiller sa chevalière.

— Pourra-t-elle nous aider ? La dernière fois, ce n'était pas très probant.

Jeremy découvrit bien vite qui était le *elle*. Tara tourna trois fois l'anneau de sa chevalière et l'image de Salenvitréduricselva, princesse des démons du cinquième cercle, apparut, flottant dans les airs, leur tournant le dos. Elle était brouillée par des parasites. La démone tenait à la main un verre à cocktail couronné d'un absurde parapluie rouge miniature. Elle se retourna, les vit et sourit. Jeremy se fit tout petit devant ses crocs noirs.

— Tu m'as appelée, Princesse ? interrogea-t-elle. Que puis-je pour toi ?

Sa tête disparut un instant, puis se réaffiction, mais posée à côté de son corps.

— Wooh, fit-elle, la transmission est super mauvaise. Mais vous êtes où ?

— Nous sommes prisonniers à Stonehenge, sur Terre. Je ne dois pas utiliser mon pouvoir, peux-tu nous faire évader ?

— Je dois me matérialiser sur votre planète. Ta permission, s'il te plaît ?

Tara hocha la tête.

— Tu l'as. SPARIDAM !

La princesse se dressa en personne devant eux, et Jeremy, épouvanté, se recroquevilla de plus belle.

Mais à l'instant où sa structure se stabilisa, la démone se mit à rosir, comme lorsqu'elle avait été malade, dans le tableau.

— Princesse, dit-elle, le visage soudain crispé, il y a quelque chose, ici. Quelque chose qui draine mon pouvoir. Si je reste, je risque de ne pas pouvoir repartir sur ma planète ! Libère-moi, je t'en prie ! Je vais mourir !

Et elle s'affaissa. Affolée, Tara la délivra avant qu'elle sombre dans l'inconscience. La démone s'effaça et Tara n'eut que le temps de lui crier d'avertir ses amis et ses parents de l'endroit où elle se trouvait, mais ne put savoir si elle l'avait entendue.

— Qu'est-ce que c'était ? gargouilla Jeremy.

Tara laissa retomber sa main, contrariée.

— La gardienne de la chevalière. Elle est censée me protéger et me seconder. Bon, c'est raté. Réfléchissons. Contrairement à la démone, je n'ai pas eu de problème lorsque j'ai fait de la magie tout à l'heure en essayant de t'attaquer. Elle a affirmé que quelque chose « drainait » son pouvoir. Cela signifie-t-il que le dragon peut utiliser notre magie sans notre accord ?

— Exactement ! rugit une voix dans son dos. La magie est en toi, que tu l'utilises ou non ! Je peux la drainer en dépit de ta volonté, petite humaine !

Les deux adolescents bondirent sur leurs pieds. Devant eux, sous sa forme de dragon, se tenait maître Chem !

Jeremy recula, terrorisé. Il n'avait jamais vu de dragon ailleurs qu'au cinéma. Le grand corps reptilien, couvert d'écailles bleues, devait mesurer six mètres de haut et quinze de long, son dos était couvert d'épines dorsales acérées et ses griffes ressemblaient à des faux. Ses dents faisaient à peu près la taille du garçon et il semblait considérer les deux jeunes gens comme de délicieuses friandises.

Ils ne l'avaient pas entendu entrer et ils découvrirent vite pourquoi. Tara darda sa magie à la vitesse de l'éclair, comptant sur sa puissance, mais le jet de magie traversa le dragon sans le blesser, rebondit sur les murs de pierre et ils durent se contorsionner pour éviter d'être blessés.

— Tara, arrête ! hurla Jeremy, qui avait vu *Star Wars*. C'est une projection, une sorte d'hologramme ! Il n'est pas là !

— Certes, petite humaine ! Je n'ai pas l'intention de m'exposer, alors que je suis sur le point de triompher !

Tara trouva suspect qu'il l'appelle « petite humaine » alors qu'ils avaient été si proches, mais elle était trop furieuse pour s'interroger.

— Je vois, constata-t-elle, en récupérant le jet de magie d'un geste rapide de la main, comme on attraperait une balle au vol. Vous n'avez pas le courage d'affronter vos propres créatures !

Les yeux du dragon flamboyèrent et l'espace d'un instant Tara crut qu'il allait tomber dans le piège. Mais il se calma et eut un sourire pointu.

— Très ingénieux ! Me mettre en colère puis guetter la moindre faute et me vaincre. Tu mériterais d'être un dragon, jeune humaine !

— Si être un dragon consiste à tromper ses amis et à les sacrifier, non merci ! répondit fièrement Tara. Je préfère rester ce que je suis ! Qu'avez-vous fait de mon pégase ?

— Il ne m'est pas utile. Je l'ai placé dans une chambre voisine. Je n'aime pas tuer pour rien, même s'il a de grandes chances de périr en même temps que toi.

— Je n'entends pas son esprit ! contra Tara, butée.

— C'est normal, répondit le dragon en désignant les murs. Tu es entourée d'un sort qui résiste à ta magie, infranchissable pour tes pensées. Tes amis ne peuvent te localiser comme ils l'ont fait lors de ta fugue d'AutreMonde.

— Bravo, vous avez gagné ! Vous nous avez capturés. Pourquoi ?

— Ah, ma petite, tu vas participer à un dessein grandiose ! L'œuvre de toute une vie !

Voilà, elle avait dépassé le stade « trouille intense » et atteint le niveau « colère intense ».

— Cela semble un peu exagéré, non ? persifla-t-elle.

— Ne me pousse pas à bout, expérience scientifique, ou je lance ma machine et tu ne sauras même pas pourquoi tu es morte.

— Je t'en supplie, Tara, ne le provoque pas ! supplia Jeremy. Moi, je veux savoir, Monsieur le dragon. Qu'avez-vous contre nous ?

Il parut sincèrement surpris.

— Contre vous ? Rien du tout ! Vous m'êtes infiniment précieux ! Grâce à vous, je vais venger ma terrible beauté, l'amour de ma vie, que les démons ont tuée !

Tara le dévisagea, bouche bée.

— Vous voulez nous assassiner parce que les démons ont éliminé votre petite copine il y a cinq mille ans ? C'est insensé !

— Ma femme, rectifia le dragon en fronçant les sourcils. Elle était à la tête de l'une des coalitions dracono-humaines lorsqu'elle est tombée dans un piège tendu par le roi des démons. La bataille pour la suprématie terrestre faisait rage. Le chef de la coalition a commis une erreur. Et c'est mon épouse qui en a payé le prix ! Une fois que la machine aura fonctionné et que les démons auront été anéantis, ce sera au tour de ce misérable de connaître ma soif de vengeance !

Chem avait été marié ? Il n'en avait jamais parlé. Tara se concentra sur la seconde chose qui l'avait surprise :

— Je ne comprends pas. Je croyais que c'était vous, Maître Chem, le chef de la coalition ?

Le dragon parut embarrassé.

— J'avais quelqu'un au-dessus de moi. Bref. Dans quelques minutes, la conjonction des étoiles sera parfaite. La machine que j'ai fait construire voilà cinq mille ans ouvrira un vortex spatio-temporel entre notre univers et celui des démons, semblable à l'une des failles qui unit la planète des démons à la Terre. Mais cela ne permettra pas à ces monstres de venir ici. Au contraire, je leur enverrai une décharge magique si puissante qu'elle détruira leur univers, lors d'une monstrueuse réaction en chaîne !

Tara fut atterrée. Son père lui avait appris que le dragon voulait agir contre les démons, mais elle n'imaginait pas que le plan démentiel pût atteindre une telle ampleur.

— Quoi ? balbutia-t-elle, vous voulez éradiquer les démons ? Nous les appelons démons, mais ils ne sont que des races étrangères, même si elles veulent nous conquérir. C'est monstrueux, ce serait un xénocide !

— Absolument ! confirma le dragon, ravi. Cette pourriture sera anéantie à jamais. La déflagration détruira également la Terre, où nous nous trouvons. Quant à vous, n'espérez pas survivre.

Et le dragon s'effaça.

Tara et Jeremy se regardèrent.

— Tu sais quoi, Tara ?

— Oui ?

— Qu'on reste ou non, on va se faire drainer et désintégrer, c'est ça ?

— Euh, oui.

— Vu sous cet angle, finalement, ton idée de combiner notre magie pour nous échapper...

— Oui ?

— Je la mettrais bien en pratique, là, tout de suite !

Tara eut un sourire sans joie.

— Tu as vu ce qui est arrivé lorsque j'ai voulu attaquer Chem ? Cela risque de nous pulvériser immédiatement !

Le garçon lui jeta un regard angoissé.

— Tara, je n'y connais rien, mais si tu n'agis pas, on va se faire griller !

Elle ouvrit la bouche puis la referma, réfléchissant intensément. Elle se pencha et observa le sol. Elle grommela quelque chose, mima le combat qui l'avait opposée à Jeremy, puis envoya une gerbe de feu par terre.

— Tara ! hurla Jeremy, prêt à plonger. Que fais-tu ?

À sa grande stupéfaction, le sol absorba la rafale.

— C'est ce que je pensais, déclara Tara, satisfaite. Le Carbonus que je t'ai envoyé tout à l'heure t'a manqué et a heurté le sol, où il s'est enfoncé sans nous être retourné. Les harpies avaient commis la même erreur en ne protégeant pas ce qui était évident. Cal prétend que j'ai un côté bulldozer, que je fais confiance à mon pouvoir pour passer en force. Donc, si j'étais lui, j'essaierais de contrer les défenses de ce lieu d'une façon plus... diplomatique.

Sans plus attendre, elle braqua de nouveau sa magie vers la terre, au pied des murs de pierre.

— Par le Transformus, que le sol devienne liquide afin que plus rien ne soit solide !

Le terrain, composé de terre compacte et brune, changea d'aspect et une bonne partie du mur reposa sur une flaque d'eau boueuse. Il y eut un craquement et le mur s'inclina. Le dragon n'avait pas songé que Tara s'attaquerait aux fondations. Si les murs se fissuraient, le sort les protégeant s'effondrerait de lui-même et ils pourraient sortir.

— Ça marche ! Vite ! cria Tara. Unis ta magie à la mienne, nous allons transformer toute la salle pour que les murs s'écroulent !

Jeremy obéit et sa magie flamboya.

— Pierre Vivante, demanda-t-elle, j'ai besoin de ton pouvoir !

— *Pouvoir tu veux ?* chanta celle-ci dans l'esprit de Tara. *Pouvoir je te donne !*

Au moment où Tara prit la main de Jeremy et où le contact s'établit entre les deux adolescents, il y eut comme une fulgurance et ils se sentirent envahis par une énergie d'une telle puissance qu'ils en furent transformés. Leurs yeux devinrent totalement bleus et totalement noirs, leurs corps irradièrent d'une identique lueur, ils quittèrent le sol, toujours en se tenant la main, se sourirent, exaltés par leur pouvoir, la Pierre Vivante comme un astre miniature au-dessus de leur tête, puis leur magie frappa.

Le sol n'y résista pas. Il se sublima, passant de l'état solide à l'état vaporeux sur une profondeur de dix mètres. Les murs n'avaient pas été conçus pour reposer sur le vide. Ils s'abattirent.

Quand des tonnes de pierres et de glaise se déversèrent sur eux, ils apprirent qu'ils se trouvaient sous la surface de la terre.

Ils n'avaient pas pensé à ce détail.

Leur magie réagit à la vitesse de la pensée et les gravats les évitèrent. Toutefois leur bouclier n'était pas assez puissant pour repousser la masse qui pesait sur eux.

Ils eurent la même idée et, comme connectés l'un avec l'autre, agirent. Le bouclier se transforma, détruisant tout ce qu'il touchait. Ils surgirent hors de la salle souterraine comme trois lucioles de lumière et de pouvoir. Ils étaient magnifiques et effrayants à la fois. Du moins aux yeux d'Isabella, Selena, Manitou, Robin, Jordan, Fafnir, Cal, Moineau, Fabrice, Séné, Xandiar et leurs soldats, qui les cherchaient comme des fous depuis des heures, paniqués depuis que l'effrit de Tara leur était apparue pour les avertir que la jeune fille était prisonnière dans un lieu « sombre, froid, sous terre, je ne sais pas où exactement, j'ai failli en mourir », ce qui ne les avait guère rassurés.

Angelica avait été enrôlée de force dans l'escouade de secours. Dès qu'elle vit que Tara était en vie et libre, elle eut une grimace dépitée et cria :

— Vous n'avez plus besoin de moi ! Je vais essayer de passer la Porte de Transfert, tchao les minables !

Et elle disparut dans un Transmitus crépitant.

— Tara ! cria Selena, ignorant le départ d'Angelica.

— Jeremy ! hurla Jordan, stupéfait de voir son frère planer dans la nuit. Que fais-tu ?

— Maman ? répondit Tara. C'est génial, tu es là ! Nous avons réussi à nous échapper ! Et en combinant nos pouvoirs, c'est si puissant, tu n'imagines pas ! Je pourrais faire revenir Papa, j'en suis sûre !

— Et moi mes parents ! rugit Jeremy, ivre de puissance. Nous pouvons faire ce que nous voulons !

Selena frémit, la confusion se lisant sur son visage.

— Quoi ? cria-t-elle. Descendez ! Tara, Jeremy ! Je ne t'entends pas bien ! Il faut partir d'ici ! Dépêchez-vous !

Un craquement lui répondit, bien plus terrible que celui produit par les deux adolescents en jaillissant du sol. Les mégalithes bougèrent et les sortceliers durent reculer précipitamment. D'un seul mouvement, trois cents énormes dolmens surgirent de la terre qui les avait dissimulés à plusieurs dizaines de mètres sous la surface depuis cinq mille ans. Les cinquante-six puits entourant les dolmens furent comblés. À la grande horreur des sortceliers, des os émergèrent de la terre bouleversée.

— Tout le site est un fichu cimetière ! hurla Cal en essayant d'éviter les amoncellements de cubitus et d'humérus.

Tara, déconcentrée, manqua tomber, uniquement retenue par le pouvoir de Jeremy. Les yeux agrandis d'horreur, ils regardèrent le champ d'ossements.

Cependant, les pierres terminèrent leur mise en place. Certaines se posèrent au-dessus des premières, formant des trilithes, d'autres complétèrent les cercles.

Puis elles se mirent à bourdonner. Le son arracha Tara à sa stupéfaction terrifiée. Son père lui avait parlé de ce bourdonnement ! Ils se tenaient à plusieurs mètres à la verticale des pierres.

— Vite, cria-t-elle, nous sommes en danger, il faut partir !

Et, tirant Jeremy, elle l'entraîna. Mais elle ne fut pas assez rapide.

Des mégalithes surgirent des jets de lumière noire, qui touchèrent tout le monde, à l'exception de Manitou et de Jordan. D'une même voix, les sortceliers hurlèrent, paralysés, et leurs Familiers aussi.

Et, jaillissant du sol à son tour, porté par une pierre plate plus énorme que toutes les autres, maître Chem apparut.

— Tss tss tss, on ne bouge plus ! Décidément, vous êtes bien turbulents, vous autres humains. En voyant que les deux sujets parvenaient à se libérer, j'ai dû revenir. Alors les deux enfants vont rester exactement où ils sont, et vous aussi.

Et il incanta :

— Par le Mutismus, que les humains se taisent et que cela me plaise !

Le sort les frappa et ils ne purent plus articuler le moindre son, en dépit des souffrances atroces induites par la lumière noire. Seuls parmi les humains, Tara et Jeremy, protégés par leur pouvoir, furent épargnés par le Mutismus, tout comme les thugs, Robin, Fafnir et Manitou.

Xandiar, le chef des Gardes, eut un geste étonnant. Dédaignant la douleur, bien qu'il ne puisse pas plus se dégager de la lumière que les autres, il parvint à extraire un sachet de plastique dans lequel se trouvait une minuscule plume blanche.

— Par le Reassemblus, que la plume reparte à l'instant sur le corps le plus évident ! incanta-t-il, la voix empreinte de souffrance.

La plume n'hésita pas. Elle s'envola et se fixa sur la patte avant droite du dragon. Celui-ci, surpris, le dévisagea.

— Qu'est-ce ? remarqua-t-il d'un ton dédaigneux. Si c'est une tentative pour me maîtriser, elle est dérisoire !

Le chef des Gardes inspira fort et déclara :

— Au nom de l'empire d'Omois, je vous accuse du meurtre de Vlour Mabri !

— Et moi, reprit Séné en se contorsionnant pour se libérer, je vous accuse d'utilisation illicite de la bombe à retardement, dont les plans ont été remis aux dragons, vol passible de prison à vie dans le cas d'un emploi terroriste, ce qui a été le cas.

— Sans compter, énuméra Xandiar, primo : manipulation génétique de l'héritière impériale d'Omois ; secundo : tentative de meurtre sur sa personne par l'intermédiaire de harpies ; tertio : introduction sur un monde nonsos de créatures mythiques et enfin, quarto : enlèvement. Votre compte est bon !

Le dragon éclata d'un rire tonitruant.

— Ridicule ! Vous attendez-vous à ce que je me rende ?

— C'est juste que j'ai horreur qu'un meurtre ne soit pas

élucidé ! répondit Xandiar d'un ton satisfait. Je n'étais pas sûr de votre culpabilité. La voilà confirmée !

Le dragon en resta gueule bée. La réaction du thug n'était pas du tout celle qu'il avait prévue.

Soudain il se raidit. Le bruit si caractéristique des Transmitus venait de retentir. Deux énormes silhouettes se matérialisèrent devant lui et un cri étranglé s'échappa de sa gorge quand il les reconnut : dame Charmamnichirachiva, la magnifique dragonne pourpre, et celui qui l'accompagnait n'était autre que Chemnashaovirodaintrachivu. Un second maître Chem !

Chapitre XXXII

Charm
ou se taper dessus avec le père de sa fiancée n'est pas la meilleure des idées

Stupéfaite, Tara observa le nouveau venu. Celui-ci ne fit pas attention à elle, concentré sur son double.

Charmamnichirachiva et lui se placèrent de part et d'autre du dragon renégat.

— Qui que vous soyez, assura la dragonne d'un ton froid, vous ne pourrez nous résister. Rendez-vous et le Conseil des dragons se montrera miséricordieux.

— Charm ! tonna le dragon. Que fais-tu ici ? C'est dangereux ! Pars immédiatement !

Charmamnichirachiva le regarda attentivement.

— Je ne crois pas vous avoir autorisé à me tutoyer, traître ! Lorsque l'Héritière m'a appelée pour me dire que Chem était le responsable d'un terrible complot, j'ai compris qu'il ne pouvait être le coupable... parce que je me trouvais avec lui, en train d'enquêter sur la manipulation génétique opérée sur la princesse !

— Pourquoi n'avez-vous rien dit quand je vous ai contactée ? protesta Tara, furieuse, se débattant contre la lumière qui l'immobilisait.

— Chem ne l'a pas voulu, répondit la dragonne, sans quitter des yeux l'imposteur. Il désirait démasquer le traître en pleine action. Nous avons décidé d'attendre.

— En réalité, Charm, déclara son compagnon après s'être raclé la gorge, je désirais l'affronter hors de l'influence du

Conseil des dragons. Si nous voulons le sauver, nous allons devoir dissimuler beaucoup de choses !

Charm détourna son regard, stupéfaite.

— Il ne peut en être question ! Il devra être jugé et puni !

— J'ai agi pour toi ! cria le faux Chem, une vraie souffrance dans la voix. Et pour venger ta mère !

Charm s'approcha, consternée.

— Non ! murmura-t-elle. Papa ?

Le dragon secoua la tête. Ses écailles bleues virèrent au noir, son corps se couvrit de plumes irisées de toutes les couleurs, formant une étrange crinière, et bientôt se tint devant eux le majestueux roi des dragons, le père de Charm, le seigneur Chandouvarilouvachivu en personne !

Des larmes se mirent à couler des yeux dorés de Charm.

— Par les dieux, Père, qu'as-tu fait ?

— Chalendrachiva, ta magnifique mère, est morte par sa faute ! hurla le dragon noir en désignant Chem de la griffe. Il l'a tuée aussi sûrement que s'il avait transpercé son cœur courageux de sa propre patte ! Il était le chef de la coalition, désigné par le conseil pour mener la lutte contre les démons. Ils me croyaient trop vieux, trop prudent ! Ce fou a gagné, certes, mais au prix de la vie de milliers de dragons, dont ta mère ! J'ai décidé de la venger, ainsi que les inconnus, les sans-grade qui ont péri à cause de lui. J'ai commencé, voilà cinq mille ans, à manipuler les gènes de ces misérables humains qui possèdent le pouvoir. Chaque fois, j'ai pris l'apparence de celui qui avait organisé ce massacre, qui était salué comme un héros, le grand Chemnashaovirodaintrachivu. Une fois l'univers démoniaque détruit, il aurait été accusé, avec le témoignage de l'impératrice d'Omois et des Hauts Mages !

— Père, c'est démentiel !

— Non, répondit le dragon, c'est subtil ! J'ai fait construire cette machine par des humains que j'ai enlevés de terres sauvages. Ils s'appelaient les Anazasis, vivaient sur les plateaux de la *Mesa verde* en Amérique. Ils me vénéraient sous le nom de Quetzacoatl, le grand Serpent à plumes. Je les ai amenés ici et ils ont construit mon engin. Beaucoup sont morts et reposent dans cette terre. Les survivants ont été envoyés sur le continent interdit, sur AutreMonde, pour qu'ils ne puissent pas parler de ce qu'ils avaient bâti.

Charm sursauta, horrifiée.

— Sur le continent interdit ! Oh, Père, tu les as condamnés à un sort pire que la mort ! Tu sais très bien ce qu'il y a sur ce continent !

Les sortceliers étaient stupéfaits. De quoi diable parlaient les deux dragons ?

— Il n'y avait personne à l'époque, rétorqua le dragon renégat, maussade. Je ne pouvais deviner que le Conseil l'utiliserait et le scellerait d'une barrière magique ! À présent, ma chérie, quitte cette planète, car elle va exploser. Emmène ce minable dragon et laisse-moi terminer mon œuvre.

Charm ne bougea pas.

— Que vas-tu faire ?

— Il veut détruire l'univers des démons ! répondit Tara, étroitement enserrée par les liens. En utilisant notre pouvoir, à Jeremy et à moi.

Charm fit une grimace qui, au grand désarroi de Tara, était approbatrice.

— Franchement, dit la dragonne, si cela ne mettait pas en danger cette planète et vos vies, je ne serais pas contre. La haine de mon père pour les démons est partagée par tous les dragons.

— Mais... protesta Tara.

La dragonne leva la patte, l'interrompant.

— Il est pourtant hors de question que des milliards d'êtres conscients payent le prix de notre vengeance, Père. Chem a raison. Il faut que tu arrêtes tout de suite !

Le dragon noir se redressa, fou de rage.

— Toi, entre tous, tu devrais comprendre et m'aider ! hurla-t-il. Ne veux-tu pas venger ta mère et danser sur les cendres calcinées de ceux qui l'ont tuée ?

— Oh, si, Père ! Je donnerais ma vie pour cela. Mais pas celle des autres. Nous n'avons pas le droit !

— Si je ne le fais pas avec toi, je le ferai malgré toi ! Par l'Immobilus, que les deux dragons se paralysent et que je les manipule à ma guise !

Le sort cueillit la dragonne, n'épargnant que sa gueule. Chem, plus méfiant, eut le temps de rouler sur le côté, manquant écraser Cal qui hurla silencieusement. Il se releva, indemne, prêt à affronter Chandouvarilouvachivu

— Père ! Non ! s'écria Charm en se débattant, incapable de vaincre le sort. Libère-moi !

Elle redoubla d'efforts lorsque Chem se mit en position de combat.

— Chem, je t'en prie ! Ne te bats pas contre lui ! C'est mon père !

Chem la regarda, tout l'amour du monde dans les yeux, puis secoua la tête, terrassé par la peine de ce qu'il devait faire.

— Charm, ma douce, ma belle dragonne. Ton père est sur le point de détruire tout ce en quoi je crois, tout ce que j'ai juré de protéger. Je t'en conjure. Tu dois me comprendre. Je ne peux le laisser faire.

— Père ! appela alors Charm, navrée. Je t'aiderai ! Nous trouverons un moyen ! Je t'en supplie ! Renonce à ce projet maléfique !

— Jamais ! hurla le dragon noir. Et si ce misérable serpent ose s'opposer à moi, je le tuerai comme le traître qu'il est !

— Qu'il en soit ainsi, murmura Chem.

— Chem ! cria Charm, si tu abats mon père, je ne te le pardonnerai pas !

— Je le sais, murmura le dragon bleu. Oh, mon amour ! Oui, je le sais !

— C'est inutile, ricana le dragon noir. Il est trop tard !

Il appliqua sa griffe sur l'un des motifs qui ornaient la grande pierre et Tara et Jeremy hurlèrent. Les pierres se mirent à luire et commencèrent à voler la vie des deux sortceliers qui se tordirent dans les liens de lumière noire. Leurs amis se débattirent en vain. Trois pierres s'élevèrent et tournèrent autour des deux adolescents, de plus en plus vite, au point que bientôt on ne les vit plus. Au-dessus d'eux, le ciel se tordit et un long couloir brillant se forma, s'ouvrant sur d'autres étoiles, maléfiques, où les soleils étaient noirs et gorgés de magie démoniaque. Le dragon avait réussi à ouvrir une faille entre les deux univers !

— Nooooon ! hurla maître Chem.

Et sans incanter, il se lança sur le dragon noir.

Fascinés et horrifiés, les captifs virent les deux dragons s'affronter dans un combat sanglant, gueule contre gueule, griffes contre griffes, feu contre feu. Ils crachaient des flammes et du sang, s'infligeaient de terribles blessures, sans que l'un ou l'autre prenne le dessus. Chandouvarilouvachivu s'était préparé et il s'était protégé d'un charme qui refermait ses blessures au fur et à mesure, alors que le dragon bleu, lui, saignait de partout et s'affaiblissait.

Soudain un hoquet d'horreur s'échappa de la gorge paralysée d'Isabella. En projetant Chem contre les pierres, Chandouvarilouvachivu venait de lui faire franchir le cercle magnétique ! Mais à sa grande surprise, le dragon bleu ne mourut pas. La machine le dédaigna et il repartit au combat. Isabella comprit que les dragons devaient bénéficier d'une protection. Et pria très fort pour que les deux ne s'entre-tuent pas, sinon personne, à part Charm, ne pourrait arrêter la machine !

— Tu ne peux me vaincre ! claironna le dragon noir alors que son adversaire faiblissait. Bientôt, ma machine aura fait le plein d'énergie ! Seule une épée pourrait venir à bout de mon sort de protection et tu n'auras pas le temps d'en invoquer une, je t'aurai tué avant !

Et il bondit, frappant Chem de sa queue et l'assommant à demi. Le dragon bleu eut tout juste le temps de se traîner plus loin. La patte du dragon noir s'abattit à l'endroit qu'il venait de quitter. S'il n'avait pas reculé, son adversaire lui aurait arraché le cœur.

Maître Chem comprit qu'il n'avait pas le choix. Pour sauver la Terre, sa vie et celle de milliards d'êtres vivants, il devait renoncer à l'esquive, se lancer à l'attaque et vaincre le père de celle qu'il aimait. Celui-ci revenait à la charge. Robin, qui se contorsionnait comme un fou, malade de voir Tara mourir sous ses yeux, sentit quelque chose de dur contre sa paume. Un objet blanc dépassait de sa poche, butant contre sa main, comme animé d'une intention. La corne de licorne du contrôleur ! Que pouvait-il en faire ? Elle était bien trop petite pour traverser l'épaisse cuirasse d'écailles du dragon noir ! Alors il pria de toutes ses forces pour qu'un miracle se produise. Et la corne entendit sa prière. Les cornes de licorne ne pouvaient servir qu'en cas d'extrême détresse. Celle-ci réagit et se mit à grandir. En quelques secondes, elle atteignit la taille d'une lance et tomba de la poche de Robin.

Le demi-elfe, le cœur battant d'espoir, releva la tête et cria :

— Maître Chem ! Vite, attrapez la corne !

Chandouvarilouvachivu vit l'arme et s'assombrit. Il voulut la saisir et se précipita, mais Chem était plus jeune, plus rapide. Il s'en empara avant le dragon noir et, dans un mouvement impeccable, fit volte-face et la lui planta dans le cœur. La lance d'os, fine et imparable, transperça Chandouvarilouvachivu de toute sa longueur.

Le dragon noir regarda sa poitrine, incapable de croire ce qu'il voyait. Puis il leva les yeux vers Chem, une haine implacable luisant dans ses prunelles.

— Trop tard, murmura-t-il avant de s'effondrer de toute sa masse.

Dès que son cœur cessa de battre, le sort immobilisant Charm s'éteignit. Le Mutismus disparut aussi et les sortceliers hurlèrent de concert pour que Chem les libère. Mais la sorcellerie des pierres, elle, continua à pomper la vie de Tara et de Jeremy.

Charm se précipita vers son père. Chem, épuisé, couvert de sang et de suie, se traîna vers les captifs et entreprit de briser les liens de lumière noire. S'il y parvint pour eux, ce fut impossible pour les deux colonnes qui maintenaient Tara et Jeremy. Le processus était enclenché. Au-dessus d'eux, les cieux se déchiraient, se tordaient, prêts à recevoir la décharge d'énergie dès que la machine serait chargée. De l'autre côté de l'univers, les soleils maléfiques pulsaient, comme s'ils sentaient venir leur destruction prochaine. C'était à la fois grandiose et terrifiant.

Robin était en train perdre la tête. Il sentait la vie de Tara s'échapper par les glyphes qui battaient de plus en plus lentement sur ses avant-bras.

— Il faut désamorcer la machine ! hurla-t-il. Faites quelque chose !

— Nous ne pouvons pénétrer dans le cercle ! cria Isabella. La machine nous tuerait comme elle a tué Menelas ! Chem, vous seul, avec Charm, pouvez stopper le processus ! Il doit exister un mécanisme d'interruption. Trouvez-le !

Mais Charm, qui avait retiré la lance d'os et l'avait jetée au loin avec fureur, s'était enfoncée dans son chagrin. Elle n'entendait pas ce qu'on lui demandait.

Chem, épuisé, s'approcha du cercle et plaça sa griffe à l'endroit où le dragon noir avait posé la sienne. Rien ne se produisit. Le dragon leva une gueule désespérée vers le ciel où Tara et Jeremy se vidaient de leur magie. Il était au bord de l'évanouissement.

— Chem ! hurlèrent Isabella et Selena ensemble. Réveille-toi ! *Chem* !

Le dragon bleu secoua la tête. Il avait eu un moment d'absence.

— Chem ! cria Selena, Chandouvarilouvachivu était le maître de la génétique. Il a dû autoriser la machine à recevoir des instructions d'un autre dragon si, pour une raison ou une autre, il était tué ou blessé. Cet autre dragon ne peut être que sa fille ! Chem, elle ne nous écoutera pas ! Tu dois la convaincre !

— Je viens de tuer son père ! souffla le dragon.

— Vous devez essayer ! hurla Robin. Maître Chem, je vous en supplie, ne l'abandonnez pas !

La détresse du garçon perça la brume qui entourait l'esprit du dragon. Il sortit du cercle et s'approcha d'un pas pesant de Charm, secouée de sanglots sur le corps de son père.

— Charm, crois-moi, j'ai essayé de l'épargner. Mais s'il

m'avait vaincu, cette infamie aurait détruit tous les dragons, tu le sais bien.

Charm essuya rageusement ses larmes.

— Il a été un père aimant et affectueux. Lorsque ma mère a disparu, il s'est occupé de moi chaque jour et chaque nuit afin de me rendre plus forte et résistante, mais toujours avec tant de tendresse et d'amour que je ne veux pas me souvenir d'autre chose. Une partie de moi est morte avec lui, aujourd'hui. Je ne pourrai jamais te pardonner.

Le dragon s'affaissa mais il n'était pas seul en cause.

— Si la machine fonctionne, le crime sera connu et des milliards d'êtres mourront. J'ai besoin de toi, Charm !

La dragonne le dévisagea, son cœur lui criant : « Et moi, lorsque j'ai eu besoin de ton aide, me l'as-tu donnée ? », mais elle vit Robin et Selena et tous les autres qui désespéraient et elle comprit qu'elle ne pouvait les abandonner. Pas maintenant, pas ici.

Elle se leva, couverte du sang de son père, se dirigea vers le cercle et posa sa griffe sur la pierre plate, ordonnant à la machine de s'arrêter.

Pendant un horrible laps de temps, il ne se passa rien. La machine n'obéissait pas.

Puis il y eut un claquement sec et elle stoppa brutalement. Mais le processus était allé trop loin. Le sol se mit à trembler, les dolmens oscillèrent comme d'énormes arbres de pierre agités par un vent invisible et une gigantesque déflagration ébranla la terre. La machine avait accumulé un excès de magie et elle la libéra. Pendant un bref instant, les sortceliers, les thugs, les dragons, Fafnir, Manitou et Jordan baignèrent dans un flot de magie pure et surpuissante.

Puis, dans un grincement de fin du monde, les trois pierres ralentirent, le cercle cessa de bourdonner, la faille se referma, le ciel redevint noir et scintillant et Tara et Jeremy s'écroulèrent. La magie de Selena, Isabella et Robin les cueillit de justesse avant qu'ils n'aillent s'écraser au sol. Et Cal rattrapa la Pierre Vivante in extremis avant qu'elle ne se fracasse également. Celle-ci lui voua dès lors une admiration et une affection sans limites. « *Beau Cal, gentil Cal* » devinrent ses mots favoris.

Tout autour d'eux, les Pierres se renfoncèrent dans la terre, prêtes à servir à nouveau. Sous l'un des trilithes, Galant apparut, étonné d'être encore en vie. La machine l'avait délivré. Il se précipita vers sa compagne d'âme.

Et Tara et Jeremy étaient encore vivants. Horriblement faibles, mais vivants, quoique inconscients.

ÉPILOGUE

Charm emporta au Dranvouglispenchir le corps de son père, après avoir fait disparaître sa blessure. Personne ne fut mis au courant des événements de Stonehenge et les médias annoncèrent tristement la mort du roi des Dragons suite à un problème cardiaque, ce qui, d'une funèbre façon, était exact.

Le dragon renégat s'était fait passer pour maître Chem depuis des années, évitant habilement de se retrouver en même temps que lui au même endroit. Très discrètement, il avait engagé les harpies pour le débarrasser de Robin et entraîner à Stonehenge les sortceliers, en particulier Tara. Le maître Chem qui était apparu à la Porte de Transfert de Londres était un imposteur. Il avait soigné Tara, jugulant sa magie pour qu'elle n'en meure pas. À Stonehenge, voyant qu'Isabella allait repartir, il avait ensorcelé une photo pour qu'elle montre Menelas. Puis il avait enlevé Jeremy et avait pris sa place.

Ils ne retrouvèrent pas la corne de licorne mais, à la place, la casquette du contrôleur. Robin, reconnaissant, décida de la conserver.

La déflagration de magie ne fut pas sans conséquences sur Terre. À leur grande surprise, les sortceliers qui y habitaient de façon permanente s'aperçurent que leurs pouvoirs avaient augmenté. Les courants magiques affaiblis par la science venaient d'être réalimentés. Ils durent redoubler de prudence, car les nonsos devinrent encore plus sensibles aux activités magiques et il y eut une recrudescence de publications sur la magie, les écrivains étant, comme chacun le sait, des presque-sortceliers.

Fabrice fut enchanté. C'était le cas de le dire. Ses pouvoirs furent démultipliés par l'explosion, fait qu'il découvrit lors d'un petit déjeuner où son bol de céréales et de lait de balboune lui explosa au nez.

Les pouvoirs de ses amis furent aussi renforcés, ce qui l'agaça un peu, mais il se contenta de ce cadeau inattendu.

Lorsque Cal s'en vanta devant elle, Angelica faillit faire une crise de nerfs. Ayant franchi la Porte de Transfert au moment de la mort de Chandouvarilouvachivu qui l'avait débloquée, elle n'avait pas été atteinte par la déflagration magique. Elle avait manqué l'opportunité de devenir plus puissante ! Comme elle ne pouvait accepter sa propre stupidité, elle en détesta Cal encore davantage.

Moineau se souvint que plusieurs remarques du dragon l'avaient étonnée et s'en voulut de n'avoir jamais soupçonné un imposteur.

Jeremy vint habiter sur AutreMonde. Il entreprit des recherches pour retrouver ses parents, à présent qu'il était délivré de la menace représentée par le dragon.

Et Tara perdit sa magie. Totalement. Elle ne pouvait même plus communiquer mentalement avec la Pierre Vivante. Les chamans d'AutreMonde réservèrent leur pronostic, mais leurs fronts étaient plissés et leurs regards soucieux lorsqu'ils se posaient sur l'Héritière.

Jar, le frère de Tara, lui, était ravi. Si Tara était définitivement privée de sa magie, elle ne pouvait plus être héritière d'Omois. Il prenait donc la tête de la succession et cela lui plaisait infiniment. Il se pavanait dans tout le palais comme un petit paon arrogant, à l'exacte ressemblance de l'emblème d'Omois, sauf qu'il était moins rouge et qu'il possédait seulement deux yeux.

Cal retrouva Eleanora et la jeune fille et lui tentèrent de

confondre Tyrann'hic. Mais le vieux Haut Mage n'était pas stupide. Ils décidèrent de le surveiller de près. Mara, la sœur de Tara, qui jugeait Cal vraiment très mignon, s'agaça de le voir constamment avec Eleanora. Dans sa petite tête astucieuse mûrit bientôt le projet de le séparer d'El. Le pauvre Cal n'était pas sorti d'affaire !

Quelques jours après leur retour, ils reçurent deux boîtes contenant de la poudre blanche, et deux papiers écrits en dragonien, avec un mot de Magister : « Bien joué, ce n'est que partie remise ! » Après vérification, il s'avéra que la poudre était de l'argile blanche. Dans sa rage d'avoir été berné, Magister venait de leur renvoyer les deux golems sous leur forme originelle.

Près du corps du dragon vaincu, Xandiar avait retrouvé l'Étoile de Zendra. Il la remit à Blour Mabri, le fils de Vlour Mabri, le savant assassiné. Pour des raisons de secret défense, il ne put informer le jeune homme de tout ce qui s'était passé. Celui-ci en conçut une grande amertume et décida de consacrer sa vie à terminer le travail de son père.

Il y eut une enquête pour déterminer les circonstances exactes de la manipulation génétique. L'impératrice parvint à dissimuler sa participation au complot et très vite un nouveau scandale chassa celui-ci. Mais les cristalistes décidèrent de garder un œil sur Tara, histoire d'être au courant si elle détruisait une planète au passage.

Ce qui ne risquait pas d'arriver, car Tara était bien incapable de faire de la magie.

Si l'Impératrice en était horrifiée, la jeune fille, elle, était satisfaite. Tant qu'elle n'aurait aucun pouvoir, Magister lui ficherait la paix. Pour la première fois depuis qu'elle était sur AutreMonde, elle pouvait goûter la paix. Elle était bien décidée à en profiter.

Robin apprit ce qui s'était passé pour l'Attractus. Même si Jeremy aimait beaucoup Tara et s'entendait plutôt bien avec elle, il n'en était pas amoureux. Le demi-elfe prit donc son courage à deux mains et décida de rendre visite à l'élue de son cœur.

Tara était dans ses appartements. Le cœur de Robin se serra en voyant à quel point, un mois après les événements terrestres, la jeune fille était encore pâle et amaigrie. L'air ennuyé, elle pressait dans sa main un parchemin qu'elle posa vivement à son entrée.

— Bonjour Tara, comment vas-tu ce matin ?

La jeune fille sourit.

— J'arrive à faire environ trois pas avant de m'écrouler. Grosse amélioration ! Il y a dix jours, je ne pouvais mettre un pied hors de mon lit !

— Je suis content. Regarde ! fit Robin en tendant ses avant-bras lisses et immaculés.

Comme il n'y avait rien à voir, Tara haussa un sourcil inquisiteur.

— Euh, oui ?

— Les glyphes ! Ils ont disparu !

Tara rosit puis dénuda ses bras. Ses glyphes aussi s'étaient effacés.

— Oh ! fit-elle. Je ne m'en étais pas aperçue. Formidable. Tu avais l'air de t'en faire à ce propos.

Robin décida d'aller droit au but.

— Veux-tu... que nous recommencions ?

La jeune fille ne fit pas celle qui ne comprenait pas. Le cœur battant brusquement la chamade, chavirée par le regard de cristal de Robin, elle eut un sourire timide et dit :

— Je veux bien.

Alors, il s'assit à son côté, la prit dans ses bras et l'embrassa comme on embrasse une rose ou quelque chose d'infiniment doux et précieux.

Et cette fois-ci, le miel et la soie furent bien au rendez-vous et ne disparurent pas. Tara voguait au paradis lorsqu'une voix courroucée l'arracha à ses rêves.

— Tara ! Que fais-tu ?

L'Impératrice, sa tante, venait de faire irruption chez la

jeune fille. Celle-ci n'eut pas le temps de répondre. Lisbeth toisait Robin qui avait bondi sur ses pieds et rougissait comme une pivoine. La sentence tomba comme un couperet.

— Demi-elfe ! ordonna l'Impératrice d'un ton glacial. Je vous interdis de vous approcher de mon héritière !

Lexique détaillé d'AutreMonde
(Et d'ailleurs)

L'étonnante AutreMonde

AutreMonde est une planète magique, plutôt dangereuse pour les innocents touristes (qui se font plumer par les marchands et dévorer par les bestioles). Elle fait le tour de son brûlant soleil en quatorze mois. Les jours durent vingt-six heures et l'année compte quatre cent cinquante-quatre jours. Il y a sept saisons : Kaillos, Botant, Trebo, Faicho, Plucho, Moincho et Saltan. Le climat y est incertain, la faune et la flore agressives ; pourtant ses habitants n'iraient ailleurs pour rien au monde, car elle est magnifique. Sur AutreMonde vivent des peuples venus souvent d'autres planètes : dragons, elfes, humains, lutins, fées, licornes, pégases, gnomes, Diseurs, tatris, géants, nains, vampyrs, etc.

Autres planètes

La **Terre**, peuplée d'humains et de quelques sortceliers en mission secrète.

Le **Dranvouglispenchir**, planète des dragons, dirigée par Chandouvarilouvachivu, leur roi. Les énormes reptiles peuvent prendre la forme de leur choix, souvent humaine, et se battent aux côtés des sortceliers contre les démons des Limbes.

Les **Limbes**, univers parallèle, composé de planètes dirigées par des êtres appelés « démons ». Les sept principales planètes sont appelées « cercles ». Le but des démons est extrêmement simple : conquérir les univers et manger tout le monde.

Santivor, planète glaciale des Diseurs de Vérité, végétaux intelligents et télépathes.

PRINCIPAUX PEUPLES ET PAYS D'AUTREMONDE

Hymlia. Capitale : Minat. Emblème : enclume et marteau de guerre sur fond de mine ouverte. Habitants : nains.
Aussi hauts que larges, connus pour leur amour de la bagarre, leur haine de la magie (bien qu'ils soient capables de passer à travers la pierre, ce qu'ils considèrent comme un don), leur passion des mines et leurs chants longs, compliqués et souvent difficiles à entendre, pour cause d'oreilles bouchées.

Krankar. Capitale : Kria. Emblème : arbre surmonté d'une massue. Habitants : trolls.
Souvent utilisés comme gardes du corps du fait de leur taille imposante, les trolls sont végétariens mais peuvent devenir des ogres s'ils absorbent involontairement de la viande.

Krasalvie. Capitale : Urla. Emblème : astrolabe surmonté d'une étoile et du symbole de l'infini (un huit couché). Habitants : vampyrs.
Les vampyrs d'AutreMonde se nourrissent du sang des animaux qu'ils élèvent. Ceux qui se nourrissent d'humains, ou d'êtres conscients que leur salive devenue empoisonnée transforme en leurs esclaves, sont impitoyablement éliminés par les « Brigades noires », les brigades vampyrs.

Lancovit. Capitale : Travia. Emblème : licorne blanche à corne dorée, dominée par le croissant de lune d'argent. Habitants : humains.
Puissant royaume humain, le Lancovit est la patrie de Tara et de sa famille du côté de sa mère, Selena.

Le Mentalir, vastes plaines de l'Est sur le continent de Vou. Habitants : licornes et centaures. Pas d'emblème.
Les licornes se divisent en deux clans : les penseurs et les

animaux. Les centaures sont farouches et chassent ceux qui tentent de venir sur leur territoire.

Omois. Capitale : Tingapour. Emblème : le paon pourpre aux cent yeux d'or. Habitants : humains.

Fort de deux cents millions d'habitants, Omois est situé sur le continent de Tû. Ses dirigeants sont Lisbeth et Sandor, impératrice et imperator, tante et demi-oncle de Tara et descendants de Demiderus, le Très Haut Mage fondateur de l'empire.

Salterens. Capitale : Sala. Emblème : grand ver dressé tenant un cristal de sel bleu dans ses dents. Habitants : salterens.

Les salterens sont les esclavagistes d'AutreMonde. Terrés dans leur impénétrable désert, mélange bipède de lion et de guépard, ce sont des pillards et des brigands qui exploitent les mines de sel magique (à la fois condiment et ingrédient magique). Ils sont dirigés par le Grand Cacha et par son Grand Vizir, Ilpabon, et divisés en plusieurs puissantes tribus.

Selenda. Capitale : Seborn. Emblème : lune d'argent pleine au-dessus de deux arcs opposés aux flèches d'or encochées. Habitants : elfes.

Yeux de cristal, cheveux d'argent, bien que pouvant se croiser avec les humains, les elfes mâles ont des poches qui poussent après la conception pour pouvoir aussi porter le bébé. Grands guerriers, très dangereux et susceptibles, ils sont quasiment immortels, raison pour laquelle ils ont peu d'enfants. Robin, le demi-elfe, souffre de son métissage qui le fait rejeter par les autres elfes.

Smallcountry. Capitale : Small. Emblème : globe stylisé entourant une fleur, un oiseau et une aragne. Habitants : gnomes, lutins p'abo, fées et gobelins.

Les gnomes sont bleus, les lutins verts, les gobelins gris et les fées multicolores. Adorant les oiseaux, les habitants de smallcountry en les mangeant ont tué les prédateurs des insectes. Aussi à Smallcountry se trouvent les plus gros insectes d'AutreMonde, au point qu'ils servent de montures ou de tisseurs.

Tatran. capitale : Cityville. Emblème : équerre, compas et boule de cristal sur fond de parchemin. Habitants : tatris, cahmboum, tatzboum.

Travailleurs, organisés, les tatris sont les administrateurs d'AutreMonde. On les retrouve souvent aux postes de ministres ou de gouverneurs. Leurs deux têtes sont probablement à l'origine de leurs prodigieuses facultés de réflexion. Les cahmboums, sortes de grosses mottes jaunes aux yeux rouges et tentacules, sont également des administratifs, souvent bibliothécaires. Les tatzbooms sont en général des musiciens et jouent des mélodies extraordinaires grâce à leurs tentacules.

Faune, flore et proverbes d'AutreMonde

Aragne
Araignées à huit pattes et queue de scorpion, les aragnes aiment les charades et dévorent les imprudents qui ont peu d'imagination.

Astophèle
Les astophèles sont des petites fleurs roses qui ont la propriété de neutraliser l'odorat pendant quelques jours. Les plantes ont développé cet astucieux procédé pour échapper aux herbivores, qui dépendent de leur odorat pour détecter les prédateurs.

Balboune
Rouges, les baleines d'AutreMonde chantent des mélodies inoubliables et produisent un lait très apprécié de tous. « Chanter comme une balboune » est un compliment extraordinaire.

Bééé
Moutons à la belle laine blanche, les bééés se sont adaptés aux saisons très variables de la planète magique et peuvent perdre leur toison ou la faire repousser en quelques heures. Les éleveurs utilisent d'ailleurs cette particularité au moment de la tonte : ils font croire aux bééés (sur AutreMonde, on dit « crédule comme un bééé ») qu'il fait brutalement très chaud et ceux-ci se débarrassent alors immédiatement de leur toison.

Bendruc le Hideux
Divinité des limbes démoniaques, Bendruc est si laid que même les autres dieux démons éprouvent un certain respect pour

son aspect terrifiant. Ses entrailles ne sont pas dans son corps mais en dehors, ce qui, lorsqu'il mange, permet à ses adorateurs de regarder avec intérêt le processus de digestion en direct.

Bizzz

Grosses abeilles rouge et jaune, les bizzz, contrairement aux abeilles terriennes, n'ont pas de dard. Leur unique moyen de défense est de sécréter une substance toxique qui empoisonne tout prédateur voulant les manger. Le miel qu'elles produisent à partir des fleurs magiques d'AutreMonde a un goût incomparable. On dit souvent sur AutreMonde : « Doux comme du miel de bizzz ».

Bllls

Les bllls sont des poissons ailés qui passent une partie de leur temps dans l'eau et l'autre, lorsqu'ils doivent se reproduire, en dehors. Très gracieux et magnifiques par leurs couleurs chatoyantes, ils sont souvent utilisés en décoration, dans de ravissantes piscines.

Blurps

Étonnante preuve de l'inventivité de la magie sur Autre-Monde, les blurps sont des plantes insectoïdes. Dissimulées sous la terre, semblables à de gros sacs de cuir brun, elles s'ouvrent pour avaler l'imprudent. Les petites blurps ressemblent à des termites et s'occupent d'approvisionner la plante mère en eau et en victimes. Une fois grandes, elles s'éloignent du nid et plantent leurs racines, s'enfonçant dans la terre, et le processus se répète. On dit souvent sur AutreMonde : « S'égarer dans un nid de blurps » pour désigner quelqu'un qui n'a aucune chance de s'en sortir.

Bobelle

Splendide oiseau d'AutreMonde un peu semblable à un perroquet.

Brillantes

Cousines des fées, les minuscules brillantes, comme leur nom l'indique, brillent dans l'obscurité comme des lampes de 100 watts. En échange de petits nids faits par les hommes, sous forme de lampadaires ou de lampes transparentes, elles éclairent tous les foyers d'AutreMonde. Pourvues d'ailes, elles ont la forme de petits humains.

Brrraaa

Énormes, lents, têtus, les brrraaa sont l'une des principales productions de Gandis, le pays des géants. Les brrraaa, très ombrageux, chargent tout ce qu'ils voient, jusqu'à épuisement. On dit souvent « têtu comme un brrraaa ».

Camelles brunes

Plantes en forme de cœur, dont les feuilles sont comestibles. Beaucoup de voyageurs ont pu survivre sans aucune autre alimentation que des feuilles de camelle. On l'appelle aussi « plante du voyageur ».

Chaman

Les chamans sont les guérisseurs, les médecins d'Autre-Monde. Car, si tous les sortceliers peuvent appliquer des Reparus, il est de nombreuses maladies qui ne peuvent pas être soignées grâce à ce sort si pratique.

Chatrix

Souvent utilisés comme chiens de gardes, les chatrix sont de grosses hyènes noires aux dents empoisonnées.

Crochiens

Chacals du désert du salterens, les crochiens chassent en meute.

Crogroseille

Le jus de crogroseille est désaltérant et rafraîchissant. Légèrement pétillant, il est l'une des boissons favorites des AutreMondiens.

Discutarium

Entité intelligente recensant tous les livres, films et autres productions artistiques de la Terre, d'AutreMonde, du Dranvouglispenchir mais également des Limbes démoniaques. Il n'existe quasiment pas de question à laquelle la Voix, émanation du Discutarium, n'ait la réponse.

Diseurs de Vérité

Végétaux intelligents, originaires de Santivor, glaciale planète située près d'AutreMonde. Les Diseurs sont télépathes et capables de déceler le moindre mensonge. Muets, ils communiquent grâce aux gnomes bleus, seuls capables d'entendre leurs pensées.

Draco-tyrannosaure

Croisement de reptiles et de dinosaures, ils sont l'une des raisons pour lesquelles le tourisme est peu développé dans les forêts d'AutreMonde.

Effrit

Race de démons qui s'est alliée aux humains contre les autres démons lors de la grande bataille de la Faille. Pour les remercier, ils ont reçu de la part de Demiderus l'autorisation de venir dans notre univers sur simple convocation d'un sortcelier. Ils ont décidé d'utiliser leurs pouvoirs pour aider les humains sur AutreMonde. Les moins puissants d'entre eux sont utilisés comme serviteurs, messagers, policiers, etc.

Élémentaire

Il existe plusieurs sortes d'élémentaires : de feu, d'eau, de terre et d'air. Ils sont en général amicaux, sauf les élémentaires de feu qui ont assez mauvais caractère, et aident volontiers les AutreMondiens dans leurs travaux ménagers quotidiens.

Géant d'Acier

Arbres indestructibles sauf en utilisant la magie, les géants poussent jusqu'à trois cents mètres de hauteur et servent de support aux gigantesques nids des pégases sauvages.

Gélisor

Divinité mineure des Limbes démoniaques dont l'haleine est si violente que ses adorateurs ne peuvent entrer dans son sanctuaire que le museau/gueule/visage couvert par un linge aromatisé. Même les mouches ne peuvent survivre dans le temple de Gélisor. Et lors des réunions avec les autres dieux, il est prié de se laver les crocs avant de venir, histoire que l'atmosphère soit un minimum supportable. Il est également interdit de fumer à proximité de Gélisor.

Glouton étrangleur

Comme son nom l'indique, le glouton étrangleur est un animal velu et allongé qui utilise son corps comme une corde pour étrangler ses victimes.

Glurps

Sauriens vert et gris. Rendent les cours d'eau peu propices aux baignades.

Jourstal (pl. : jourstaux)

Diffusés par la télécristal, les jourstaux sont les nouvelles d'AutreMonde, que les sortceliers et nonsos reçoivent sur les panneaux de cristal et autres boules de cristal.

Kalorna

Ravissantes fleurs des bois, les kalornas sont composées de pétales rose et blanc légèrement sucrés qui en font des mets de choix pour les herbivores et omnivores d'AutreMonde. Pour éviter l'extinction, les kalornas ont développé trois pétales capables de percevoir l'approche d'un prédateur. Ces pétales, en forme de gros yeux, leur permettent de se dissimuler très rapidement. Malheureusement, les kalornas sont également curieuses, et elles repointent le bout de leurs pétales souvent trop vite pour échapper aux cueilleurs. Ne dit-on pas « curieux comme une kalorna » ?

Kax

Son surnom est la « molmol » tant cette tisane est relaxante. « Toi t'es un vrai kax », ou encore « Oh le molmol ! » sont des injures précisant que la personne est peu dynamique.

Keltril

Très souple, léger et résistant, de couleur argentée, le keltril est façonné par les nains qui le vendent (très cher !) aux elfes et aux humains.

Kidikoi

Bien des mages se sont penchés sur les étranges propriétés des sucettes prophétiques kidikoi, sans récolter d'autre réponse que des kilos en trop et des caries. Leur cœur annonce le futur mais il est souvent difficile de comprendre leurs prédictions, malicieusement créées par les lutins p'abo.

Krakdent

Les krakdents ressemblent à d'adorables peluches roses aux

grands yeux innocents. Gare cependant à celui qui voudrait les caresser, car ce sont d'impitoyables prédateurs. Bien des touristes ont perdu la vie en disant : « Oh, regarde chéri, comme il est mign... » Plusieurs meurtres déguisés en accident ont d'ailleurs été commis grâce à des krakdents.

Kré-kré-kré

Petits rongeurs au pelage jaune citron ressemblant au lapin, les kré-kré-kré, du fait de l'environnement très coloré d'Autre-Monde, échappent assez facilement à leurs prédateurs. Bien que leur chair soit assez fade, elle nourrit le voyageur affamé ou le chasseur patient. Sur AutreMonde, les kré-kré-kré sont également élevés en captivité.

Mooouuus

Ce sont des élans sans corne à deux têtes. Quand une tête mange, l'autre reste vigilante pour surveiller les prédateurs. Pour se déplacer, les mooouuus font comme les crabes, ils courent sur le côté.

Mouche à sang

Leur piqûre est très douloureuse. Intrépides, elles s'attaquent à tout ce qui bouge sans distinction. La majorité des sorts insecticides concernent ces fichues bestioles.

Nonsos

Humain, elfe ou toute autre entité intelligente ne possédant pas la magie.

Pégase

Les pégases sont des chevaux ailés argentés. Leurs os sont creux et ils n'ont pas de sabots, peu pratiques pour se percher sur les arbres ou faire des nids, mais de redoutables griffes/serres, rétractiles.

Piqqq

Comme leur nom l'indique, les piqqq sont des insectes d'AutreMonde qui, comme les mouches à sang, se nourrissent du sang de leurs victimes. La différence, c'est qu'ils injectent un venin puissant pour fluidifier le sang de leurs proies et que de nombreux traducs, mooouuus ou bééé se sont littéralement vidés de leur sang après avoir été attaqués par des piqqq. Heureusement, ils se tiennent surtout aux alentours des marais où ils pondent leurs œufs.

Pouf-pouf

Petites boîtes animées sur six pattes, les pouf-pouf sont les nettoyeurs d'AutreMonde. Gare à celui qui fait Tomber quelque chose, les pouf-pouf se précipiteront pour l'avaler.

Pouic

Petites souris rouges capables de se téléporter physiquement d'un endroit à un autre et munies de deux queues. Leur ennemi naturel est le mrrr, sorte de gros chat orange à oreilles vertes qui bénéficie de la même capacité.

Prroutt

Plantes carnivores d'AutreMonde d'un jaune morveux, elles exhalent un fort parfum de charogne pourrie pour attirer les charognards et les prédateurs. Qu'elles engloutissent dès qu'ils s'approchent à portée de leurs tentacules.

Scoop

La scoop est une caméra dotée d'ailes, qui ne vit que pour filmer. Elle se nourrit de cellulose.

Sèche-corps

Entités immatérielles, sous-élémentaires de vent, les sèche-corps sont utilisés dans les salles de bains, mais également en navigation sur AutreMonde où ils se nomment alors « soufflevent ».

Snuffy rôdeur

Ressemblant à un renard bipède, vêtu le plus souvent de haillons, un grand sac sur le côté, le snuffy rôdeur est un pilleur de poulailler et de spatchounier, ce qui fait qu'il n'est pas très aimé des fermiers d'AutreMonde. Il a la particularité, peu connue, de pouvoir se dédoubler, ce qui lui permet de se libérer des prisons où il est souvent enfermé.

Sopor

Plantes pourvues de grosses fleurs odorantes, elles piègent les insectes et les animaux avec leur pollen soporifique. Une fois l'insecte ou l'animal endormi, elles l'aspergent de pollen afin qu'il joue le rôle d'agent fécondant. Raison pour laquelle on voit souvent aux alentours des champs de sopors des carnivores ayant appris à retenir leur souffle le temps d'attraper leur proie et de la sortir du champ. On dit souvent sur AutreMonde : « Ennuyeux comme un champ de sopor ».

Sortceliers
Humain, elfe ou toute autre entité intelligente possédant l'art de la magie.

Spatchounes
Dindons géants et dorés, les spatchounes ne doivent leur survie en tant que race qu'au fait qu'ils sont très prolifiques. On dit souvent sur AutreMonde « bête comme un spatchoune », ou « vaniteux comme un spatchoune ».

Spatchounier
Équivalent d'un poulailler sur AutreMonde.

Taludi
Les taludis sont de petits animaux à trois yeux en forme de casque blanc qui sont capables d'enregistrer n'importe quoi. Ils se nourrissent de pellicule ou d'électricité et voient à travers les illusions, ce qui en fait des témoins précieux et incorruptibles. Il suffit de les mettre sur la tête pour voir ce qu'ils ont vu.

Taormis
Redoutables souris à tête de fourmi dont la piqûre est horriblement douloureuse, les taormis sont capables de décimer une forêt entière lorsque l'une des fourmilières/nids décide de migrer. Elles produisent également un miel très sucré, apprécié des animaux d'AutreMonde, mais particulièrement difficile à obtenir sans y laisser la vie.

Tatrolls
Les mesures terriennes et AutreMondiennes étant différentes, j'ai directement converti les mesures que me donnait Tara, les tatrolls en kilomètres et les batrolls en mètres. Un troll faisant trois mètres de haut, un batroll fait donc 1 m 50 et un tatroll un kilomètre et demi.

Tricrocs
Armes enchantées trouvant immanquablement leur cible, composées de trois pointes mortelles, souvent enduites de poison

ou d'anesthésique, selon que l'agresseur veut faire passer sa victime de vie à trépas ou juste l'endormir.

T'sils

Minuscules vers vivant dans le désert de salterens, les t'sils attaquent tout ce qui bouge, et tendent, pour ceux qui ne savent pas comment s'en protéger, un piège mortel à celui qui met un pied dans leur désert.

Traducs

Gros herbivores élevés pour leur chair délicieuse et leur poil très long, dru et solide, ils ont des glandes sudoripares qui émettent une odeur atroce. « Puer comme un traduc malade » est l'une des insultes quotidiennes d'AutreMonde.

Tzinpaf

Délicieuse boisson gazeuse à base de cola, de pommes et d'oranges ou de cerises, le tzinpaf est une boisson très appréciée sur AutreMonde.

Ver taraudeur

Le ver taraudeur se reproduit en insérant ses larves sous la peau des animaux pendant leur sommeil. Bien que non mortelle, sa morsure est douloureuse et il faut la désinfecter immédiatement avant que les larves se propagent dans l'organisme.

Vrrir

Redoutables félins blancs à six pattes, les vrrirs sont les compagnons ensorcelés de l'Impératrice. Ils circulent librement dans son palais, aveugles à la présence des autres.

Remerciements

Voici venu le temps des remerciements. Alors à vos parapluies, ça va pleuvoir ! Tout d'abord, merci encore cette fois à l'adorable Stéphanie Chevrier. Sans son inflexible volonté, ce livre serait certainement moins bien fait. À Marie-Clotilde qui a tant fait qu'il faudrait une encyclopédie entière pour la remercier correctement. À Frédéric Morel qui me soutient envers et contre tous et à Gilles Haéri qui gère ses tumultueux auteurs avec patience et dextérité. À Virginie Plantard qui relit ma prose d'un œil d'aigle et traque la moindre erreur. Sans oublier Teresa Cremisi, notre impressionnante pédégère.

À Brigitte Gautrand, mon attachée de presse qui a fait un travail admirable sur *Le Sceptre maudit* et à Gilles Paris, mon nouvel attaché de presse qui est aussi jovial que talentueux et me sidère par son incroyable sens de l'organisation. À Pierre Coursière et à sa fille Perrine, merci encore, sans vous, la fête de lancement aurait été moins « glamour », lol !

Merci à Xavier Thomas, qui a réalisé un magnifique DVD de tout ce qui s'est passé depuis un an. Bravo Xavier, si le film se fait, ce sera grâce à ton talent ! Merci à Charlotte Moundlic et à Stan et Vince, qui ont fait un merveilleux travail sur le graphisme, en un temps record, et merci à Hélène Wadowski pour son soutien. Merci à Gabriela Kaufman qui a accepté de bonne grâce que les deux couvertures beurk du premier et du second tomes soient refaites et rééditées.

Merci à ma maman, qui me fait rire et s'amuse beaucoup de mes aventures littéraires, à mon oncle, Francis, ma tante, Françoise, et mes deux cousins, Gilles et Jean, sans oublier toute la merveilleuse famille Audouin, Jean-Luc, Lou, Thierry, Marylène, Léo et une toute nouvelle adorable belle-sœur, Corinne ! Gros bisous à Papy Gérard, fidèle fan de Tara depuis longtemps.

Merci à Cécile, ma merveilleuse sœur, que je ne vois pas assez, à son mari Didier, et bises à petit Paul. Merci aussi à Michèle Schwartz, ma jumelle d'âme qui lit tous mes manuscrits et est tout à fait persuadée que je suis folle, mais qui s'amuse beaucoup. Merci à Théo Klein, à qui je dois ma carrière littéraire, à la magnifique Martine Mairal, que j'idolâtre et à qui je dois, avec bonheur, une nette augmentation de mes notes téléphoniques, et à son Jacquesaubrillantcerveau.

Au tour de mes merveilleux fans que j'adore. À Honyasama, qui est un merveilleux modérateur et un fan fidèle et créatif, à Cécile/ Aziliz, toujours fidèle au poste, à Liestra, Lalex qui illustre comme elle respire, à Astrid et Crystal encore bravo pour vos dessins, à Kiel, à Karine et à son amie Axelle, administratrices de nombreux forums sur Tara et formidables fans, à Margaux, Margot, Alexandre, à Milora qui a un vrai talent d'écrivain, Pierre, Cedricquiressembleàcal, Lauriane, à Rémiauxbeauxyeuxbleus qui pour l'amour de Marine va lire Tara (plein de pages, gros effort ! mdr !), à Astrid, Camille et K-mille, Melissa, Catherine, Séverine, Noémie, Chloé, Violaine, Vincent, Victoria, Victor, Vanessa, Valentine, Marion, Michèle, Christelle, Timothée, Thomas, Thierry et Thibaut, Marie, Estelle, Florian, Fabrice, Florent, Cathy et la toute jeune Lyna, et tous les autres qui sont trop nombreux pour que je les cite tous. Merci, votre affection sans faille et votre présence me sont précieuses : vous m'inspirez !

Et le plus beau, le plus important des mercis à mon adorable mari, Philippe, et à mes deux filles, Diane et Marine, qui m'entourent de tant d'amour que, parfois, j'ai l'impression qu'il va déborder et inonder le monde !

Table

Composition et mise en page

NORD COMPO
m u l t i m é d i a

CET OUVRAGE
A ÉTÉ ACHEVÉ D'IMPRIMER
SUR ROTO-PAGE
PAR L'IMPRIMERIE FLOCH
À MAYENNE EN OCTOBRE 2007

N° d'éd. L.01ELINFF9051.A006. N° d'impr. 69552.
D.L. : octobre 2006.
Imprimé en France